PENSE
MAGRO

B393p   Beck, Judith S.
         Pense magro : a dieta definitiva de Beck / Judith S. Beck ; tradução Leda Maria Costa Cruz. – Porto Alegre : Artmed, 2009.
         317 p. ; 23 cm.

         ISBN 978-85-363-1638-3

         1. Terapia cognitivo-comportamental – Dieta. I. Título.

                                                            CDU 615.85

Catalogação na publicação: Renata de Souza Borges CRB-10/Prov-021/08

JUDITH S. BECK

PENSE MAGRO

A dieta definitiva de Beck

Tradução:
Leda Maria Costa Cruz

Consultoria, supervisão e revisão técnica desta edição:
Melanie Ogliari Pereira
Psiquiatra, Terapeuta Cognitiva com formação
no Instituto Beck, Filadelfia-Pensilvânia.
Membro da Academia de Terapia Cognitiva – Porto Alegre-RS.

artmed®

2009

© 2007, Judith S. Beck, PhD
All Right Reserved. This translation published under license.
Obra originalmente publicada sob o título:
The Beck diet solution – train your brain to think like a thin person
ISBN 978-0-8487-3173-1

Capa: *Tatiana Sperhacke*

Foto da capa: ©iStockphoto.com/Daniel R. Burch

Preparação do original: *Katia Michelle Lopes Aires*

Leitura final: *Amanda Munari*

Supervisão editorial: *Mônica Ballejo Canto*

Editoração eletrônica: *Formato Artes Gráficas*

Reservados todos os direitos de publicação, em língua portuguesa, à
ARTMED® EDITORA S.A.
Av. Jerônimo de Ornelas, 670 - Santana
90040-340 Porto Alegre RS
Fone (51) 3027-7000 Fax (51) 3027-7070

É proibida a duplicação ou reprodução deste volume, no todo ou em parte, sob quaisquer formas ou por quaisquer meios (eletrônico, mecânico, gravação, fotocópia, distribuição na Web e outros), sem permissão expressa da Editora.

SÃO PAULO
Av. Angélica, 1091 - Higienópolis
01227-100 São Paulo SP
Fone (11) 3665-1100 Fax (11) 3667-1333

SAC 0800 703-3444

IMPRESSO NO BRASIL
PRINTED IN BRAZIL

A meu marido

Agradecimentos

Quero fazer um agradecimento especial a duas mulheres excepcionais, Phyllis Beck e Naomi Dank, cujo incentivo, sugestões e apoio constantes permitiram-me escrever este livro. Agradeço a Debbie Busis, que me ajudou a desenvolver e aplicar este programa. Muito obrigada a Richard Busis e Alice Beck pela edição cuidadosa e por suas opiniões valiosas.

Meu agradecimento, também, às muitas pessoas que me inspiraram, forneceram informações e produziram este livro: Sarah Busis, Ruth Hanno, Lois Whitman, Barbara Whitman, Jody Beck, Jane Hausner, Brian Carnahan, Beth Grossman, Mary Guardino, Mickey Stunkard, e a toda equipe do Instituto Beck.

Sou profundamente agradecida a minha talentosa editora, Alisa Bauman, que me ajudou a desenvolver e traduzir meu ponto de vista, e a Débora Yost, por me ajudar a aperfeiçoar meu texto. Muito obrigada também a minha extraordinária agente, Stephanie Tade, que acreditou na promessa deste projeto e guiou cada passo para transformá-lo neste livro.

Agradeço também a todos os pacientes com os quais Debbie Susis e eu trabalhamos, e que tanto nos ensinaram. Minha profunda gratidão e inestimável orgulho por meu pai, Aaron T. Beck, M.D., que revolucionou o campo da saúde mental ao desenvolver a terapia cognitiva.

Sumário

Prefácio – Um novo campo para a terapia cognitiva 13
   Aaron T. Beck, M.D.

Introdução 17

PENSE
O Poder da Terapia Cognitiva para Emagrecer

1 A chave do sucesso 23
2 O que, na verdade, faz você comer 33
3 Como as pessoas magras pensam 41
4 Como utilizar **A dieta definitiva de Beck** 53

PENSE
O Programa

5 Semana 1 Prepare-se: aprenda os fundamentos 63
Dia 1 Registre as vantagens de emagrecer 64
Dia 2 Escolha duas dietas razoáveis 75
Dia 3 Sente-se para comer 82
Dia 4 Elogie-se 86
Dia 5 Alimente-se devagar e conscientemente 92

Dia 6 Encontre um técnico de dieta 97
Dia 7 Organize o ambiente 103

6 Semana 2 Organize-se: prepare-se para fazer a dieta 111
Dia 8 Arrume tempo e energia 112
Dia 9 Escolha um plano de exercícios 122
Dia 10 Estabeleça metas realistas 129
Dia 11 Diferencie fome, vontade e desejo incontrolável de comer ... 132
Dia 12 Pratique a tolerância à fome 137
Dia 13 Supere o desejo incontrolável por comida 143
Dia 14 Planeje o dia de amanhã 151

7 Semana 3 Vá em frente: comece sua dieta 157
Dia 15 Monitore sua alimentação 158
Dia 16 Evite a alimentação não-planejada 166
Dia 17 Acabe com os excessos alimentares 170
Dia 18 Modifique sua definição de saciedade 176
Dia 19 Pare de se enganar 180
Dia 20 Volte aos trilhos 184
Dia 21 Prepare-se para se pesar 189

8 Semana 4 Reaja aos pensamentos sabotadores 197
Dia 22 Diga "paciência" para a decepção 198
Dia 23 Contrarie a síndrome da injustiça 203
Dia 24 Saiba lidar com o desânimo 208
Dia 25 Identifique pensamentos sabotadores 211
Dia 26 Reconheça os erros cognitivos 215
Dia 27 Domine a técnica das sete perguntas 219
Dia 28 Prepare-se para se pesar 224

9 Semana 5 Supere os desafios 227
Dia 29 Resista a quem insiste para você comer 228
Dia 30 Mantenha o controle quando estiver comendo fora 236
Dia 31 Decida sobre bebidas alcoólicas 243
Dia 32 Prepare-se para viajar 247
Dia 33 Elimine a alimentação emocional 252

Dia 34 Resolva os problemas 257
Dia 35 Prepare-se para se pesar 261

10 Semana 6 Aprimore as novas habilidades 263
Dia 36 Acredite em você! 264
Dia 37 Reduza o estresse 269
Dia 38 Aprenda a lidar com o platô 274
Dia 39 Mantenha os exercícios 277
Dia 40 Enriqueça sua vida 282
Dia 41 Faça uma nova lista de tarefas 288
Dia 42 Pratique, pratique, pratique 293

PENSE
A continuidade

11 Quando parar de emagrecer e começar a manter? 297
12 Como manter seu novo peso 307

Referências 311

Índice 313

Prefácio

Um novo campo para a terapia cognitiva

Atualmente, há uma crise grave e crescente na saúde dos Estados Unidos. Aproximadamente dois terços de sua população adulta e um número cada vez maior de crianças e adolescentes encontra-se acima do peso. Além disso, as pesquisas continuam mostrando que indivíduos com sobrepeso significativo têm maior risco de desenvolver uma série de doenças e condições médicas.

A maioria das pessoas que emagrece sob dieta começa a recuperar os quilos perdidos dentro de um ano. Poucos são os tratamentos médicos desenvolvidos para amenizar esses problemas, e aqueles que existem apresentam desvantagens consideráveis. Medicamentos podem ser eficazes a curto prazo, mas provocam efeitos colaterais indesejáveis. Além disso, o resultado é efêmero: as pessoas tendem a engordar novamente ao interromperem essa forma de tratamento. A cirurgia bariátrica para obesidade mórbida, assim como qualquer outro procedimentos cirúrgico, apresenta riscos e ainda requer que os pacientes ingiram porções extremamente reduzidas de alimentos (normalmente, uma colher de sopa de cada vez).

A dieta definitiva de Beck foi desenvolvida para auxiliar na solução desse problema. Ela contém ingredientes que faltavam em outros programas de emagrecimento. Baseado em técnicas de terapia cognitiva, esse programa ajuda você a aprender a pensar de uma forma diferente, para que possa modificar seu comportamento alimentar – não apenas em curto prazo, mas para o resto de sua vida.

Pesquisas mostram que as pessoas podem aprender a mudar seu comportamento e, o que é mais importante, manter essa mudança. Casais em conflito, por exemplo, podem aprender a se comunicar de maneira mais eficaz. Pessoas tímidas podem aprender a ser mais assertivas. Porém, a menos que mudem também seus pensamentos, em geral, retomam, mais cedo ou mais tarde, seus antigos padrões comportamentais. O mesmo tipo de recaída acontece na dieta. Se você não modificar sua maneira de pensar, você não conseguirá sustentar novos hábitos alimentares.

A Dra. Judith Beck desenvolveu um programa passo a passo revolucionário com foco duplo: mudar o comportamento e o pensamento. A maioria das pessoas que faz dieta sabe que precisa alimentar-se de forma nutritiva, emagrecer devagar, fazer da dieta uma prioridade, ter bons hábitos alimentares, ser assertiva com as pessoas que a estimulam a comer, ser tolerante à fome e ao desejo incontrolável de comer, fazer exercícios, abster-se de comer pelo emocional e se manter motivada. Porém, ou não sabem como cumprir essas tarefas ou não sabem como se envolver de forma consistente para cumpri-las.

Quando desenvolvi a terapia cognitiva como um tratamento para depressão, não imaginava que toda uma nova geração de psicólogos e psiquiatras aplicaria esse tratamento a um número tão amplo de transtornos psiquiátricos, dificuldades psicológicas e problemas comportamentais. Embora as técnicas específicas variem de um problema para outro, o foco em ensinar as pessoas a mudarem seus pensamentos e crenças autoderrotistas se mantém em qualquer tratamento. Quando as pessoas aprendem a pensar mais realisticamente, sentem-se melhores e mais aptas a alcançarem suas metas. Pacientes deprimidos, por exemplo, têm pensamentos negativos sobre si mesmo, seu mundo e seu futuro, o que não apenas os faz sentirem-se infelizes, mas também interfere no seu dia a dia. Pacientes ansiosos superestimam o perigo em diversas situações e, então, sentem-se nervosos durante a maior parte do tempo.

A Dra. Judith Beck identificou as principais distorções que impedem os indivíduos que fazem dieta a alcançar e manter o peso desejado. Ela identificou "pensamentos sabotadores" cruciais como: racionalizações (*Não há mal em comer isto por que...*), subestimação das consequências (*comer isto não vai fazer diferença...*), pensamentos auto-ilusórios (*já que exagerei um pouquinho, posso também comer tudo o que quiser no resto do dia*), regras arbitrárias (*não posso desperdiçar alimentos*), leitura da mente (*minha amiga pensará que sou mal educada se eu não comer o bolo que ela fez*), e exagero (*não suporto estar com fome*).

Ensinar a corrigir essas distorções, a resolver problemas relacionados ou não com a dieta e a se motivar para adotar comportamentos alimentares funcionais é o que distingue o programa da Dra. Judith Beck de todos os outros. Ela desenvolveu *Pense magro: a dieta definitiva de Beck* ao longo de duas décadas, aprendendo com seus pacientes psiquiátricos que desejavam emagrecer – e também com a sua própria experiência.

É com grande orgulho que eu, com sinceridade, endosso este livro. Meu orgulho é tanto profissional como pessoal, sendo Judith minha filha. No entanto, falo objetivamente, quando digo que ela, além de ser uma especialista de renome mundial em terapia cognitiva, é também uma talentosa terapeuta, supervisora e professora. Além de escrever mais de 50 artigos e textos sobre as diferentes aplicações da terapia cognitiva, é também autora de vários livros, inclusive um manual básico em nossa área, traduzido para 18 idiomas e mundialmente utilizado. Já apresentou centenas de seminários e treinou milhares de pessoas em terapia cognitiva, tanto em âmbito nacional como internacional. Prevejo que sua contribuição mais recente nesse campo, *Pense magro: a dieta definitiva de Beck*, terá um impacto profundo sobre as pessoas que desejam emagrecer.

Aaron T. Beck, M.D.
Professor de Psiquiatria
Universidade da Pensilvânia

Introdução

Estou muito contente por você ter escolhido *Pense magro: a dieta definitiva de Beck* para auxiliá-lo a emagrecer e não voltar a engordar. Desenvolvi e aprimorei esse programa durante todos estes anos em que trabalho como terapeuta cognitiva.

Foi maravilhoso trabalhar, durante esses últimos 20 anos, com pessoas que desejavam emagrecer. Foi muito gratificante constatar como suas vidas melhoraram, como o fato de emagrecer as tornou mais autoconfiantes e como essa autoconfiança as ajudou a constituir novos relacionamentos, encontrar melhores empregos e se envolver em atividades mais enriquecedoras. Foi igualmente importante constatar que emagrecer ainda as ajudou a melhorar sua saúde, a sentir-se bem fisicamente e a aumentar sua qualidade de vida.

Embora cada um dos pacientes tivesse uma história diferente, todos eles tiveram dificuldades para emagrecer, em alguns momentos de suas vidas, desde o início da adolescência. Não por falta de tentativas. Todos emagreceram um pouco, mas voltaram a ganhar pelo menos parte dos quilos perdidos. O que explica esse insucesso?

Essas pessoas atribuíram sua dificuldade ao fato de serem fracas ou de não terem força de vontade. Porém, essas explicações não eram verdadeiras. Elas não emagreciam ou não se conservavam magras porque não sabiam *como*. Não sabiam como agir para permanecerem motivadas, o que fazer quando se sentiam inclinadas a trapacear, como olhar para seus lapsos como erros temporários e não como sinais para desistir, e o que fazer ao se sentirem sobrecarregadas, sem esperança ou incapazes de prosseguir. Elas não percebiam que poderiam aprender a fazer dieta com sucesso, exatamente da mesma maneira que aprenderam a dirigir ou a usar um computador.

Não sabiam, também, que emagrecer tem altos e baixos naturais. Para muita gente, fazer dieta é relativamente fácil no início. Quando, porém, o primeiro desafio aparece, fazer dieta passa a ser uma tarefa árdua. Isso acontece com todos. Todavia, depois que meus pacientes aprenderam a esperar por essas dificuldades – e se planejaram, antecipadamente, para enfrentá-las – tornaram-se hábeis em perseverar e superar os momentos difíceis. Preparo as pessoas que querem emagrecer através de muitas tarefas e desenvolvimento de habilidades, antes mesmo que a dieta alimentar seja iniciada. Esse treinamento as ensina, precisamente, como agir quando fazer dieta se torna difícil.

O livro *Pense magro: a dieta definitiva de Beck* vai prepará-lo desta mesma maneira. Você será capaz de enfrentar os desafios com segurança porque aprenderá exatamente como superá-los e, quanto mais fizer isso, mais fácil será fazer dieta. A dificuldade e a frequência desses desafios diminuirão gradualmente, até a hora em que comer de uma maneira diferente passe a ser apenas um modo de vida.

Eu gostaria de conduzi-lo nesta jornada de emagrecimento, utilizando a sabedoria das pessoas que enfrentaram as dificuldades da dieta e as superaram. Recentemente, pedi aos meus pacientes para que fizessem uma lista do que sabem hoje sobre dieta e que desejariam ter sabido tempos atrás. Isto foi o que disseram:

Agora eu sei que...

- Posso controlar minha alimentação se planejar com antecedência o que preciso fazer e se praticar o que tenho que dizer a mim mesmo, várias vezes.
- Ao me sentir tentado a comer algo que não devo, preciso olhar a lista onde anotei todos os motivos pelos quais quero emagrecer.
- Estar com fome não significa que tenho, necessariamente, que comer.
- Os desejos incontroláveis passam e existem coisas que posso fazer para que passem mais depressa. Não preciso ceder.
- Tomar um café da manhã razoável e almoçar é importante para que eu não coma demais à noite.
- Se não seguir uma dieta nutritiva, ficarei mais vulnerável a trapacear.
- Preciso arrumar tempo para fazer dieta e exercícios físicos.

- Preciso me preparar, com antecedência, para enfrentar os pensamentos sabotadores.
- Preciso sentar, comer devagar e observar cada porção de alimento – sempre que comer.
- Comer alguma coisa que não devo é apenas um erro. Não significa que sou incorrigível ou mau. Não devo transformar este deslize num erro maior, continuando a comer o que quiser pelo resto do dia.
- Às vezes, preciso colocar minha necessidade à frente dos demais.
- Não há mal em dizer não às pessoas que me oferecem comida.
- Preciso tomar cuidado para não me enganar. Todo alimento que eu puser na boca vai influenciar em minha dieta.
- Preciso me dar créditos sempre que me comportar adequadamente.
- Se eu engordar novamente, posso voltar a usar as habilidades que aprendi para emagrecer – sempre.
- Sou capaz de fazer dieta! Tenho as habilidades necessárias e as terei para sempre. Agora, eu sei como fazer.

Se eu tivesse dito aos pacientes – em nossas primeiras sessões – que algum dia eles fariam essas afirmações, não teriam acreditado em mim. Talvez você também não acredite, ainda, mas em breve acreditará. O livro *Pense magro: a dieta definitiva de Beck* constrói, lenta e gradualmente, sua autoconfiança. Daqui a 6 semanas, quando terminar o programa, releia esta página e reveja essas declarações. Perceberá que concorda com todas elas e que, desta vez, emagrecer será para sempre.

PENSE

O Poder da Terapia Cognitiva para Emagrecer

1
A chave do sucesso

Se você enfrentou dificuldades para emagrecer ou emagreceu e engordou novamente nos últimos tempos, você culpou a si mesmo (*Sou muito fraco... Não estava motivado o suficiente*), culpou seu organismo (*Tem alguma coisa errada em mim... Eu, simplesmente, não consigo emagrecer*), ou à dieta que escolheu (*Esta, definitivamente, não funciona pra mim*)?

Fico feliz em lhe dizer que a razão de seu insucesso tem outra explicação. Você, apenas, não sabia *como* fazer dieta. Quando aprender a fazer dieta, subirá na balança e verá um peso cada vez menor, semana após semana. Você vestirá roupas menores. Você vivenciará todos benefícios maravilhosos de um corpo mais magro: mais energia, autoconfiança e saúde, auto-estima melhorada, menos dores e desconfortos. Você pode sentir tudo isso – e manter pelo resto da vida, sem que lhe escape como nas outras vezes. O círculo vicioso do emagrecimento vai desaparecer para sempre.

Isso é o que está ao seu alcance quando você aprende a ser persistente na dieta. Este livro lhe ensina a evitar as trapaças; resistir a alimentos tentadores, mesmo que estejam bem a sua frente; lidar com a fome, com os desejos incontroláveis, com o estresse, e com as emoções negativas, sem que você precise comer para se confortar. Você aprenderá a se motivar para praticar exercícios, mesmo que isso não seja de sua natureza. Você descobrirá *como* fazer tudo o que for necessário para alcançar o sucesso em sua dieta – *mudando a maneira como você pensa*.

A maioria das pessoas que vem ao meu consultório para emagrecer já teve a experiência de iniciar dietas e desistir delas durante anos. Todas elas têm algo em comum: não sabem pensar como uma pessoa magra. As

pessoas que lutam para emagrecer têm uma programação mental que sabota seus esforços. Frequentemente, têm pensamentos como:
- *Sei que não deveria comer isto, mas não me importo.*
- *Se eu comer isto só desta vez não vai ter problema.*
- *Tive um dia tão difícil. Mereço comer o que quiser.*
- *Não consigo resistir a esta comida.*
- *Estou chateado. Tenho que comer.*
- *Já que comi o que não devia, vou continuar comendo até o fim do dia.*
- *É muito difícil. Não quero continuar fazendo dieta.*
- *Nunca vou emagrecer.*

Se qualquer um desses pensamentos lhe parece familiar, você é um candidato perfeito para ler este livro. Este programa ensina você a enfrentar pensamentos sabotadores de forma convincente. Quando escutar uma pequena voz em sua cabeça falando *"Ah, coma só isso... Não tem importância"*, você será capaz de dizer para si mesmo *"Tem importância sim... Eu quero ser magro... Todas as vezes que comer algo não planejado, aumentarei a probabilidade de fazer isso novamente... Sempre terá importância... Estou apenas tentando me enganar... Se comer isto, sentirei prazer por alguns segundos, mas depois irei me sentir mal... Eu posso resistir... Para mim, é muito mais importante emagrecer do que ter alguns segundos de prazer".*

> *Chega de "trapacear"*
>
> Neste livro, a palavra trapaça não aparecerá novamente fora desta caixa de texto. Abri essa exceção intencionalmente porque muita gente com problemas para emagrecer costuma ter um padrão de pensamento denominado tudo-ou-nada sobre alimentação: *Ou faço a dieta sem cometer nenhum deslize ou então estarei trapaceando... Se eu estiver trapaceando, então é melhor desistir – Eu posso, com certeza, continuar trapaceando o dia (semana, mês, ano) inteiro.* Ficou evidente, para mim, que os indivíduos que viam a si mesmos como "trapaceadores" sentiam-se desmoralizados e até mesmo "maus", e isso dificultava sua reintegração à dieta quando, por ventura, se afastavam dela. Em vez de trapaça, usei as expressões comer o que não foi planejado ou comer exageradamente. Esses termos têm uma carga negativa menor. As pessoas que os empregam são capazes de adotar uma visão mais otimista da situação e dizer: *Tudo bem, comi algo que não estava programado* ou *comi mais do que deveria*, mas também são capazes de acrescentar: *Foi apenas um equívoco, nada demais... Vou voltar agora mesmo para a dieta.*

> Por que o peso é importante?
>
> Se você estiver em dúvida quanto a iniciar ou não a dieta definitiva de Beck, considere o seguinte: muitas pessoas ganham alguns quilos, a cada ano, devido ao fato natural de o organismo ficar mais lento com o passar da idade. Somando-se a isso o fato de que são necessárias apenas 20 e poucas calorias extras por dia para engordar 900 gramas por ano, o resultado é que se você estiver hoje com 4 quilos de sobrepeso e não fizer nada, daqui a um ano, você poderá ter 5 quilos ou 6 quilos a mais; depois de mais um ano, talvez 7 ou 8 quilos de excesso de peso, e assim por diante. No entanto, em vez de engordar, você pode emagrecer e manter o peso alcançado, praticando os princípios ensinados neste livro: **Pense magro: a dieta definitiva de Beck**.

Qualquer dieta razoável dará certo se você estabelecer a programação mental adequada.

A dieta definitiva de Beck é um programa psicológico e não uma dieta alimentar. Não lhe diz *o que* comer – você pode escolher a dieta de sua preferência, desde que seja nutritiva. Se você estabelecer a programação mental adequada, qualquer dieta razoável dará certo. Este programa ensina você a comer conforme o esperado e a responder a pensamentos sabotadores como *eu não quero que, eu não tenho que, ou eu não consigo.*

Para escolher alimentos apropriados e utilizar hábitos alimentares adequados, você precisa aprender a fazer modificações permanentes na maneira de pensar. Com um programa passo a passo abrangente como este, você conseguirá manter-se na sua dieta, emagrecer e manter o peso alcançado.

O PODER DA TERAPIA COGNITIVA

A dieta definitiva de Beck é baseada nos princípios da terapia cognitiva (conhecida também como terapia cognitiva-comportamental ou TCC), a forma mais amplamente estudada e eficaz de psicoterapias no mundo. Aaron T. Beck, M.D., promoveu uma revolução no campo da saúde mental, quando, no final dos anos 1950 e início dos anos de 1960, desafiou com suas pesquisas as teorias de Sigmund Freud. Freud e seus seguidores acreditavam que a depressão e outros tipos de doenças mentais originavam-se de temores e conflitos reprimidos, e mantinham os pacientes em sessões diárias de psicanálise durante muitos anos.

Aaron Beck descobriu, entretanto, que os pacientes deprimidos podiam melhorar rapidamente – normalmente com 10 ou 12 sessões de terapia. Quando ele os ajudou a alcançar metas, solucionar problemas e modificar seus pensamentos depressivos, a depressão regredia rapidamente. Ele nomeou este novo tratamento de "terapia cognitiva" pelo fato de o componente principal do tratamento concentrar-se na correção de pensamentos distorcidos. O termo *"cognitivo"* refere-se a pensamento.

Nos anos seguintes, a terapia cognitiva foi adaptada por Aaron Beck e por pesquisadores do mundo inteiro, para ser utilizada em inúmeros transtornos e problemas psicológicos. Centenas de estudos baseados em pesquisas demonstraram que a terapia auxilia pessoas que enfrentam um grande número de dificuldades, incluindo depressão, ansiedade, transtornos alimentares, obesidade, tabagismo e comportamentos adictos. O mais impressionante é que as pessoas não apenas melhoram, mas mantêm a melhora com o passar dos anos. Elas aprendem como mudar seus pensamentos imprecisos e disfuncionais para que se sintam melhores emocionalmente e para que se comportem de maneira mais produtiva na busca de suas metas.

Um estudo recente, na Suécia, demonstrou a eficácia da terapia cognitiva no emagrecimento. Indivíduos matriculados num programa de terapia cognitiva emagreceram mais ou menos 8 quilos em 10 semanas de tratamento. (Enquanto isso, as pessoas que aguardavam na fila de espera para o mesmo tratamento não apresentaram qualquer diminuição no peso.) O mais impressionante foi o resultado da avaliação do grupo de estudo. Um ano e meio após o tratamento, quase todas as pessoas estudadas, mais precisamente 92% delas, havia não somente mantido a perda de peso, mas emagrecido ainda mais. Isso é o que diferencia a terapia cognitiva dos outros tipos de terapia e de outros programas de emagrecimento.

Compare esses resultados com o das pessoas que já fizeram dieta, mas não tiveram acesso à terapia cognitiva. Uma pesquisa concluída na Universidade de Tufts descobriu que entre 50 e 70 por cento das pessoas que iniciaram uma de quatro dietas amplamente utilizadas não foram capazes de persistir e continuar emagrecendo no decorrer de um ano.

Ainda mais desanimador é a preocupante tendência revelada por outros estudos que acompanham o comportamento das pessoas depois de perderem peso: a maioria delas, independentemente da dieta que tenha seguido, recupera, em até um ano, a maior parte dos quilos perdidos.

COMO A TERAPIA COGNITIVA FUNCIONA

A terapia cognitiva baseia-se no conceito de que a maneira como as pessoas pensam afeta o que elas sentem e o que elas fazem. Digamos que você pense: *Estou com fome*. Se, em seguida, tiver um "pensamento sabotador" como *Isto é horrível. Não posso tolerar. Tenho que comer!*, você vai ficar apavorado e vai sair atrás de comida. Por outro lado, se você contrariar esses pensamentos com "respostas adaptativas" – *Tudo bem. Vou comer dentro de poucas horas. Posso esperar* – você se sentirá no controle da situação e acabará se envolvendo em outras atividades. A terapia cognitiva o ajuda a identificar pensamentos sabotadores e a responder a eles de maneira funcional, o que leva você a se sentir melhor e a se comportar de maneira mais produtiva.

A terapia cognitiva o ajuda a identificar os pensamentos sabotadores e a responder a eles de maneira adaptativa, o que leva você a se sentir melhor e a se comportar de maneira mais funcional.

Com a terapia cognitiva, as pessoas aprendem a resolver problemas e quem faz dieta pode ter muitos problemas. Por exemplo, você já saiu da dieta por alguma destas razões?
- Não se sentiu satisfeito mesmo tendo acabado de comer.
- Sentiu-se chateado e pensou que comer o faria se sentir melhor.
- Sentiu-se atraído por um alimento enquanto fazia compras no supermercado.
- Estava tão cansado para cozinhar que optou por *fastfood*.
- É muito educado para recusar a sobremesa que prepararam para você.
- Foi a uma festa e teve vontade de se tratar bem.

Para que você consiga emagrecer e manter o peso conquistado, você precisa resolver esses problemas práticos. Precisa, também, resolver alguns problemas psicológicos, por exemplo:
- A sensação de estar sobrecarregado pelas exigências da dieta.
- A sensação de estar em privação.

- A sensação de estar desmotivado quando seu emagrecimento não correspondeu ao previsto.
- A sensação de estar estressado com outros problemas da vida.

A terapia cognitiva o ajuda a resolver problemas práticos e psicológicos, e também a aprender novos pensamentos e novas habilidades comportamentais – ferramentas que você poderá utilizar pelo resto da sua vida. Além de superar seus problemas atuais, você também aprenderá a utilizar as novas habilidades para resolver problemas futuros.

VOCÊ É PARECIDO COM SUE?

Utilizo a terapia cognitiva por mais de 20 anos para ajudar as pessoas a resolverem vários problemas, inclusive a luta pelo emagrecimento. Sue* é um exemplo típico. Ela estava habituada, desde o ensino médio, a experimentar várias dietas, mas acabava presa a um círculo bastante conhecido: durante as primeiras semanas ou meses de cada dieta que iniciava, ela, confiantemente, emagrecia e se sentia no controle; de repente, algo a fazia desviar-se da dieta.

As razões variavam. Uma vez seu chefe pediu para que trabalhasse até mais tarde, o que, segundo ela, foi "motivo" para pegar uma pizza a caminho de casa. Em outra ocasião, após uma discussão com o marido, ficou chateada e "se pegou" comendo um pote de 500ml de sorvete de chocolate. Em outra vez, ela "perdeu o controle" em uma festa, ao ver uma mesa coberta de pratos tentadores.

Todas as vezes que Sue encontrava uma desculpa para se afastar da dieta, sua determinação rapidamente diminuía. Ela continuava a comer sem controle. Então, sentia-se fracassada, pensava que nunca conseguiria emagrecer e desistia completamente, recuperando o peso que havia perdido – e, às vezes, mais.

Sue começou ainda uma nova dieta, logo depois da sua primeira sessão comigo. As duas ou três semanas iniciais dessa dieta foram calmas, mas então Sue teve uma racaída. Ela estava tão aborrecida com um problema ocorrido no emprego que começou a "comer tudo o que via pela frente." Por sorte, ela veio ao consultório no dia seguinte. Quando exa-

---

* Os nomes de todas as pessoas que fizeram dietas e foram citadas neste livro foram trocados.

minamos o que Sue havia comido, tornou-se claro que ela não havia "arruinado totalmente" a dieta. Eu a ajudei a perceber que, se ela voltasse a fazer corretamente a dieta, ganharia, no máximo, 250g naquela semana – o que não seria uma recaída tão grave. Mudando seu pensamento de *Eu sou um fracasso, nunca serei capaz de emagrecer* para *Eu posso recomeçar da maneira certa agora mesmo*, ela foi capaz de retomar a dieta. Sue teve outras recaídas, mais amenas, mas aprendeu a mantê-las em perspectiva. Aprendeu também a se preparar previamente para os momentos de estresse. Ela evoluiu até ser capaz de aderir ao seu projeto de emagrecer, independentemente do que acontecia em sua vida. Ela quebrou o círculo ioiô em sua dieta, emagreceu 25 quilos e se mantém assim por 12 anos.

A história de Sue é típica de pessoas com as quais trabalho hoje e com as quais já trabalhei por anos. E pode ser a sua história também.

Se você é triste ou alegre, se fica em casa ou trabalha fora, se come compulsiva ou socialmente, se é principiante ou experiente em dietas, você pode ser beneficiado pela **dieta definitiva de Beck**.

CHEGA DE CAUSAS PERDIDAS

A dieta definitiva de Beck baseia-se no mesmo planejamento que utilizo com meus paciente que querem emagrecer. Ela funciona independentemente da sua constituição psicológica particular, do seu estilo de vida e das circunstâncias familiares. Se você é triste ou alegre, se fica em casa ou trabalha fora, se come compulsiva ou naturalmente, se é principiante ou experiente em dietas.

No passado, você pode ter conseguido fazer mudanças de curto prazo em seus hábitos alimentares para emagrecer. Porém, quando o caminho se tornou difícil, você abandonou essas mudanças porque não sabia responder a pensamentos sabotadores como:

- É muito difícil fazer dieta.
- Eu tenho que comer. Eu não tenho autocontrole.
- Eu não quero magoá-la, portanto vou comer o que ela preparou.
- Não consigo fazer dieta quando estou estressado.

O conjunto de estratégias psicológicas deste livro o ajudará de diversas maneiras. Você aprenderá a resistir ao impulso de comer exageradamente quando tiver que encarar os desejos incontroláveis, a fome, o estresse, as pressões sociais ou outros problemas. Aconteça o que acontecer, você estará apto para fazer dieta e exercícios físicos. Você aprenderá a pensar como uma pessoa magra. Essas estratégias exigem prática, mas, com o passar do tempo, se tornarão automáticas.

MINHA HISTÓRIA

Por experiência própria, entendo os desafios enfrentados pelos que fazem dieta e posso também testemunhar a favor do sucesso da terapia cognitiva para superar esses desafios. Comecei a fazer dieta quando era adolescente e entrei e saí delas por muitos anos. Tive, também, muitos pensamentos sabotadores como:
- Deveria comer o mínimo possível.
- Se os outros não me virem comendo, então, realmente, não conta.
- Caí em tentação. Sou culpada pela minha fraqueza.
- Se eu comer qualquer coisa não programada, posso também abandonar minha dieta durante o dia inteiro.

Como foi, então, que consegui emagrecer e manter meu peso até agora? Aprendi com os pacientes que aconselhei. Uma das primeiras pessoas que atendi depois de me tornar psicóloga foi uma mulher que sofria de depressão e ansiedade. Depois de várias semanas de terapia, ela começou a se sentir melhor e disse que tinha uma nova meta: queria emagrecer. Foi muito fácil constatar como os seus pensamentos eram irrealistas e imprecisos quando se tratava de comer e fazer dieta. Pude perceber, imediatamente, que ela precisava mudar seus pensamentos para poder mudar o comportamento alimentar. Aprendi muito com ela e com outros pacientes que vieram depois dela, que também queriam emagrecer. Então, apliquei a mim mesma o que havia aprendido e emagreci pouco mais de 6 quilos. Isso foi há muitos anos atrás e tenho me mantido assim desde então.

Nesses últimos 20 anos, aprendi, através de tentativas e erros, o que funciona e o que não funciona na dieta. Durante esse tempo, descobri inúmeros fatores cruciais. Por exemplo, para emagrecer e não voltar a engordar é importante:
- Escolher uma dieta nutritiva.

- Arrumar tempo e energia para fazer dieta.
- Planejar o que e quando comer.
- Procurar apoio.
- Lidar com a decepção.
- Ver o ato de comer exageradamente como um problema temporário que você pode resolver.
- Saber lidar com a fome e o desejo incontrolável de comer.
- Eliminar o ato de comer pelo fator emocional.
- Elogiar a si mesmo.

Você ainda não sabe fazer essas coisas ou, pelo menos, não sabe como fazê-las de forma constante, mas vai aprender.

Com **A dieta definitiva de Beck**, você vai aprender uma nova habilidade a cada dia. No final de seis semanas, você terá aprendido tudo o que precisa para continuar emagrecendo e não voltar a engordar.

Você chegará ao ponto de reagir de maneira diferente quando olhar para um alimento que não deveria comer.

O NOVO VOCÊ

Você provavelmente perceberá que fazer dieta e emagrecer tem um ciclo previsível: durante uma ou duas semanas você acha que é relativamente fácil. Então, as coisas parecem se tornar mais difíceis. Os desejos incontroláveis surgem ou se intensificam. A vida interfere. Os horários na sua agenda estão tomados. Você se sente emocionalmente estressado. E, então, você encontra inúmeras razões para se afastar da dieta.

Entretanto, se você continuar praticando as habilidades descritas neste programa, você será bem-sucedido. A dieta se tornará fácil. Os desejos incontroláveis e a fome diminuirão. Você encontrará maneiras eficientes de lidar com o estresse. Seus pensamentos mudarão. Na verdade, você chegará ao ponto de reagir de maneira diferente quando olhar para um alimento que não deveria comer. Em vez de dizer *Eu gostaria de poder comer isto* e se sentir triste, ou *É injusto não poder comer isto* e se sentir infeliz, você vai dizer, automaticamente, *Estou tão feliz por não comer isto.* Em algum momento, você vai mudar de *Eu odeio me privar* para *Estou feliz por não ter comido exageradamente!* Apenas faça o necessário, um dia de cada vez, como este livro sugere. Você chega lá!

A dieta de relance

- A terapia cognitiva é um tratamento psicoterápico que irá ajudá-lo a ser bem-sucedido na meta de emagrecer e manter o peso conquistado.
- Sua maneira de pensar sobre alimentos, comer e fazer dieta influencia seu comportamento e como você se sente emocionalmente.
- Certos pensamentos dificultam a continuidade da dieta e a manutenção da perda de peso.
- A **dieta definitiva de Beck** leva você, através de um processo de seis semanas, a mudar seus pensamentos sabotadores (que fazem você se afastar da dieta) para pensamentos adaptativos (que o conduzirão ao sucesso).

2
O que, na verdade, faz você comer

Você já teve a sensação de comer automaticamente, como se comer estivesse, de algum modo, fora de seu controle consciente? Muitas das pessoas com as quais trabalhei, às vezes, sentiam-se assim.

A boa notícia é que comer *não* consiste em uma ação automática. Processos automáticos são involuntários, como, por exemplo, os batimentos cardíacos ou o processo digestivo. Você não *decide* deixar seu coração bater nem interromper o processo da digestão. Entretanto, você *decide* comer. Aqui está outra boa notícia: você pode aprender a ter mais controle sobre suas decisões alimentares.

O PENSAMENTO VEM PRIMEIRO

Talvez você não tenha consciência, mas sempre há um pensamento que precede o ato de comer. Vamos dizer que você veja um pacote aberto de bolachas recheadas. Pegar uma bolacha e levá-la à boca não é um processo automático. Seus pensamentos influenciam o que você faz. Se você pensar *Eu quero mesmo comer uma, pegar só uma não vai fazer diferença* e não reagir a esse pensamento, você irá adiante e comerá a bolacha. Por outro lado, se você pensar *Eu realmente quero comer uma bolacha, mas não devo porque não faz parte da minha dieta; eu tenho que evitar comer entre as refeições,* então, você não vai comer a bolacha.

Os pensamentos que fazem você agir de maneira disfuncional são pensamentos sabotadores. Os pensamentos que conduzem você a agir de forma mais produtiva são pensamentos funcionais.

Observe como os pensamentos de Jim influenciavam seu comportamento alimentar. Antes de vir ao meu consultório, ele frequentava um restaurante italiano que servia pães realmente deliciosos. Embora estivesse sempre tentando fazer dieta, Jim pensava: *Esse pão tem um cheiro tão gostoso. Sei que não deveria comê-lo, mas não consigo resistir.* Com esse pensamento, é claro, ele acabava comendo o pão. Então, pensava: *estraguei tudo, mas não faz mal, recomeçarei a dieta amanhã.* Continuava, então, a comer exageradamente até o final da refeição.

Poucas semanas depois de começarmos a trabalhar juntos, Jim planejou ir ao mesmo restaurante. Desta vez, entretanto, havia se preparado para responder aos seus pensamentos sabotadores. Antes de ir para o restaurante, escreveu e leu um cartão que dizia:

> *Lembrete: o pão estará tentador, mas posso resistir. Para mim, é mais importante emagrecer. Se eu comer o pão, terei um prazer momentâneo, mas depois me sentirei pior.*

Jim, de fato, sentiu-se atraído pelo pão. Ele realmente pensou: *que cheiro gostoso; eu quero mesmo comer um pedaço de pão.* Mas, desta vez, foi capaz de responder ao seu pensamento sabotador. Não se permitiu escolher a alternativa de comer o pão e se sentiu, de fato, muito satisfeito por essa conquista.

Você pode aprender a fazer o mesmo.

COMO SEUS PENSAMENTOS PODEM SABOTAR SUA DIETA

Pensamentos sabotadores tornam a dieta mais difícil em vários aspectos.

Pensamentos sabotadores incentivam você a comer. Observe que você tem inúmeros pensamentos "de permissão", que o autorizam a racionalizar aquilo que come. Eles começam, muitas vezes, com a seguinte frase: *Eu sei que não devo comer isto, mas tudo bem porque...* e terminam com inúmeras desculpas, como, por exemplo, *tive um dia difícil; é uma comemoração; irá tudo para o lixo; eu quero tanto; não vai fazer diferença.* E por aí vai.

Pensamentos sabotadores minam sua autoconfiança. São pensamentos que surgem depois que você comeu algo que acha que não deveria. Por exemplo, em vez de simplesmente dizer para si mesmo *Tudo bem, eu errei; eu não poderia ter comido, mas vou comer direito a partir de agora*, você acaba dizendo *Foi terrível comer; sou tão fraco. Eu, simplesmente, não serei capaz de emagrecer.*

Esse tipo de pensamento também pode ser frequente quando você se pesa e vê que seu peso aumentou, embora você esteja comendo adequadamente. Em vez de dizer para si mesmo *Tudo bem, isto não é tão grave assim, vou continuar fazendo o que tenho feito e meu peso, provavelmente, vai diminuir na próxima semana; e, se não diminuir, vou resolver esse problema*, você acaba dizendo *Isto é terrível, nunca vai dar certo, devo desistir agora.*

Pensamentos sabotadores autorizam você a desconsiderar os conselhos deste livro. Ao ler alguns capítulos em vez de pensar *Eu deveria realizar cada uma das tarefas deste programa para aumentar minha chance de sucesso*, você poderia acabar pensando *Eu não tenho, na verdade, que realizar estas tarefas; não tenho que anotar o que estou comendo, posso me lembrar* ou *eu não preciso me sentar quando for comer; gosto de comer de pé.*

Pensamentos sabotadores aumentam seu nível geral de estresse. Fazer dieta requer tempo e energia, por isso é importante reduzir seu estresse geral, o máximo que puder. A sua maneira de pensar sobre as situações não relacionadas à dieta também contribui para aumentar ou diminuir o estresse. Por exemplo, se, em vez de pensar *Eu sou humano, tudo bem ter forças e fraquezas*, você pensasse *Eu tenho que fazer tudo perfeito*, seu nível geral de estresse aumentaria porque a perfeição é inatingível. Uma outra idéia altamente estressante por também representar uma meta impossível é *Tenho que fazer as pessoas felizes o tempo todo*, ao contrário de *Eu vou tentar ser agradável a maior parte do tempo.*

Por meio de **A dieta definitiva de Beck**, você aprenderá a identificar e responder a todos esses pensamentos sabotadores.

> Se você puder *identificar os estímulos que provocam os pensamentos sabotadores* e que o levam a comer de maneira inadequada, você poderá *minimizar sua exposição a eles* ou *mudar a forma de enfrentá-los.*

> **Que músculos você está fortalecendo?**
>
> Observe que, nas páginas de *Pense magro: a dieta definitiva de Beck*, sempre me refiro a dois tipos de "músculos": músculo de resistência e músculo de desistência. Na verdade, estou falando da sua tendência para pensar e agir de determinadas formas.
>
> Todas as vezes que você resiste a alimentos que não deveria consumir, você está fortalecendo sua tendência a resistir no futuro. Entretanto, quando você se rende aos alimentos que não deve comer, está fortalecendo sua tendência a desistir da dieta.
>
> Então, sempre que você tiver ímpetos de comer um alimento que você não deveria, pense sobre qual músculo você realmente quer fortalecer. Se você quer emagrecer e se conservar magro definitivamente, você precisa aproveitar cada oportunidade para fortalecer seu músculo de resistência e enfraquecer seu músculo de desistência.

COMER COMEÇA COM UM ESTÍMULO

Os pensamentos sabotadores surgem quando você recebe um estímulo, uma situação que estimula seu pensamento. É provável que você esteja mais consciente dos *estímulos ambientais*, como a visão e o cheiro dos alimentos. Você pode também ter *estímulos biológicos*, como a fome, a sede ou o desejo incontrolável de comer.

Há também *estímulos mentais*: pensar sobre alimentos, ler uma receita culinária, lembrar de alguma comida que você gostou de comer (ou de uma situação na qual não comeu e se sentiu em privação) ou se imaginar comendo.

Existem, ainda, os *estímulos emocionais*, os quais são sentimentos desagradáveis como a raiva, a tristeza, a ansiedade, a frustração ou o aborrecimento. Esses sentimentos o incitam a comer para buscar conforto ou se distrair. Sentimentos agradáveis também podem ser *estímulos emocionais*. Você pode pensar que, se comer ou continuar comendo, poderá manter os sentimentos bons por mais tempo. Ou, então, poderá pensar que seus bons sentimentos irão desaparecer caso você restrinja a alimentação.

Finalmente, existem os *estímulos sociais*. Os exemplos incluem as pessoas que o incentivam a comer ou situações nas quais você gostaria de comer como os demais.

Se você puder identificar os estímulos que provocam os pensamentos sabotadores e que o levam a comer de maneira inadequada, você po-

derá minimizar sua exposição a eles ou mudar a forma de enfrentá-los. **A dieta definitiva de Beck** mostra como você pode lidar com os impulsos, aprendendo o seguinte:
- Modificar o seu ambiente de refeição.
- Tolerar a fome e o desejo incontrolável de comer.
- Pensar de forma diferente sobre comida.
- Lidar com as emoções de maneira produtiva.
- Fazer da alimentação saudável uma condição mais importante do que agradar a outras pessoas ou satisfazer uma vontade momentânea.

Além da fome

Muitas pessoas que se esforçam para emagrecer pensam que estão sentindo fome quando, na verdade, não estão.
Há diferenças entre a fome e outras sensações que se parecem com ela. **A dieta definitiva de Beck** o ensina a distinguir essas sensações para que você possa tomar decisões certas sobre alimentação.
Fome: Você experimenta uma sensação de vazio no estômago que é frequentemente acompanhada de ruídos.
Sede: Você experimenta uma sensação de secura na boca que o impele a tomar líquido.
Desejo: Você quer comer porque está influenciado por outros estímulos (frequentemente ambientais), mesmo que tenha recém comido.
Desejo incontrolável: Você sente urgência de comer um tipo específico de alimento, acompanhada de tensão e uma sensação desagradável na boca, na garganta ou no corpo.

DO ESTÍMULO AO ATO DE COMER

Às vezes, a cadeia de eventos que termina no ato de comer é direta:

Você encontra um estímulo: Alguém lhe oferece um pedaço de bolo.
↓
Você tem um pensamento: *Esse bolo parece gostoso.*
↓
Você toma uma decisão: *Acho que vou comer um pedaço.*
↓
Você age: Come o bolo.

Em outras ocasiões, a cadeia de eventos é um pouco mais complicada. Antes de tomar a decisão de comer, você passa a argumentar consigo mesmo. Você pensa: *Eu acho que vou comer. Não, eu realmente não deveria; mas eu quero muito comer. Isto não está em minha dieta. Parece tão gostoso; mas não programei comer isto.* Dependendo de onde termina essa argumentação interna, você toma a decisão de comer ou não.

Esse debate interno entre o pensamentos sabotadores e pensamentos funcionais faz você se sentir tenso. A tensão é desagradável. Muitas vezes, você tentará aliviar a tensão comendo. Porém, antes de comer, perceba: interessantemente, o que, em geral, acontece é que você alivia a tensão assim que chega ao alimento – *antes* de levá-lo à boca. Entretanto, da mesma forma que a decisão de comer pode reduzir a tensão, a decisão de não comer pode também reduzi-la.

A dieta definitiva de Beck ensina você a responder, com eficácia, aos pensamentos sabotadores que o levam à alimentação inadequada. É uma habilidade da qual você vai precisar, não apenas para emagrecer, mas também, para manter o peso conquistado. Se essa habilidade nunca foi ensinada a você, não há dúvidas de que você já teve problemas para emagrecer ou para manter os quilos perdidos. Daqui para frente, você irá usar esses conhecimentos sempre que tiver pensamentos sabotadores, como ilustra a história de Emma.

Da mesma forma que a decisão de comer pode reduzir a tensão, a decisão de não comer também pode.

UM BOM EXEMPLO DE PENSAMENTO FUNCIONAL

Emma perdeu mais de 18 quilos quando a tratei, muitos anos atrás. Não ouvia falar dela por mais de 10 anos, quando me telefonou para dar um oi. Contou-me que estava mantendo seu novo peso com relativa facilidade. Perguntei se ela ainda tinha pensamentos sabotadores, e, em caso positivo, como lidava com eles. Emma pensou um pouco e me deu o seguinte exemplo: duas semanas antes de me telefonar, Emma teve vontade de comer uns bolinhos que alguém havia deixado no balcão da cozinha do escritório. Em outros dias, ela ignoraria completamente os bolinhos, mas estava, particularmente, com fome naquele dia. Ela sabia que, se tentasse comer só um pedacinho daquele alimento tão calórico, tão cheio de carboidratos, iria querer mais. Nas horas seguintes, ela teve uma porção de pensamentos: *estou com fome; os bolinhos parecem tão gostosos; eu queria mesmo comer um.* Felizmente, ela estava

bem equipada para responder a esses pensamentos a cada vez que algum ocorria:
- Não, eu não preciso comer isso. Irei almoçar daqui a duas horas. Saia da cozinha.
- Não, não preciso comer isso. Almocei há poucas horas. Se eu não tivesse vindo aqui para pegar um café, nem teria pensado em comer esse bolinho. Pegue o café e saia.
- Não, eu não preciso comer isso agora. Estou é evitando fazer um telefonema. Vá telefonar ou procure alguma outra coisa para fazer.
- Não, eu não preciso comer um bolinho, embora eu realmente esteja com fome. Essa fome vai passar logo se eu me concentrar no meu trabalho. E, além disso, não falta muito tempo para o jantar.

Emma também reforçou-se positivamente cada vez que resistiu aos bolinhos. Ela não disse *droga, eu queria ter comido*. Ela disse *foi muito bom não ter comido*. Agindo assim, ela fortaleceu seu músculo de resistência e enfraqueceu seu músculo de desistência.

Se você nunca passou pela experiência de se sentir orgulhoso por não ter comido, você terá uma surpresa maravilhosa. Continue lendo e faça todas as tarefas de **A dieta definitiva de Beck**. Além de emagrecer, você ficará feliz por aprender a controlar seus pensamentos sabotadores e assim poderá permanecer no controle de sua alimentação.

A dieta de relance

- O ato de comer não é automático. Você pode aprender a ficar no controle.
- Muitas situações desencadeiam pensamentos sobre comer, mas existem técnicas que você pode aprender para evitar ou minimizar esses estímulos.
- Quando você encontra um estímulo, seus pensamentos determinam se você vai agir de maneira produtiva e fortalecer seus músculos de resistência ou de maneira improdutiva e fortalecer os de desistência.
- Responder aos pensamentos sabotadores é uma habilidade que pode ser usada pela vida inteira para manter a perda de peso.

3
Como as pessoas magras pensam

Você já parou para pensar no porquê de não conseguir emagrecer ou manter a perda de peso? Certamente, você conhece muitas pessoas que não enfrentam essa dificuldade. Você é diferente delas? Provavelmente sim, mas não pelas razões que imagina. Considere as seguintes questões:

- Às vezes, você come sem estar realmente com fome? Ou melhor, você consegue distinguir, facilmente, fome de vontade de comer?
- Algumas vezes, você se preocupa com a possibilidade de não ter uma oportunidade para comer? Você costuma ter pensamentos como: *e se eu tiver fome mais tarde?*
- Você, algumas vezes, come além do ponto médio de satisfação?
- Você costuma se enganar a respeito de sua alimentação? Em outras palavras, você diz para si mesmo, às vezes, "não tem importância" quando come um pedacinho de algo que não deveria comer?
- Você costuma comer para se confortar?
- Se a balança indica que você engordou, você abandona por completo sua dieta?
- Algumas vezes, você come porque não acha justo não poder comer como as outras pessoas?
- Você interrompe a dieta assim que emagrece?

Se você respondeu sim para alguma dessas perguntas, então tem as características que podem tornar a dieta difícil.

CARACTERÍSTICA 1

Você confunde fome com vontade de comer

Uma pessoa magra tem maior facilidade, por natureza, para distinguir entre estar realmente com fome porque seu estômago está vazio e ter vontade de comer, apesar de não estar de estômago vazio.

Pessoas magras costumam dizer para si mesmas: *Sei que gostaria de comer (aquela comida), mas eu comi agora pouco, não vou comer.* Por outro lado, é provável que você rotule como fome qualquer vontade de comer. Provavelmente, você pense que deveria comer todas as vezes que sentir seu estômago vazio e uma urgência para comer.

A dieta definitiva de Beck

Para pensar como uma pessoa magra, você precisa aprender a diferenciar a fome da vontade de comer, e então poderá tomar decisões mais adequadas sobre o momento apropriado para se alimentar ou não. Você aprenderá essa habilidade prestando atenção às sensações que tem no estômago antes e depois das refeições. Você também fará esses experimentos, como sentir fome propositalmente, para que possa aprender a reconhecer essa sensação.

CARACTERÍSTICA 2

Você tem baixa tolerância à fome e ao desejo incontrolável de comer

A maioria das pessoas magras sente fome e, ocasionalmente, tem desejos incontroláveis de comer, mas elas não insistem nessas sensações. Geralmente, elas pensam pouco em comida. Elas imaginam que sempre poderão encontrar o que comer quando estiverem com fome, ou que conseguirão resistir à fome, caso não seja conveniente comer. Normalmente, elas não têm dificuldades em esperar pelo lanche ou pela próxima refeição.

Entretanto, quando você está com fome ou tem um desejo incontrolável de comer, é provável que fique remoendo essa idéia. Você provavelmente se sinta ansioso para saber quando terá oportunidade de comer novamente. Talvez, você até fique preocupado pensando em comida. É também provável que você superestime a intensidade da sua fome, do desejo incontrolável de comer e a duração dessas sensações; e que ainda tente se libertar delas comendo imediatamente. Na verdade, as pessoas com dificuldades para emagrecer encaram a fome e o desejo incontrolável de comer como emergências: *Eu preciso comer agora!*

> *Para pensar como uma pessoa magra você tem que aprender a diferenciar a fome do desejo de comer.*

A dieta definitiva de Beck

Através deste programa, você descobrirá sozinho que fome e desejo incontrolável de comer não são emergências, e aprenderá a tolerá-los. Enquanto lê estas informações, talvez esteja pensando: *Eu sei que não tenho que comer quando estou com fome ou com um desejo incontrolável de comer; eu quero comer.*

Provavelmente, você já leu sobre greves de fome e então sabe que as pessoas podem ficar dias sem comer. Se você já fez jejum por algum motivo religioso ou procedimento médico, sabe, por experiência própria, que a fome vem e passa.

No entanto, no momento em que você está sentindo fome ou tendo um desejo incontrolável por comer, pode não estar pensando racionalmente. É possível que você pense que tem que tomar providências imediatas para satisfazer seu desejo. Talvez, esse pensamento impreciso se origine, em parte, em nossos ancestrais, caçadores e coletores, que sobreviviam apenas se desenvolvessem a habilidade de focar toda a sua atenção em comer quando havia comida por perto, para que, então, pudessem engordar e sobreviver em tempos difíceis, quando os alimentos fossem escassos. Hoje, os alimentos são sempre abundantes, mas os nossos cérebros modernos ainda não se adaptaram a esta moderna realidade.

Vou ensiná-lo a responder de maneira eficaz a esta voz em sua mente, que tenta convencê-lo de que *Eu preciso comer agora mesmo!* Você vai aprender muitas técnicas para mudar o foco de sua atenção, minimizando assim o poder de persuasão da fome e do desejo incontrolável de comer. Você aprenderá a dizer para si mesmo: *Estou apenas com fome* ou *estou apenas tendo um desejo incontrolável de comer; não preciso dar atenção a isto; posso desviar meu foco para outras coisas; não tenho que comer impulsivamente, apenas para me livrar destas sensações. Em poucos minutos, estarei muito feliz por não ter comido.*

CARACTERÍSTICA 3

Você gosta da sensação de comer exageradamente

Pessoas magras geralmente gostam de comer até que se sintam razoavelmente satisfeitas. Não acham certo comer até o ponto em que se sentem desconfortáveis para fazer uma caminhada rápida depois da refeição. Mesmo que ainda haja aquela comida deliciosa, elas não querem continuar comendo. Elas não sentem compulsão alguma para esvaziar o prato.

Você, entretanto, pode se sentir desconfortável se *parar* de comer no mesmo ponto em que elas. Existem três razões possíveis para você se sentir assim:

1. Você pode estar preocupado em ter fome antes da próxima refeição.
2. Você pode se sentir em privação se não comer tanto quanto quer.
3. Você pode ter sido acostumado a comer quantidades muito maiores do que é considerado saudável. Na realidade, você pode rotular de "normal" o grau de satisfação que sente depois de uma refeição excessivamente grande, quando, na verdade, você comeu até a saturação.

Observei esse fenômeno, recentemente, quando fui jantar na casa de um colega. Éramos 10 pessoas no total. Embora eu, normalmente, não observe o que as pessoas comem, nesta ocasião em particular, decidi prestar atenção. Isto foi o que notei: duas de nós (ambas mulheres) comemos com parcimônia. Três dos homens (todos com peso normal) comeram mais do que nós, mas não muito. Os outros cinco (todos com sobrepeso) comeram muito mais do que nós todos.

Os que comeram pouco não se serviram de frios nem dos vários pratos de acompanhamento e comeram algumas das entradas, vegetais e arroz. Os que comeram moderadamente serviram-se de um pouco de frios e comeram a maior parte dos alimentos que estava no prato. Os que comeram demais se serviram de muitos frios e acompanhamentos, e comeram praticamente tudo o que havia em seus pratos. Não era possível que estivessem com fome, mas todos repetiram. Comeram também porções muito maiores de sobremesa.

Por que eles comeram muito além do ponto de satisfação? Provavelmente, porque todos eles têm pensamentos como:

- *Está tão gostoso; não quero parar.*
- *É uma ocasião especial, então não faz mal exagerar.*
- *Quero mostrar para o anfitrião que aprecio seus esforços.*
- *Não consigo resistir a esta comida maravilhosa.*

Provavelmente, também comeram exageradamente porque *queriam* se sentir plenamente satisfeitos depois da refeição.

A dieta definitiva de Beck

Este programa ensina você a mudar sua programação mental de maneira que, ao terminar as refeições, você se sinta bem por estar razoavelmente satisfeito. Isso exige prática, mas você chegará ao ponto em que, em vez de se sentir em privação ao se levantar da mesa, dirá automaticamente: *Estou muito feliz por não ter comido exageradamente.*

CARACTERÍSTICA 4

Você se ilude a respeito da quantidade de alimento que consome

Quem é magro geralmente têm uma boa estimativa do quanto come. As pessoas magras não comem exageradamente com freqüência, e, quando o fazem, comem, naturalmente, menos na refeição seguinte ou nas duas refeições seguintes para compensar.

No entanto, quem luta para emagrecer, ilude-se, com frequência, a respeito de quanto come. Na verdade, às vezes, você pode tentar, deliberadamente, não prestar atenção no que está comendo porque sabe que se sentiria desconfortável se o fizesse. Por exemplo, você é capaz de comer um pote de quase meio quilo de sorvete, de pé, ao lado da geladeira, como também um pacote inteiro de batatas fritas enquanto assiste TV. É como se parte de você acreditasse *Se eu não estiver completamente consciente do que estou fazendo, posso continuar comendo.*

> *Você vai aprender a responder de maneira eficaz*
> *àquela voz na sua mente que tenta convencê-lo de*
> *que você tem que comer imediatamente.*

Você poderia dizer a si mesmo que o que você está comendo não vai fazer diferença – isto é, que as calorias não contam se você estiver apenas comendo os farelos do fundo de um saco de bolachas, a cobertura de glacê deixada na faca que cortou o bolo, ou um pedaço quebrado de pretzel. Talvez, sua justificativa para comer demais seja estar comendo fora, comemorando ou tirando férias. Ou você poderia dar a desculpa de que deveria comer porque é de graça ou porque alguém esta persuadindo você a comer.

Você também pode se enganar de outras formas. Você poderia usar o fato de ter comido algo que não deveria com uma desculpa para continuar comendo pelo resto do dia. Talvez você tenha dito para si mesmo: *Já que saí da dieta, posso continuar comendo o que quiser, o dia inteiro.* Então você come cada vez mais, prometendo a si mesmo que amanhã começará tudo de novo.

> **Você poderia ter um transtorno alimentar?**
>
> Se você pula de dieta em dieta e não consegue manter sua perda de peso, você é um excelente candidato ao programa **A dieta definitiva de Beck**. Entretanto, se você tem um transtorno alimentar, você precisará de ajuda profissional, o que está além do contexto deste livro. Para ter certeza de que você não tem um transtorno alimentar, responda as seguintes perguntas:
> - Você tem pensamentos obsessivos com comida, dieta, peso ou aparência em detrimento dos aspectos mais importantes de sua vida?
> - Você já chegou a pesar menos do que é considerado o peso ideal para você? (Se ainda não sabe qual é o seu peso ideal, pergunte a um profissional da Saúde).
> - Você tem história de restrição alimentar severa?
> - Você, frequentemente, come compulsivamente e deliberadamente vomita depois de comer ou abusa de laxantes?
> - Você faz exercícios em excesso para tentar se manter abaixo do peso?
>
> Se você respondeu afirmativamente a qualquer uma dessas perguntas, por favor, marque uma consulta com um profissional de saúde mental. Este programa não é indicado para você. Além disso, se você tem um problema de saúde, pergunte ao seu médico se fazer uma dieta é uma boa idéia para você.

A dieta definitiva de Beck

Conforme você vai lendo este livro, provavelmente, pode perceber que pensar dessa maneira não faz muito sentido. Contudo, seus pensamentos sabotadores invalidam seu pensamento racional. Por isso, o componente essencial deste programa é fazê-lo reconhecer e responder de maneira funcional aos pensamentos sabotadores. Você vai praticar essas habilidades, diariamente.

CARACTERÍSTICA 5

Você se conforta com alimento

Quando as pessoas magras estão chateadas, elas não se voltam para a comida com a finalidade de se distrair ou se confortar. Isso, simplesmente, não lhes passa pela cabeça. Se alguma coisa acontecer, a tendência é que elas percam a vontade de comer.

Por outro lado, quando você está estressado ou aborrecido, procura comer imediatamente. A comida pode acalmá-lo e distraí-lo dos seus pensamentos negativos. Na verdade, existem alguns alimentos – chocolate, por exemplo – que contêm substâncias que liberam uma sensação química de "bem-estar" em seu cérebro.

O problema, claro, é que o bem-estar é passageiro. O que acontece depois? Você tem que continuar lidando com os problemas que o aborreceram. E, além do mais, você se sente mal porque saiu da dieta. Torna-se autocrítico, tem sua autoconfiança abalada e se sente muito pior do que estava antes.

A dieta definitiva de Beck

Em vez de comer para se confortar, você vai aprender, através de **A dieta definitiva de Beck**, outras maneiras para se acalmar: usando técnicas de distração e relaxamento, respondendo a seus pensamentos sabotadores e resolvendo problemas que estão relacionados às suas emoções negativas.

CARACTERÍSTICA 6

Você se sente sem amparo e sem esperança ao engordar

Quando pessoas magras engordam, elas não encaram isso, normalmente, como uma catástrofe. Elas pensam que simplesmente ficarão atentas ao que vão comer nos próximos dias ou aumentarão a frequência dos exercícios físicos. Elas acreditam que voltarão a emagrecer.

Provavelmente, esse não seja o seu caso. O que passa pela sua cabeça quando o peso na balança é maior do que o que você esperava? Você provavelmente tem pensamentos como: *Eu não acredito! Isso é terrível! Eu nunca vou emagrecer!*

> **A dieta definitiva de Beck** *ensina você a usar seus erros como experiências e a recomeçar a dieta imediatamente.*

Pessoas magras acreditam na sua capacidade de tomar boas decisões sobre o que, quando, e quanto irão comer – e acreditam também que serão capazes de por em prática aquilo que decidiram. Mesmo quando comem mais do que o normal, como numa festa, por exemplo, elas acreditam que voltarão a comer de maneira controlada depois.

Você, entretanto, tem muitos pensamentos sabotadores e desmoralizantes, que minam sua autoconfiança. Quando você come exageradamente, acredita que nunca será capaz de controlar seu peso.

A dieta definitiva de Beck

Este programa ensina várias técnicas para evitar que você coma exageradamente. Porém, tão importante quanto, ensina como aprender com os próprios erros alimentares e retomar a dieta imediatamente. Agir dessa maneira aumenta sua autoconfiança. Você saberá que é possível recuperar-se imediatamente dos deslizes e controlar sua alimentação e seu peso.

CARACTERÍSTICA 7

Você se foca na questão da injustiça

Você está surpreso por saber que as pessoas magras restringem, de alguma maneira, a própria alimentação? Elas poder estar tentando manter o peso ou ser saudáveis – ou ambos. Assim, algumas vezes, elas comem porções menores do que gostariam e escolhem alimentos saudáveis quando, na verdade, gostariam de comer outra coisa. Elas aceitam essas limitações sem muita resistência. Apenas não pensam muito sobre isso.

Você, no entanto, fica pensando, frequentemente, em como é injusto que os outros possam comer o que querem e você não. A verdade é que você não apenas subestima o quanto os outros restringem a si próprios, mas também se concentra, excessivamente, na injustiça que sente por ter que se limitar. Esse tipo de pensamento pode, no passado, tê-lo desviado da dieta ou mesmo feito com que você desistisse dela completamente.

As pessoas magras, na sua maioria e, especialmente as mulheres, permanecem magras por serem incrivelmente cuidadosas com a alimentação. Elas podem falar que não, mas certamente agem assim.

A dieta definitiva de Beck

Trabalhei com tantas pessoas preocupadas com a injustiça da dieta que decidi realizar um experimento cujo resultado foi muito divertido. Perguntei a inúmeras pessoas que não precisam fazer dieta (algumas muito magras outras com peso "normal") se elas mudariam seus hábitos alimentares caso todas as comidas tivessem, exatamente, o mesmo número de calorias e fossem igualmente nutritivas. Muitas dessas pessoas, principalmente os homens na faixa dos 40 anos e a maioria das mulheres (de qualquer idade) me disseram que sim, iriam comer de maneira diferente. Comeriam certos alimentos mais frequentemente ou comeriam quantidades maiores de comida, regularmente. Em outras palavras, elas habitualmente *fazem* restrição ao que comem.

Cheguei à conclusão também de que há dois tipos de pessoas magras: as que não precisam se esforçar para serem magras e as que precisam. A maioria das que não precisam fazer esforço para serem magras tem pouco apetite, não come a não ser que esteja com fome e pratica exercício físico. As demais estão na segunda categoria: elas têm que se esforçar para serem magras. A maioria das pessoas magras, especialmente as mulheres, permanece magra por ser extremamente cuidadosa com o que come. Elas podem falar que não fazem nada disso, mas seguramente fazem. Isto não significa que estejam mentindo; elas simplesmente estão tão acostumadas a comer desse jeito que consideram normal. Para elas, comer pequenas quantidades ou comer alimentos de baixa caloria é um jeito de viver. Algumas assumem que alimentos calóricos estão fora de cogitação, mas a maioria os utiliza como indulgências, de vez em quando.

É natural observar algumas pessoas e comparar o que elas estão comendo com o que você costuma comer – mas isso não é útil. Com o programa, **A dieta definitiva de Beck**, você aprenderá a aceitar que as restrições são necessárias se você quiser obter as recompensas de emagrecer.

CARACTERÍSTICA 8

Você interrompe a dieta assim que emagrece

Há uma diferença significativa entre as pessoas que emagreceram e continuam magras depois da dieta e as pessoas que vivem sob o efeito sanfona (emagrecendo, engordando, emagrecendo, engordando). As pessoas que permanecem magras conseguem manter o peso porque mudaram o comportamento e o pensamento sobre alimentos e alimentar-se.

Se você pensar que poderá voltar a seus hábitos alimentares anteriores depois que emagrecer, vai ganhar de volta todo seu excesso de peso.

A dieta definitiva de Beck

Desta vez, para emagrecer, você vai aprender técnicas cruciais de terapia cognitiva que usará *pelo resto de sua vida*. Isso inclui planejar a alimentação, escolher alimentos saudáveis, resistir aos desejos incontroláveis, acalmar-se sem recorrer à comida, ter bons hábitos alimentares, e fazer exercícios, só para citar algumas. Você vai aprender também as habilidades essenciais para responder aos pensamentos sabotadores que o levariam a comer exageradamente, a sentir-se desmoralizado e a desistir. Você aprenderá também a se motivar para continuar usando essas habilidades no futuro.

A boa notícia é que, ao aprender essas ferramentas, a dieta vai ficando cada vez mais fácil. Também fica mais fácil conservar seu novo peso. As pessoas que atendo me dizem isso o tempo todo. Conservar o novo peso não exige tanto esforço quanto emagrecer – *se você aprender as habilidades de que vai precisar ao longo do caminho.*

Na Sessão
com a Dra. Beck

Se você está lutando para aceitar a idéia de que terá que fazer mudanças importantes e permanentes em seus hábitos alimentares, pode se beneficiar ao ler a transcrição de uma de minhas sessões com Megan, uma paciente que estava tentando lidar com o mesmo problema.

Megan: Eu não sei. Simplesmente não entendo isto. Você está me dizendo que, mesmo depois que eu emagrecer, ainda não poderei comer o que quero – pelo resto de minha vida?
Dra. Beck: Aposto que isso parece terrível para você.
Megan: Parece mesmo! Não compreendo. Quero dizer, vejo as pessoas comendo pizza, sonho e todos os tipos de guloseimas como essas o tempo todo! Como elas podem comer e eu não?
Dra. Beck: Não sei a resposta científica para a sua pergunta. Quantas dessas pessoas emagreceram significativamente?
Megan: Não sei.
Dra. Beck: Suponho que o peso dessas pessoas seja mais ou menos constante; elas não estão tentando manter o peso que perderam. Ou talvez elas estejam comendo bastante naquele momento, mas não comem tanto durante o resto do dia. Deixe-me perguntar uma coisa: você conhece alguém que emagreceu e se conservou magro?
Megan: Bem, conheço muitas pessoas que emagreceram, mas todas elas engordaram novamente. Minha prima Jennifer. Ela emagreceu nove quilos há muito tempo e não voltou a engordar.
Dra. Beck: Está bem, pense na Jennifer. Você a encontrou em algum jantar de família, recentemente?
Megan: Sim.
Dra. Beck: Como ela se alimenta?
Megan: Ela é realmente cuidadosa...
Dra. Beck: O que ela faz?
Megan: Ela não come muito, parece diferente dos outros. Já percebi que ela pede o molho da salada separadamente e come apenas o prato principal. Sei que ela não come sobremesa. Nem pão.
Dra. Beck: Ela come pizza, sonhos ou qualquer coisa assim?
Megan: Eu duvido. De qualquer forma, não com muita frequência.
Dra. Beck: E as pessoas que você conhece que voltaram a engordar – o quanto são cuidadosas?
Megan: Não muito.
Dra. Beck: É possível que as pessoas que você vê comendo pizzas ou sonhos não estejam preocupadas em emagrecer ou se manterem magras depois de alguma dieta?
Megan: Acho que sim, mas isso é muito desanimador.

Dra. Beck: Sim, é verdade, mas acho que você se sentirá bem menos desencorajado se perceber três coisas: você pode programar-se para comer, pelo menos, pedaços pequenos de pizza e de sonhos se você quiser; seus desejos por esses alimentos irão diminuir; o benefício de não comer esses alimentos sempre que tem vontade é enorme. Você me disse que emagrecer é muito importante para você.
Megan: E é mesmo, mas ainda estou desapontada por ouvir que terei que vigiar, o tempo todo, o que estou comendo.
Dra. Beck: Claro, é verdade, mas você ficará muito menos desapontada quando estiver se mantendo mais magra e se sentindo melhor com você mesma. Imagino que seu desapontamento será muito menor e não tão frequente. Não será como é hoje. Você irá a um restaurante ou à casa de alguém, todos estarão comendo uma sobremesa calórica e você dirá a si mesma: *Sabe, isto parece gostoso, mas como é formidável não me sentir tentada a comer. Estou muito mais feliz por estar magra.*

A dieta de relance

- Se você precisa se esforçar para emagrecer, sua programação mental sobre os alimentos e maneira de se alimentar é diferente do que a das pessoas que não precisam.
- A sua maneira de pensar – vendo a fome como uma emergência, superestimando o desconforto e a duração dos desejos incontroláveis de comer, subestimando o fato de que as pessoas magras também restringem sua alimentação – torna a dieta mais difícil para você.
- Não importa que programação mental seja a sua hoje. Você vai aprender a modificá-la, não apenas para emagrecer, mas também para ter certeza de que irá continuar magro – definitivamente.

4
Como utilizar
A dieta definitiva de Beck

Nas próximas seis semanas, você irá revisar sua programação mental (renovar seus conceitos cognitivos) e, como resultado, conquistar as habilidades necessárias para remodelar seu corpo. Você aprenderá a se motivar e a se sentir bem em relação a comer de maneira diferente. Você desenvolverá uma sólida noção de controle, que continuará aumentando à medida que você pratica as técnicas deste programa. Você aprenderá como usar suas novas habilidades por toda a vida, e, então, será capaz de manter sua perda de peso.

Penso que, daqui a seis semanas, ao olhar para trás e se comparar, você se surpreenderá com a mudança – não somente porque emagreceu, mas porque perceberá que está comendo de forma diferente. Você terá adquirido um conjunto de novas habilidades e uma programação mental nova e melhorada (de conceitos novos e melhores), que permanecerá para sempre.

UM PROGRAMA PARA TODAS AS PESSOAS

O melhor de **A dieta definitiva de Beck** é que ele pode ajudar qualquer pessoa. Não importa se você quer emagrecer 2,5 quilos ou 45 quilos ou apenas manter seu peso atual. Não importa se você é homem ou mulher, idoso ou jovem. Não importa se esta é a sua primeira ou décima dieta ou se você tem o hábito de começar dietas e abandoná-las. Se você quer eliminar, definitivamente, o excesso de peso, você vai precisar de um conjunto de habilidades para dieta. Tudo o que peço é que você escolha uma dieta saudável, nutritiva (aprovada por um nutrólogo ou nutricionista) e que você não a inicie até que esteja psicologicamente preparado, o que provavelmente não acontecerá antes de duas semanas a partir de hoje.

Este programa foi desenvolvido para ajudá-lo a resolver os problemas que dificultaram a sua dieta no passado.

Muitos dos pacientes com quem trabalhei durante todos esses anos estavam, a princípio, hesitantes em iniciar este programa. O que era proposto fazia sentido para eles, mas estavam preocupados com as dificuldades que enfrentariam, com o tempo que teriam que dispor e com a capacidade de se manterem motivados. Não percebiam que o programa havia sido desenvolvido para resolver exatamente esses problemas. Também não sabiam (embora tenham descoberto logo depois) que a dieta ficaria cada vez mais fácil conforme aprendiam e exercitavam as habilidades que eu ensinaria a eles.

A exemplo de meus pacientes, você também pode estar hesitante. Você pode não acreditar ainda que fazer dieta será fácil – mas será. O programa **A dieta definitiva de Beck** foi desenvolvido para ajudá-lo a resolver os problemas que dificultaram sua dieta no passado.

DUAS SEMANAS DE ESPERA

Toda a dieta fornece um planejamento que apresenta o que você deveria ou não comer. Mas saber o que comer é apenas uma pequena parte da dieta bem-sucedida. Este programa não fornece informações sobre os alimentos que você deve comer ou restringir. Você poderá escolher qualquer dieta razoável. Se você já seguiu uma dieta sensata e não conseguiu emagrecer ou manter a perda de peso, pode não ter sido, necessariamente, culpa da dieta. Você simplesmente não tinha as habilidades necessárias para fazer com que aquela dieta funcionasse – agora você terá. **A dieta definitiva de Beck** ensina você como comer, como se manter motivado a cada dia, como criar tempo e energia para a dieta, como resolver os problemas relacionados a ela e como usar outras técnicas essenciais.

Se você já leu o sumário ou folheou este livro, provavelmente notou que o programa sugere que você comece a dieta no 15º dia. Por que esperar para começar? Porque você precisa de tempo para desenvolver as habilidades que farão da sua dieta um sucesso. Durante as duas primeiras semanas deste programa, você aprenderá e colocará em prática essas habilidades.

Algumas das técnicas são tão eficazes que você poderá começar a emagrecer mesmo antes de iniciar oficialmente a dieta. Na verdade, pesquisadores da Universidade da Pensilvânia revisaram uma série de estudos nos quais foram utilizadas algumas técnicas comportamentais em vez - da prescrição de uma dieta alimentar. Eles descobriram que os participantes conseguiram emagrecer ao se engajarem na definição de metas, na resolução de problemas e na automonitoração (manter anotações escritas do que comem). Todas essas técnicas também foram incorporadas à **dieta definitiva de Beck**.

Se você começar a fazer dieta muito cedo – isto é, antes de desenvolver as habilidades necessárias – poderá pensar que ela é muito desafiadora. Poderá se desencorajar e até abandonar o programa completamente. *A prontidão para a mudança é algo mais complicado do que, simplesmente, querer mudar.* Pense nas outras mudanças que você já fez na vida. Por exemplo, você não começou a dirigir, de repente, simplesmente porque quis. Você teve que aprender uma habilidade de cada vez. Foi necessário praticá-las inúmeras vezes até fazer bem e desenvolver o grau de confiança necessário para dirigir com segurança. Acontece o mesmo com a dieta. Você precisa aprender certas habilidades e desenvolver confiança na sua capacidade para usá-las consistentemente.

Eu o incentivo a seguir o programa como está escrito, utilizando duas semanas inteiras para se preparar. Porém, já trabalhei com um número suficiente de pacientes para saber que você pode não querer esperar tanto. Também admito a possibilidade de você ter escolhido este livro porque já faz dieta e quer aprender a ser persistente. Seja qual for a sua escolha, se decidir esperar até o 15º dia ou começar amanhã, mesmo que já esteja fazendo dieta para emagrecer ou queira apenas manter seu peso, você vai precisar preparar sua programação mental. Comece no 1º dia e execute cada passo de maneira sequencial.

Uma tarefa por dia

Você terá, a cada dia, uma nova tarefa a realizar, durante as próximas seis semanas. Algumas delas serão realizadas apenas uma vez. Outras você realizará diária ou semanalmente. O programa é planejado para que você progrida um dia de cada vez, de maneira que você aprenda uma habilidade antes de passar para a próxima.

E se você se sentir muito motivado para andar mais depressa? Você pode tentar, especialmente durante a primeira semana do programa.

Por exemplo, é possível criar o Cartão de Enfrentamento das Vantagens de Emagrecer (Dia 1), escolher a dieta principal (Dia 2) e estabelecer o compromisso de comer sentado (Dia 3), todas de uma vez só. Mas, *na maior parte do tempo*, você se sairá melhor se focar em um dia de cada vez. Eu não gostaria que você fizesse tantas coisas de uma só vez, porque você pode acabar se sentindo sobrecarregado. Evite que a pressa leve você ao erro. Leva tempo até que as novas idéias sejam incorporadas e se tornem proficientes para mudar pensamentos e comportamentos.

Por outro lado, se você perceber que uma tarefa por dia é demais, programe as mudanças mais gradualmente. Você pode demorar uma semana em cada tarefa, se for necessário. Para mim, não é importante o tempo que você vai levar para terminar o programa, desde que você realize cada passo ordenadamente.

Leva tempo até que as novas ideias sejam incorporadas e se tornem proficientes para mudar pensamentos e comportamentos.

DO QUE VOCÊ PRECISARÁ

Antes de começar **A dieta definitiva de Beck**, você precisará de três materiais de escritório bastante baratos: fichas de arquivo, blocos autocolantes para anotações e um caderno.

As fichas de arquivo serão usadas muitas vezes no decorrer do programa. Nelas você escreverá mensagens importantes, que irá ler várias vezes por dia. Sugiro que você use as fichas 3 x 5 porque são pequenas e cabem na bolsa, na carteira ou no bolso; se preferir, pode usar o modelo cartão de visita (disponível em lojas de material para escritório). Os blocos autocolantes para recados serão usados com lembretes e deverão ser colados em pontos estratégicos. No caderno, serão anotadas informações importantes relativas à dieta.

VOCÊ NÃO VÊ A HORA...

Se você seguir os 42 passos do programa de seis semanas A Dieta Definitiva de Beck, descobrirá que fazer dieta ficou mais fácil do que nunca. A exemplo dos pacientes com quem trabalhei pessoalmente, por e-mail ou por telefone, você perceberá o seguinte:

- Seus desejos incontroláveis diminuirão.
- Não entrará em pânico quando estiver com um pouco de fome.
- Planejará automaticamente o que irá comer a cada dia.
- Seguirá de forma consistente seu planejamento, mesmo nas ocasiões especiais.
- Em vez de se sentir em privação, se sentirá bem ao recusar alimentos.
- Sentirá orgulho de si mesmo.

E, é claro, irá desfrutar de outros benefícios também:
- Será mais magro.
- Se sentirá melhor consigo mesmo.
- Será mais autoconfiante.
- Terá mais energia.
- Se sentirá melhor fisicamente.

Você também descobrirá muitos outros benefícios ao emagrecer e manter a perda de peso. As pessoas que atendi experimentaram todas essas maravilhas – e você também irá experimentá-las.

Na Sessão
com a Dra. Beck

Muitas pessoas que fazem dieta têm tendência a adiar as atitudes. Você também poderá ter dificuldades para iniciar uma dieta porque fica dizendo para si mesmo: *Acho que não estou pronto. Vou começar depois.* Atrás dessa relutância pode estar uma preocupação com o fracasso. Esta transcrição de uma sessão com uma das minhas pacientes poderá ajudá-lo.

Sandy queria emagrecer, mas estava em dúvida sobre começar a dieta. Nossa discussão a ajudou a perceber que os riscos não eram tão grandes quanto pareciam.

Sandy: Não sei. Simplesmente parece que vai ser um problema e tanto.
Dra. Beck: Você está certa. *Será* um problema e tanto.
Sandy: Não sei se estou suficientemente motivada.
Dra. Beck: Você pode não estar. Deixe-me perguntar uma coisa: você está motivada o bastante para verificar as vantagens e desvantagens de começar este programa?
Sandy: Acho que sim.
Dra. Beck: Você não me parece muito confiante.
Sandy: Não sei. Tem uma porção de coisas acontecendo na minha vida neste momento.
Dra. Beck: Existe alguma razão pela qual você deveria começar o programa agora, em vez de, digamos, começá-lo daqui a um ano?
Sandy: [Suspiros] Eu realmente não quero estar tão pesada daqui a um ano.
Dra. Beck: Tem certeza? Sandy, tenho a impressão de que você está se sentindo bastante sobrecarregada neste momento. Talvez fosse melhor resolvermos algumas coisas antes. Depois que se sentir aliviada, você estará mais preparada para o programa.
Sandy: Não sei. Uma parte de mim quer mesmo começar agora. A outra está um pouco assustada, eu acho.
Dra. Beck: Que parte está assustada?
Sandy: E se eu não conseguir emagrecer? E se eu seguir o programa e ele não funcionar?
Dra. Beck: Bem, o que de pior pode acontecer se você não conseguir fazer o programa?
Sandy: Eu simplesmente desisto, eu acho. Mas, ficaria muito decepcionada.
Dra. Beck: Então, você poderia ter que falar comigo ou com outra pessoa sobre como lidar com a sua decepção para não se sentir tão mal?
Sandy: Sim, acho que sim.
Dra. Beck: Se você decidir começar a dieta agora, será importante perceber que não é tão ruim se você não conseguir fazê-la ou se não der certo. Você apenas

precisará ir ao plano B. Tentar alguma coisa diferente ou tentar esse mesmo programa novamente mais tarde.
Sandy: Sim.
Dra. Beck: Então, o que acha? Que tal não começar o programa nesta semana? Apenas pense se você quer ou não fazê-lo. Lembre-se de que não é um problema tão grande começar agora ou não, conseguir fazer ou não, dar certo ou não. Você pode tentar por cerca de três semanas, se quiser, e depois decidir se vai ou não continuar.
Sandy: Assim me parece melhor.

A dieta de relance

- Você realizará uma nova tarefa a cada dia deste programa de seis semanas.
- As tarefas das duas primeiras semanas irão ajudá-lo a se preparar para fazer dieta.
- Se você já está fazendo dieta ou tentando manter seu peso, as habilidades das duas semanas ainda são essenciais para o sucesso a longo prazo.
- Você precisará comprar as fichas de arquivo, o caderno e o bloco de recados autocolante.

PENSE
O Programa

5
Semana 1
Prepare-se: aprenda os fundamentos

Sei que você já enfrentou dificuldades para emagrecer – mas agora será diferente. Você aprenderá *como* fazer dieta. Durante as próximas duas semanas, você aprenderá estratégias cruciais das quais precisará para emagrecer com sucesso e permanecer com o novo peso.

Nessas duas semanas, você utilizará as técnicas de terapia cognitiva para preparar sua mente e seu ambiente para a dieta. Essa preparação será compensada pelo seu sucesso quando você enfrentar o primeiro grande desafio e os que vierem a seguir. O tempo que você utilizará para se preparar irá ajudá-lo a:

- Responder aos seus pensamentos sabotadores.
- Reduzir a frequência e a intensidade dos desejos incontroláveis de comer.
- Permanecer motivado para seguir a dieta, mesmo quando sentir esses desejos.
- Ser mais consciente de toda porção de alimento que ingere.
- Aumentar sua satisfação durante e depois das refeições, de tal maneira que você se sentirá menos inclinado a repetir o prato.
- Resolver os problemas que possam tê-lo afastado da dieta em outras oportunidades.
- Sentir-se mais confiante na sua capacidade de seguir uma dieta de forma consistente, mesmo quando o caminho for árduo.
- Saber justificar cada caloria que consome.

Você utilizará as técnicas de terapia cognitiva para preparar sua mente e seu ambiente para a dieta.

Muitos indivíduos negligenciam esses aspectos importantes quando tentam emagrecer. Iniciam a dieta sem nenhuma preparação. Não cometa esse erro! Descobri que a preparação é um dos componentes mais importantes para o sucesso de uma dieta.

Antes de me procurar, nenhuma das pessoas que atendi havia se preparado para a dieta. Eles simplesmente escolheram uma dieta e a iniciaram no mesmo dia. Adivinhe? Durante um certo tempo, foram bem-sucedidos. Em seguida, enfrentaram desafios, desviaram-se da dieta, desanimaram-se e desistiram. Em determinado momento, voltaram à mesma dieta – ou a qualquer outra – até reiniciarem a mesma sequência de eventos. Quando essas pessoas aprenderam as técnicas essenciais de que precisavam, a dieta se tornou muito mais agradável. Elas ainda enfrentaram desafios, mas sua preparação fez com que esses desafios fossem superáveis. Independentemente do que acontecesse, elas conseguiam seguir a dieta, emagrecer e manter o peso perdido.

E você pode fazer o mesmo.

E se você já emagreceu? Você *ainda assim* precisa se preparar. Inicie no Dia 1 e prossiga. Para manter a perda de peso, é fundamental praticar as habilidades contidas neste programa. Tenha certeza de que todo o sacrifício da preparação será recompensado pelo resto da sua vida.

Dia 1
REGISTRE AS VANTAGENS DE EMAGRECER

Hoje você irá fazer o primeiro Cartão de Enfrentamento, uma ferramenta essencial que o ajudará a mudar sua programação mental e superar os pensamentos sabotadores que interferem na dieta. Cartões de Enfrentamento são fichas de arquivo que contêm mensagens escritas importantes para ajudá-lo a contrariar seus pensamentos sabotadores. Eles funcionam também para motivá-lo, todos os dias, a permanecer na dieta, utilizar bons hábitos alimentares, lidar com a fome e com os desejos incontroláveis de comer, resistir ao ato de comer pelo emocional e voltar ao caminho quando cometer um erro.

Você lerá estes cartões diariamente enquanto estiver de dieta – e depois periodicamente, pelo resto da vida. Eles são parte essencial do programa de **A dieta definitiva de Beck**. É possível que você nunca tenha feito e muito menos lido um cartão desses. Não é de se admirar que a fome e os desejos ganharam de você no passado!

O cartão que você irá criar hoje pode ser o mais importante de todos. Nele, você escreverá as razões pelas quais decidiu fazer dieta. Neste momento, eu gostaria que você pensasse em todas as vantagens de emagrecer e que as escrevesse enquanto elas estão claras em sua mente. Quero que você leia esse Cartão de Enfrentamento das Vantagens (ou cartões caso suas vantagens não caibam num só) todos os dias.

Agora que você já sabe o que deve fazer, está pensando: *Por que escrever as razões para emagrecer? Eu sempre lembrarei de porque quero emagrecer.*

Pode parecer difícil de acreditar que você poderia esquecer destas razões. Mas, acredite, é muito fácil esquecer quando há comidas tentadoras em volta. Haverá muitas ocasiões em que sua determinação irá vacilar e você terá pensamentos sabotadores com os que seguem:

- Será que a dieta vale mesmo à pena?
- Resistir a essa comida é muito difícil.
- Acho que não quero tanto fazer dieta.

Você se lembra de ter tido pensamentos como esses antes? Se sim, sabe perfeitamente o quanto podem ser persuasivos. É possível que, algumas vezes, você tenha se convencido desses pensamentos, saído da dieta e parado de emagrecer – ou pior, rapidamente ganhado de volta o peso que trabalhou tão duramente para perder. Você precisa aprender a combater vigorosamente os pensamentos sabotadores. Caso contrário, você poderá seguir exatamente seu velho padrão de desistir quando o caminho se tornar árduo.

Se, por outro lado, você ler seu Cartão de Enfrentamento das Vantagens várias vezes por dia, todos os dias, essas razões vão estar firmes em sua mente quando se sentir tentado a comer algo que não deveria. Você conseguirá lembrar dos seus motivos para emagrecer no exato momento em que os pensamentos sabotadores tentarem, desesperadamente, convencê-lo de que ceder não vai fazer tanta diferença. Você será capaz de dizer para si mesmo: *Tanto quanto eu quero comer (esta comida) e aproveitar um ou dois minutos de prazer, emagrecer é muito importante para mim.*

Você começará a fazer seus Cartões de Enfrentamento agora, no Dia 1, pois lê-los é uma estratégia essencial para perder peso. Em menos de dez minutos, você faz um Cartão de Enfrentamento e, em menos de um minuto, você o lê diariamente.

BENEFÍCIOS DE EMAGRECER

Então, por que você quer emagrecer? Pense um pouco nesta pergunta. Qual o impacto que emagrecer terá sobre estes aspectos da sua vida?
- Vida afetiva, amigos, família, profissão e vida social.
- Nível de energia e participação em divertimentos e atividades recreacionais.
- Corpo, saúde, auto-imagem e funcionamento mental.

Emagrecer vai produzir melhoras significativas em todos eles, mas, eu gostaria que você pensasse em cada item delas separadamente. Por exemplo, emagrecer pode significar sentir-se confortável ao se despir na frente do companheiro, voltar a jogar tênis, golf, dançar ou retomar outras atividades de lazer que você fazia, mas para as quais você não tem disposição física neste momento. Pode significar também desfrutar dos passeios na praia e das atividades sociais sem se preocupar com que os outros estão pensando de você.

Procure pensar no maior número possível de vantagens. Muitas outras irão aparecendo, à medida que começar a emagrecer. Por exemplo, sentir-se mais autoconfiante e fazer coisas que normalmente você não faz, como falar em reuniões e participar voluntariamente de comitês. Escreva essas vantagens em cartões e continue aumentando esta lista sempre que se deparar com uma vantagem que ainda não esteja incluída.

Para iniciar, consulte o Cartão das Razões pelas quais quero Emagrecer, na outra página. Esta lista de vantagens veio das pessoas que atendi no meu exercício profissional. Imagino que você irá concordar com muitas dessas razões.

Por favor, *não pule* esse exercício tão importante. Ele não é uma tarefa opcional. Confira todos os itens que se aplicam e anote-os em sua lista de razões adicionais; depois, classifique-as conforme a instrução. É importante realizar essa tarefa antes de continuar lendo.

Terminou? Está bem, agora você está pronto para criar o seu primeiro cartão (ou cartões).

Muitas outras irão aparecendo, à medida que começar a emagrecer.

VANTAGENS EXTRAS

Existem quatro benefícios ainda mais importantes de fazer dieta que podem não ter lhe ocorrido:

1. Seus desejos incontroláveis de comer irão diminuir.
2. Você não lutará mais com a idéia de comer ou não alimentos que não deveria.
3. Você se sentirá bem quando resistir a uma refeição não planejada.
4. Você não se sentirá culpado e desmoralizado por ter cedido aos desejos incontroláveis.

Talvez, você não acredite ainda que vá alcançar este estágio. Mas, se acompanhar este programa, chegará ao ponto em que perceberá que não discute mais consigo mesmo sobre comer ou não comer. Dizer não para alimentos que hoje são irresistíveis estará incorporado a sua natureza. Você pode imaginar a maravilha que isto representa?

Cartão das Razões pelas quais quero Emagrecer

Marque todas as vantagens que se aplicam a você. Utilize os quatro espaços adicionais em branco para acrescentar vantagens mais específicas para a sua vida. Depois, à direita de cada vantagem, classifique a importância de cada uma: pouco importante, importante, muito importante.

Vantagem de emagrecer	Quanto essa vantagem é importante para mim
O Terei uma aparência melhor.	
O Serei mais atraente para os outros.	
O Poderei usar roupas de numeração menor.	
O Poderei vestir roupas de mais estilo.	
O Ficarei mais feliz quando me olhar no espelho.	
O Gostarei de comprar roupas.	
O Não me sentirei tão constrangido.	
O Receberei mais elogios.	
O Serei mais saudável.	
O Serei capaz de fazer exercícios sem desconforto ou embaraço.	
O Viverei mais tempo.	
O Irei me sentir melhor fisicamente.	
O Terei mais energia.	
O Estarei em melhor forma física.	
O Gostarei mais da intimidade sexual.	
O Gostarei mais de mim.	
O Sentirei que tenho controle.	
O Sentirei que conquistei algo importante.	
O Serei mais autoconfiante.	
O Aumentarei minha autoestima.	
O Serei menos autocrítico.	
O Serei mais extrovertido.	
O Farei mais coisas (como ir à praia).	
O Não ouvirei minha família comentando sobre o que estou comendo.	
O Conseguirei ser mais assertivo.	
O Não me importarei de comer na frente dos outros.	
O Não terei ninguém me incomodando por causa de meu peso	
O	
O	
O	
O	

FAÇA SEU CARTÃO DE ENFRENTAMENTO DAS VANTAGENS DE EMAGRECER

Copie em um cartão 3X5 (ou equivalente) todas as vantagens com as quais se identificou. Leve-o em sua agenda, carteira, bolsa ou bolso para *ler, pelo menos, duas vezes por dia* até que você não tenha mais dificuldade para fazer a dieta – e depois, sempre que houver necessidade.

Para tornar esta lista mais atraente, organize as vantagens em ordem de importância para você. Copie literalmente suas razões do Cartão de Enfrentamento das Razões pelas quais eu quero Emagrecer (página 68) ou as expresse com suas próprias palavras. Se suas razões forem particulares e você não deseja arriscar que outros vejam, escreva em um código que só você possa entender.

Se você quiser, use a medida do cartão de visitas e escreva apenas uma razão por cartão.Se preferir, escreva ou digite-as numa folha de papel. Faça qualquer coisa que funcione. Lembre-se, apenas, que terá que levar estes cartões com você, porque você precisará lê-los várias vezes por dia.

Veja, em frente e verso, o cartão de Carol, uma das pessoas que atendi.

Cartão de Enfrentamento das Vantagens de Emagrecer

1. Terei uma aparência melhor.
2. Não vou ficar tão constrangida o tempo todo.
3. Vou conseguir vestir as roupas que gosto
4. Sentirei que estou no controle.
5. Vou me movimentar melhor.
6. Não vou ficar com vergonha na piscina.
7. Irei me sentir mais autoconfiante.
8. Ficarei mais feliz quando me olhar no espelho.
9. Meu médico não vai me incomodar.

---

10. Sharon vai se orgulhar de mim.
11. Ficarei mais feliz quando subir na balança.
12. Voltarei a usar minhas roupas antigas.
13. Estarei com uma aparência melhor no casamento de João.
14. Terei mais energia.
15. Minha irmã não vai me criticar
16. Eu me sentirei melhor com meu corpo.
17. Minhas costas não vão doer tanto.
18. Irei me sentir melhor comigo mesma.

Além de levar os cartões com você, é interessante colocá-los em locais onde serão vistos frequentemente. Meus pacientes sugeriram estas ideias criativas:

- Salvar a lista na tela do computador.
- Programar seu *e-mail* para enviar itens da lista de vantagens como mensagens tipo *pop-up* em intervalos regulares durante o dia.
- Copiar a lista em lembretes autocolantes e colá-os no espelho do banheiro, geladeira ou no painel do carro.
- Colocar a lista atrás da capa de seu caderno de dieta.

Utilize seu Cartão de Enfrentamento das Vantagens

É importante saber quando e como ler o Cartão de Enfrentamento de Vantagens, já que ele irá ajudá-lo a fortalecer sua motivação e enfraquecer seus pensamentos sabotadores. Há duas circunstâncias em que você precisará ler seu cartão:

1. Todos os dias, em horários planejados. Leia seu cartão pelo menos duas vezes por dia, em horários específicos, quando for melhor para você. Provavelmente, irá perceber que a leitura dos cartões antes das refeições ajuda a não fugir do planejamento alimentar. Você pode optar pelos momentos em que sente mais dificuldade para controlar o apetite; para muitas pessoas, isso ocorre um pouco antes do almoço, no final da tarde e/ou no meio da noite.

2. Sempre que estiver lutando contra desejos incontroláveis de comer, tentações ou pensamentos sabotadores. Algumas vezes, será suficiente pegar seu cartão apenas nos horários programados. Outras vezes, quando os desejos de comer estiverem mais fortes, você se pegará lendo o cartão com mais frequência. Por exemplo, muitas pessoas que atendi descobriram que precisavam ler seus cartões mais vezes nos finais de semana e feriados do que em dias de semana.

Para que o cartão tenha efeito, é preciso fazer mais do que uma leitura das palavras. Todas as vezes em que você estiver lendo uma vantagem, pense: *Quanto isto é importante para mim?* Classificar cada benefício desta maneira faz com que você pense com mais cuidado do que se você passar os olhos de relance pelas palavras. O processo ativo de reflexão o ajuda a internalizar as razões e decorá-las, permitindo a você responder seus pensamentos sabotadores sempre que eles tentarem convencê-lo de que não tem importância sair da dieta.

Lembre-se de ler o Cartão de Enfrentamento de Vantagens

Enquanto a leitura do cartão não se torna um hábito, você precisa criar um sistema de lembretes. Pode fazer muitas coisas: colocar uma cópia do próprio cartão ou um recado autocolante em locais que você verá facilmente, talvez, no painel do seu carro, na mesa de trabalho, no espelho do banheiro, na geladeira ou na tela do computador. No lembrete, você pode escrever "Leia seu Cartão de Enfrentamento das Vantagens".

Você pode programar um alarme no relógio de pulso, no telefone celular, no Palmtop ou no computador para tocar em momentos importantes. Pode também mudar o relógio ou pulseira para o braço no qual normalmente você não os usa. A sensação diferente servirá como indício para você pegar o cartão. Gostaria que você pensasse em um lembrete agora mesmo. Coloque-o em prática antes do final do dia.

Motive-se para ler diariamente seu Cartão de Enfrentamento das Vantagens

Poderá haver dias em que sua consciência dirá *Você não precisa ler os cartões; está tudo sob controle*. Porém, este é somente mais um exemplo de pensamentos sabotadores atravessando seu caminho. Talvez você até precise de um cartão que o incentive a ler seu Cartão de Enfrentamento das Vantagens, por exemplo:

> Preciso ler meu Cartão das Vantagens, pelo menos, duas vezes ao dia, se quiser resistir às tentações. Isso levará apenas alguns segundos, nada demais. Posso não estar precisando dele psicologicamente hoje, mas precisarei mais tarde. Tenho de concretizar essas razões em minha mente para quando a dieta ficar difícil.

ENFRENTE A REALIDADE!

Você chegou até esta parte do capítulo sem criar o seu Cartão de Enfrentamento das Vantagens? Por favor, não se engane pensando que pode pular este passo. Se você pretende emagrecer e não voltar a engordar, terá que mudar sua maneira de pensar sobre comida, dieta e sobre você mesmo. Se seguir apenas alguns passos deste programa, provavelmente terá problemas para emagrecer e manter a perda de peso. E então você irá se culpar: *Eu simplesmente não consigo! Eu não consigo emagrecer!*

Pense: se seu médico receitasse um antibiótico para curar uma infecção grave, você tomaria apenas a metade do comprimido? Claro que não. Do mesmo modo, não pegue um atalho neste programa. Ele é mais eficaz se for seguido em sua totalidade.

O Cartão de Enfrentamento das Vantagens é o primeiro de muitos cartões que você criará para responder aos pensamentos sabotadores. Ao final de cada dia deste programa, você criará um Cartão de Enfrentamento para ajudá-lo a realizar a tarefa daquele dia.

> *Se seu médico lhe receitasse um antibiótico para curar uma infecção grave você tomaria apenas a metade do comprimido? Claro que não. Da mesma maneira, não pegue um atalho neste programa.*

Conforme o tempo vai passando, você terá muitos pensamentos sabotadores, mas, se estiver lendo todos os seus Cartões de Enfrentamento regularmente, você estará apto a neutralizá-los. As pessoas que atendo me dizem, repetidas vezes, que estes cartões fazem a diferença para elas. O cartão as prepara para dominar seus pensamentos sabotadores, mudar sua programação mental e fazer o que é preciso para emagrecer. Funcionou para elas – e funcionará para você também.

Em que você está pensando?

> Você ainda pode ter pensamentos sabotadores sobre a criar ou ler seus Cartões das Vantagens. Em caso positivo, estas respostas podem ajudá-lo:
> **Pensamento sabotador:** Eu não preciso fazer nada para me lembrar de vantagens de emagrecer. Eu sei todas elas.
> **Resposta adaptativa:** Eu as tenho na memória – agora. Mas pense em todas as outras vezes em que saiu da dieta. Com certeza, não estava pensando em todas essas vantagens para continuar a dieta.
> **Pensamento sabotador:** Eu não estou com vontade de ler a lista de vantagens agora e nem de escrever os cartões neste momento. Farei isso mais tarde.
> **Resposta adaptativa:** Para emagrecer, preciso me treinar a fazer o que é necessário, não o que estou disposto a fazer no momento. Se eu protelar esta tarefa eu posso acabar por não realizá-la.

Pensamento sabotador: Fazer esta tarefa vai exigir muito de mim.
Resposta adaptativa: Honestamente, qual é o esforço que terei que fazer? De qualquer forma, qual é o problema?

Pensamento sabotador: Este programa não vai funcionar para mim.
Resposta adaptativa: Não tenho bola de cristal, então não posso adivinhar se funcionará ou não. A única coisa que posso saber efetivamente é que não tentei desta maneira antes e não consegui emagrecer definitivamente. Eu posso tentar desta forma. O que tenho a perder com isso?

Comprometa-se
por escrito

Vou ler meu Cartão de Enfrentamento das Vantagens de Emagrecer nos seguintes momentos: _____

_____
_____
_____
_____
_____
_____

O sistema que escolhi para lembrar de ler o Cartão das Vantagens será:

_____
_____
_____
_____
_____
_____

Quando eu lembrar continuamente de todas as razões pelas quais quero emagrecer, fazer dieta será mais fácil.

Lista das tarefas de hoje

Marque as tarefas que você completou. Para qualquer item que você não tenha completado, anote agora a data em que irá completá-lo.

_____ Criei meu Cartão das Vantagens de Emagrecer.

_____ Escrevi, registrei ou postei essas vantagens em vários lugares.

_____ Implementei um sistema de lembretes.

Dia 2
ESCOLHA DUAS DIETAS RAZOÁVEIS

Se você já escolheu uma dieta, ótimo. Mas, continue escolhendo porque você precisa de *duas* dietas – a que vai usar para começar este programa e a que vai substituir a primeira se não der certo.

A dieta que você escolherá não importa, desde que seja saudável e balanceada. Você pode escolher a dieta de livros, *sites* de internet, de organização de saúde (como as que promovem a dieta saudável para o coração), hospitais, clínicas de emagrecimento, ou organizações comerciais.

Antes de decidir, saiba que não existem dietas milagrosas e que nenhuma funciona da mesma maneira para todas as pessoas. Embora muitas dietas sejam comercializadas como uma novidade ou "o meio mais fácil de emagrecer", pesquisas científicas concluíram que tais apelos simplesmente não são verdadeiros. *Todas* as dietas conduzem ao emagrecimento da mesma forma – fazendo você comer menos calorias.

Não importa se uma dieta o leva a consumir certos grupos alimentares; a fazer refeições explicitamente estabelecidas, a contar calorias, gramas ou número de pontos predeterminados atribuídos a um alimento. A questão é que você ainda estará ingerindo um número limitado de calorias. Pesquisadores do Departamento de Agricultura dos Estados Unidos verificaram que a maioria das pessoas que não se exercita vigorosamente precisa, para emagrecer, de um consumo diário entre 1400 e 1500 calorias. Na verdade, numa revisão de dietas populares publicadas no *Journal Obesity Research*, pesquisadores descobriram que o planejamento alimentar mais comum para a maioria das dietas populares continham aproximadamente 1500 calorias.

Todas as dietas capacitam você para o emagrecimento obedecendo ao mesmo princípio – fazendo você comer menos calorias.

DOIS TIPOS DE DIETA

Existem dois tipos básicos de dietas: um deles o incentiva a utilizar um *planejamento alimentar*, que fornece uma prescrição detalhada para refeições e lanches. O outro é um *sistema de contagem*, que lhe permite planejar suas próprias refeições – contanto que você permaneça dentro de certo número de calorias, carboidratos ou número de pontos determinados.

Existem prós e contras nos dois tipos de dieta.

Planejamento alimentar

Prós: Você não terá muitas escolhas. Para algumas pessoas, não ter muitas escolhas torna a dieta mais fácil, principalmente no início. Você pode simplesmente dizer para si mesmo: *Doce não e pronto!* E obedecer a essa regra. Já que você sabe o que vai comer todos os dias, não precisa gastar muita energia mental para encontrar receitas ou escolher alimentos.

Contras: A inflexibilidade poderá criar um padrão de alimentos "bons" e "maus". Se você escorrega e come um alimento ruim ou algo que não está no seu planejamento alimentar, pode pensar que estragou a dieta e que, então, pode comer de tudo pelo resto do dia para só reiniciar o controle no dia seguinte. Outra desvantagem é que você pode não conseguir sustentar este tipo de dieta a longo prazo. Além disso, com pouca ou nenhuma flexibilidade, este tipo de planejamento não considera ocasiões em que é difícil controlar o que se come, como comer fora ou sair de férias.

O que funciona melhor para você? Ter um conjunto de regras fixas ou uma flexibilidade maior para realizar seus projetos?

Sistema de contagem de pontos

Prós: Você pode adaptar com maior facilidade sua dieta ao seu estilo de vida, estabelecendo refeições que funcionam quando você viaja, come fora ou participa de eventos sociais. É possível programar para que suas refeições e lanches incluam todas as suas comidas favoritas.

Contras: Esse tipo de plano pode lhe proporcionar flexibilidade demais. Você pode escolher alimentos que não sejam particularmente saudáveis, ainda que satisfaçam alguns critérios da dieta. Esse tipo de dieta também exige mais tempo e energia do que o planejamento alimentar, já que você precisa pensar no que irá comer.

Essas são definições bastante amplas, visto que certas dietas contêm elementos dos dois tipos de planos. Pense nas dietas que você já fez. Como funcionaram para você? Quando escolher suas dietas (a principal e a secundária), pense em que tipo de pessoa você é: você funciona melhor se tiver regras para seguir? Você costuma ter menos desejos se souber que certos alimentos estão completamente proibidos na sua dieta? Em caso positivo, o planejamento alimentar poderá funcionar melhor para você.

Por outro lado, se você se sai melhor quando tem mais flexibilidade, então, a melhor dieta é a do sistema de contagem de pontos.

Escolha uma dieta que lhe permita comer uma variedade razoável de alimentos. Você poderá emagrecer mesmo que a dieta não seja nutritiva, mas seu corpo se rebela – e você engorda outra vez.

Diretrizes para uma dieta possível

Pela minha experiência, posso perceber que muitas pessoas escolhem dietas com base na rapidez com que elas esperam emagrecer. No entanto, as dietas que ajudam a emagrecer rapidamente, em geral, requerem uma alimentação de 1200 calorias por dia, o que faz com que você sinta mais fome do que se estivesse fazendo uma dieta que lhe permitisse comer de maneira mais normal.

Esse tipo de dieta de privação pode agir contra você. Elas podem impactar negativamente no seu nível de energia e no seu humor, além de também diminuírem o ritmo de seu metabolismo, o que significa que você começará a emagrecer mais lentamente. Além disso, pesquisas mostram que grande parte do peso que se perde no início dessas dietas é, geralmente, resultado da eliminação de fluidos corpóreos e não de gordura.

Mesmo que você emagreça até atingir o peso desejado numa dieta de baixíssima caloria, provavelmente não conseguiria segui-la a longo prazo. Pesquisas mostram que quase todas as pessoas que emagrecem dessa forma recuperam o peso perdido rapidamente.

Em vez de basear a escolha da sua dieta na rapidez com que ela o fará emagrecer, considere os seguintes fatores.

Sua dieta deve ser saudável. O fato de precisar seguir esta dieta por um longo período de tempo cria a necessidade de escolher uma que promova boa saúde. Escolha uma dieta que lhe permita comer uma variedade razoável de alimentos. Tenha cuidado com qualquer dieta que indevidamente restrinja a escolha de alimentos saudáveis. Você poderá emagrecer mesmo que a dieta não seja nutritiva, mas seu corpo se rebela – e você engorda outra vez.

Dica! Mostre sua dieta a um nutricionista ou a um profissional de saúde para ter certeza de que ela é nutritiva e adequada para você.

Escolha uma dieta que inclua alimentos de seu gosto e de fácil preparo. É muito mais provável que você siga uma dieta que lhe permita aliar o que é gostoso e o que é conveniente para você. Se você gostar dos alimentos que compõem a sua dieta, você encontrará mais facilmente a motivação para prepará-los e para fazer as refeições sugeridas.

> *Este programa ensina você a modificar sua dieta através do processo de indulgências planejadas inseridas em toda programação alimentar. Isto pode ajudá-lo a aderir à dieta por muito mais tempo.*

Escolha uma dieta flexível. Você precisará seguir sua dieta em muitas situações diferentes, tais como jantar fora, sair de férias, ir a um jantar de negócios, viajar e participar de ocasiões especiais. Seu planejamento alimentar deve lhe permitir esses eventos comuns do cotidiano – caso contrário você vai acabar por se ver saindo da dieta.

Escolha uma dieta que lhe permita fazer provisões de indulgências. Uma dieta que coloque os seus alimentos favoritos completamente fora do cardápio irá conduzí-lo, mais cedo ou mais tarde, a sentir desejos difíceis de se controlar por esses alimentos. Mesmo com o planejamento alimentar, verifiquei que a maioria das pessoas se sai melhor quando estabelece uma regra do que pode e do que, *geralmente*, não pode comer, o que significa que elas podem planejar, periodicamente – com antecedência – comer pequenas porções dos alimentos "não permitidos".

Por exemplo, algumas pessoas reservam de 100 a 200 calorias por dia para comer o que quiserem depois do jantar. Outras preferem reservar uma refeição por semana para alimentos que geralmente não são permitidos na dieta.

A dieta definitiva de Beck ensina você a eliminar os impulsos de comer. Todavia, sugiro que você modifique a dieta trabalhando com indulgências *programadas* dentro de seu planejamento geral. Isso poderá ajudá-lo a aderir à dieta a longo prazo.

Aprenda com o passado. Pense nas dietas que já fez. Você emagreceu? Elas eram saudáveis, apetitosas e relativamente práticas? Talvez, exista uma dieta saudável com a qual você se adapte razoavelmente bem. Considere a possibilidade de segui-la novamente.

> **Pular refeições**
>
> Você está tentando emagrecer rapidamente comendo o mínimo possível ou pulando refeições? Não faça isso! Muitos estudos verificaram que pular refeições, principalmente o café da manhã, está mais associado a ganho de peso do que ao emagrecimento. Se você pular uma refeição, provavelmente, vai compensar isso mais tarde. Por exemplo, pesquisas mostram que as pessoas que habitualmente pulam o café da manhã tendem a comer exageradamente à noite. Você se sairá melhor se programar seis refeições pequenas por dia.

ESCOLHA SUAS DIETAS AGORA

Antes de passar para o próximo passo deste programa, quero que você escolha a dieta principal que pretende seguir e, em seguida, a dieta secundária. Verifiquei que algumas pessoas precisam passar pelo processo de tentativas e erros antes de encontrarem a dieta que serão capazes de seguir durante um longo período de tempo. Pode ser que descubra depois de algumas semanas ou meses que a dieta com a qual iniciou o programa não está funcionando: você não gostou das receitas sugeridas, as refeições são muito complicadas para se preparar ou você realmente deseja comer alimentos não permitidos pela dieta atual. Nesse caso, você tem um plano B.

Por que escolher a segunda dieta agora? Porque, se você ficar desanimado com a primeira dieta, correrá o risco de abandonar todos os seus esforços para emagrecer no mesmo momento. Se, por outro lado, souber desde o início qual será sua dieta de suporte, terá mais facilidade de continuar fazendo dieta sem interrupção.

Você pode resolver o problema da escolha das dietas:
- Procurando um profissional de saúde para obter sugestões.
- Conversando com pessoas que emagreceram.
- Conversando com os amigos e a família – aqueles que o conhecem bem – para opinarem sobre o tipo de dieta que funciona melhor para você.
- Frequentando livrarias e bibliotecas, e olhando livros de dieta.
- Investigando comerciais de programas de emagrecimento.
- Procurando grupos de emagrecimento sem fins lucrativos.
- Procurando dietas renomadas na internet.

- Pedindo para um nutricionista desenvolver uma dieta específica para seu estilo de vida e suas necessidades.
- Juntando-se a um programa de emagrecimento em uma academia, hospital ou centro comunitário de sua cidade.

Em que você está pensando?

O que está passando pela sua cabeça? Quando falei da importância de emagrecer de maneira lenta e constante, você teve algum pensamento sabotador? Por exemplo, você se pegou pensando (como muitas pessoas me revelaram) *eu tenho de emagrecer 7 quilos em um mês para o casamento* (ou outra ocasião especial)... *Eu tenho de fazer uma dieta drástica!*
Se você pensou assim, dê um tempo agora mesmo para responder a esses pensamentos. Por exemplo, se você quer emagrecer rapidamente para uma ocasião especial, seja realista. Diga a si mesmo que é melhor fazer uma dieta sensata e emagrecer apenas um pouco antes do evento em questão e mais tarde continuar emagrecendo de maneira constante.

Aqui estão mais alguns dos pensamentos sabotadores que tenho ouvido ao longo dos anos, e suas respostas de enfrentamento. Faça Cartões de Enfrentamento para os que possam se aplicar a você.
Pensamento sabotador: Eu quero tentar esta dieta da qual ouvi falar. Ela promete que eu posso emagrecer de maneira fácil, rápida e sem muito esforço. E daí se ela não for muito balanceada? Eu não vou ter que fazê-la por muito tempo.
Resposta adaptativa: Uma dieta da moda não é muito saudável e eu vou precisar permanecer fazendo dieta – ou uma variação da dieta – por um tempo prolongado. As promessas que fazem você pensar que é *bom demais para ser verdade*, invariavelmente são mesmo boas demais para serem verdade.
Pensamento sabotador: Já que minha dieta não fala que eu tenho que tomar café da manhã, eu vou pular essa refeição. Preferia poder comer mais durante o resto do dia.
Resposta adaptativa: Pular o café da manhã não contribuiu para que eu emagrecesse e não evitou que voltasse a engordar das outras vezes em que fiz dieta. Eu preciso mudar os meus hábitos alimentares se quiser ter sucesso desta vez.
Pensamento sabotador: Eu posso aprender a comer de maneira sensata depois que terminar a dieta.
Resposta adaptativa: Se eu não aprender a comer de maneira sensata agora, que evidências eu tenho de que serei capaz de aprender mais tarde? Preciso começar agora.
Pensamento sabotador: Eu só vou emagrecer se encontrar a dieta certa.
Resposta adaptativa: Não existe dieta certa. Não há nenhuma mágica em relação a dietas. A única maneira de emagrecer é ingerindo menos calorias do que o seu corpo pode gastar.

Comprometa-se
por escrito

Escolhi a dieta principal e a secundária que são: _____
_____
_____

(Eu espero que você tenha incluído "razoável" e "nutritiva")

*Quando eu aceitar o fato de que preciso ter
uma programação alimentar saudável para toda
a minha vida, fazer dieta será mais fácil.*

Lista das tarefas de hoje

Marque as tarefas que você completou. Para qualquer item que não tenha completado, anote agora a data em que irá completá-lo.

_____ Li, pelo menos duas vezes hoje, meu Cartão de Vantagens de Emagrecer.

_____ Li outros Cartões de Enfrentamento quando foi necessário.

_____ Pesquisei dietas.

_____ Escolhi a dieta principal e a secundária, ambas razoáveis.

Dia 3
SENTE-SE PARA COMER

Se você costuma sentar-se para fazer as refeições, já domina esse importante passo do programa. Entretanto, se você luta com seu peso, se costuma entrar e sair de dietas, então, acho que você se alimenta, algumas vezes, de pé. Além disso, talvez você tenha a tendência de racionalizar ou nem perceber a quantidade de alimentos que consome. As oportunidades para comer enquanto estamos de pé são inúmeras.

Você costuma fazer alguma dessas coisas?
- Experimentar os alimentos oferecidos nas degustrações nos supermercados, padarias, etc.?
- Experimentar os alimentos enquanto cozinha?
- Pegar pedaços de alimento do prato de alguém quando tira a mesa?
- Dar uma colherada no pote de sorvete ou pegar um saco de batatas fritas enquanto caminha de um lado para o outro, falando com alguém ao telefone?
- Pegar um pedaço de doce ou alguma outra guloseima quando passa pela mesa de seu colega?
- Beliscar alguma coisa que vê quando abre a geladeira com outra finalidade que não comer?

Tenho certeza de que você, ao pensar agora sobre essas coisas, reconhece que todas as calorias que consumimos contam para nos fazer engordar. Entretanto, no momento em que está comendo, você pode racionalizar o que está fazendo com o seguinte pensamento sabotador: *Não vai fazer diferença se eu comer isto.*

Hoje, você vai assumir o compromisso de se sentar, todas as vezes em que for comer qualquer coisa – mesmo que seja só para dar uma mordida. Será que você está pensando *por que eu tenho que fazer isso? Qual é o problema de comer de pé?* Pois bem, aqui estão as razões pelas quais você deve adotar esta regra rigorosa de se sentar para comer:

Você precisa, necessariamente, tornar-se mais consciente das calorias de tudo o que põe na boca. Você precisa prestar atenção no que está comendo para não dizer a si mesmo *Ainda estou com fome, quero mais* quando tiver terminado de comer o que poderia.

Na maioria das vezes, quando estamos de pé, comemos por *impulso* em vez de escolhermos alimentos que fazem parte de um cardápio planejado. Quando você se senta para comer, principalmente à sua mesa de jantar, você toma uma decisão *consciente* de comer.

Tenho certeza que você reconhece que todas as calorias contam, mas, no momento em que você está comendo, na verdade, acaba racionalizando o que está fazendo.

Você sabe que essas calorias contam e pode monitorar mais facilmente o que come – evitando comer exageradamente. Na realidade, você está dizendo para si mesmo: *estou sentado, fazendo uma refeição apropriada (ou lanche) e estou comendo o que deveria comer.* Quando você, impulsivamente, come de pé, está dizendo a si mesmo que concorda em ceder a este desejo, que não faz muita diferença e que isso não terá qualquer consequência. Todavia, haverá consequências porque *cada pedaço de comida que você coloca na boca tem calorias.* Mesmo que você, hoje, esteja comendo cenouras cruas enquanto está de pé, amanhã poderá comer chocolate.

Você se sentirá mais satisfeito. Pelo fato de ter diminuído a quantidade de alimentos consumidos, é importante espalhá-los à sua frente para que você fique visualmente mais satisfeito. Quanto menos alimentos você visualizar, mais privação irá sentir.

Vamos dizer que você esteja comendo cereais e laranja no café da manhã. Se, em pé, você comer o cereal, provavelmente, o comerá rápida e distraidamente. Então, quando se sentar, verá apenas a laranja e provavelmente não se sentirá satisfeito.

Outro exemplo: você está num supermercado e experimenta várias amostras de comida enquanto está passeando. Depois, vai para casa jantar. Você poderá comer, então, apenas a metade do que sua dieta prescreve por causa das calorias consumidas na loja.

Pelo fato de ter diminuído a quantidade de alimentos consumidos, é importante espalhá-los à sua frente para que você fique visualmente mais satisfeito.

Ao comer em pé, você pode sentir-se fisicamente tão satisfeito quanto se estivesse sentado, mas *psicologicamente* isso não acontece. Sentir o gosto, mastigar e engolir alimentos lhe dá um certo grau de satisfação, mas você também precisa estar visualmente satisfeito. É necessário extrair o máximo de cada pedaço de alimento.

Várias pessoas sob minha orientação para dieta disseram-me que aprender a se sentar para comer foi a chave para que emagrecessem e não voltassem a engordar. Isso foi crucial para o meu próprio sucesso – e também foi uma das habilidades mais difíceis de ser incorporada à minha vida. No começo, tive dificuldades, mas agora me alimento, *quase* sempre, sentada; excluindo alguns vegetais crus que planejo comer enquanto preparo o jantar. (Ninguém é perfeito!) Toda vez que volto ao meu velho hábito de comer de pé, invariavelmente, volto a engordar.

COMO SE LEMBRAR SEMPRE DE SENTAR

Interrompa-se sempre que se sentir tentado a comer em pé. Lembre-se da importância de agir assim: mesmo que você consiga lidar com esse hábito *agora*, você estará arriscando engordar no futuro. Você deve incorporar o hábito de comer sentado para toda a vida.

Portanto, tenha como meta sentar-se sempre que for comer. Considere colocar um lembrete com a mensagem "Sente-se" no caderno de dieta, na agenda, na porta da geladeira e nas portas dos armários. Tirar a mesa imediatamente depois de comer também pode servir de lembrete para que você se sente quando fizer a próxima refeição.

Em que você está pensando?

Você perceberá que, enquanto está em pé, o desejo de comer persiste e que os pensamentos sabotadores aparecem. Esteja preparado para escrever Cartões de Enfrentamento. Aqui estão pensamentos sabotadores comuns e as respostas sugeridas.

Pensamento sabotador: Eu gosto de ficar mastigando. Não quero parar de comer enquanto estou em pé.
Resposta adaptativa: Preciso me sentar para comer. Quando como em pé, simplesmente não percebo o que estou comendo. Posso acabar comendo demais sem perceber. Se eu quiser emagrecer, preciso me impor esta regra. Posso não querer abandonar este comportamento, mas, certamente, vou gostar muito de ser magro.

Pensamento sabotador: Tudo bem se eu comer em pé só desta vez. Eu me sentarei na próxima refeição.
Resposta adaptativa: Não está tudo bem em pensar "Só desta vez". Preciso encarar o fato de que, provavelmente, não conseguirei emagrecer ou de que irei engordar novamente se eu me recusar a mudar meu hábito de comer em pé.

Pensamento sabotador: Eu não tenho tempo de sentar para comer.
Resposta adaptativa: Sentar não é opcional. Terei que reorganizar meus horários para *ter tempo*. Isso é fundamental para controlar o que e quanto eu como.

Comprometa-se
por escrito

Quando eu estiver com vontade de comer em pé, irei: _____
_____
_____
_____
_____

Para me lembrar de sentar sempre que for comer, irei: _____
_____
_____
_____
_____
_____

Quando eu aceitar o fato de que tenho de me sentar sempre que for comer qualquer coisa, fazer dieta será mais fácil.

Lista das tarefas de hoje:

Marque as tarefas que você completou. Para qualquer item que não tenha completado, anote agora a data em que irá completá-lo.

_____ Li, pelo menos duas vezes hoje, meu Cartão das Vantagens de Emagrecer.

_____ Li outros Cartões de Enfrentamento quando foi necessário.

_____ Criei um Cartão de Enfrentamento para me incentivar a sentar sempre que comer.

_____ Criei um esquema para não esquecer de me sentar sempre que for comer.

_____ Sentei-me para comer.

Assinale um item:

☐ Todas as vezes   ☐ A maioria das vezes   ☐ Algumas vezes

Dia 4
ELOGIE-SE

Pude observar que as pessoas que lutam para emagrecer costumam ser bastante duras consigo mesmas, tornando-se autocríticas no momento em que se desviam da dieta. Em vez de pensar nesse deslize apenas como um erro e pensar no que fazer para evitar que ele aconteça novamente, recriminam-se por serem fracas, até mesmo más, e casos perdidos.

Você tem tendência a enxergar as coisas de forma negativa e repreender-se por tudo o que faz de errado? Para minimizar essa tendência, é importante aprender a dar créditos a si mesmo por tudo o que você faz *certo*.

Comece agora, dizendo *Bom trabalho* ou qualquer coisa assim, sempre que realizar as tarefas deste programa como, por exemplo, sentar para comer e ler Cartões de Enfrentamento. Por meio dos créditos, você reforça sua autoconfiança e constrói a consciência de que é forte e de que está no controle. Quando come exageradamente ou come alguma coisa não planejada, você pode começar a se sentir desamparado, pensando *Eu simplesmente não consigo me obrigar a fazer o que é preciso*. Entretanto, os créditos recebidos pelas atitudes certas o tornam apto a encarar seus deslizes como erros de momento e não como eventos terríveis, evitando o sentimento de desesperança.

> **Dica!** Crie uma "conta de crédito". Deposite uma moeda ou uma nota (a que tiver em mãos) num recipiente todas as vezes em que reconhecer um comportamento funcional para a meta de emagrecer. Depois de seguir seu planejamento alimentar por algumas semanas (a seu critério) retire o dinheiro, acrescente uma quantia necessária e compre alguma coisa para você, como entradas para alguma peça de teatro ou eventos esportivos, que normalmente não compraria.

COMO E QUANDO SE ELOGIAR

Elogios são palavras ou frases curtas ditas para si mesmo, como:
- Certo!
- Isso foi muito bom.
- Ótimo!
- Continue assim!
- Isso merece um elogio.

- Fantástico!
- Eu consegui!

Tudo está na sua cabeça

Dar créditos para si mesmo toma um pouco do seu tempo, mas é essencial para a meta de emagrecer. Para compreender a importância de usar essa estratégia, considere os seguintes cenários:

Cenário 1
Suzana está em um restaurante participando de uma grande reunião familiar. Ela vê pão – que é a "ruína" de quem faz dieta – assim que se senta, mas diz para si mesma: *Eu não vou comer pão; posso esperar pela minha comida.* Ela tenta resistir, mas cada um de seus amigos pega uma fatia, comenta como está delicioso e todos continuam passando o cesto. Finalmente, ela pega um pedaço e come. Então diz a si mesma: *Eu não posso acreditar que sou tão fraca; não tenho nenhuma força de vontade.* Ela se entrega, come outro pedaço, e então, come exageradamente pelo resto da noite.

Cenário 2
Pedro está no mesmo restaurante. Ele também se sente atraído pelo cheiro do pão. Começa a salivar, especialmente quando ele vê seus amigos comendo com tanto prazer. Depois de resistir por algum tempo, ele acaba comendo uma fatia. Então diz para si mesmo: *Está certo, então eu me dei por vencido. Pelo menos eu resisti à cesta do pão por dez minutos; mereço um crédito por isso. Na última vez que eu tentei fazer dieta, não consegui esperar tanto. E o bom é que eu comi só um pedaço; vou comer apenas um quarto da batata assada que pedi, ao invés da metade.* Peter voltou para a dieta e permaneceu no limite das calorias daquele dia.

No primeiro cenário, o pensamento autocrítico de Suzana desgastou sua confiança, levando-a a comer mais pão. No segundo cenário, o fato de se dar um crédito, mesmo que parcial, possibilitou a Pedro reconsiderar, manter-se calmo e permanecer na dieta.

Comece hoje mesmo a dar créditos para si mesmo e o faça sempre que tiver se engajado em um comportamento alimentar funcional (que o ajude a alcançar a meta de emagrecer?). Veja, por exemplo, tudo o que você já conseguiu depois de apenas três dias neste programa. Você merece elogios por:
- Ter criado e lido seu Cartão de Enfrentamento de Vantagens.
- Ter criado e lido outros Cartões de Enfrentamento.
- Ter pesquisado e escolhido a dieta principal e a secundária.

- Ter optado por se sentar para comer.
- Ter reconhecido e respondido aos seus pensamentos sabotadores.
- Ter realizado todas as tarefas propostas nos dias anteriores.
- Ter lido – e relido – este livro.

Você também merece elogios sempre que evita um comportamento disfuncional. Ao terminar de comer, procure maneiras de dar créditos a você mesmo por atitudes como:
- Resistir à vontade de comer caminhando, de pé ou deitado;
- Resistir ao segundo prato;
- Recusar as degustações em supermercados;
- Ignorar os bolos e tortas que alguém trouxe para o trabalho.

Elogiar-me é uma habilidade que tive que desenvolver – mas que agora se tornou fácil para mim. Costumo me elogiar ao longo do dia, sempre que termino uma tarefa ou mesmo parte dela. Digo a mim mesma: *Ótimo, está feito!*, mesmo que eu tenha apenas escrito mais dois parágrafos de um artigo ou escovado meus dentes. É muito fácil me dar créditos quando faço uma alimentação adequada: *Muito bem, comi o que programei*. Também é especialmente fácil me dar créditos quando resisto a um alimento que não planejei comer, como fiz hoje no bufê do café da manhã: *Muito bem, estou feliz porque não comi um sonho, um pãozinho e vários outros alimentos*.

> **Dica!** Se você acha que é muito autocrítico quando comete um erro na sua alimentação, irá minar sua autoconfiança. Por exemplo, se come alguma coisa que não planejou ou se, sem perceber, come alguma coisa sem se sentar, fique atento a severos pensamentos sabotadores. Assegure-se de dizer a si mesmo algo como: *É difícil, mas vou melhorar. Na próxima vez, eu posso...*

Ao praticar essa habilidade, ela se tornará cada vez mais automática (como está sendo para mim). Porém, neste momento, você poderá precisar de um sistema para ajudá-lo a lembrar de reconhecer seus comportamentos positivos. Aqui estão algumas sugestões para ajudá-lo a começar:

Escreva a palavra *crédito* em lembretes autocolantes. Coloque-os na geladeira, na agenda, no painel do carro ou em outros lugares onde você possa vê-las frequentemente. Considere transformar esta palavra em fundo de tela de seu computador. Toda vez que você visualizar a palavra crédito, pergunte-se: *Que atitudes positivas eu tive (ou que atitudes disfuncionais eu evitei) hoje?*

Pegue o caderno de dieta uma ou duas vezes por dia. Pense nas últimas horas que passaram e faça uma lista dos comportamentos que merecem créditos.

Diga alguma coisa positiva para você a cada vez que assinalar um item das tarefas diárias. Na verdade, em vez de apenas marcar, você pode querer desenhar uma estrela ou um sinal de mais na frente do item completado.

Reflita sobre seu comportamento de comer sempre que terminar uma refeição ou um lanche. Pergunte-se: *Eu me lembrei de comer devagar? Prestei atenção em cada mordida? Parei de comer quando a comida acabou e me abstive de repetir?*

Compre um pequeno contador. Desses que as pessoas usam para marcar o preço dos mantimentos enquanto estão fazendo compras. Registre cada vez que mereceu elogios. No final do dia, marque o resultado no seu caderno de dieta.

Em que você está pensando?

Está tendo algum pensamento sabotador a respeito de dar créditos a você mesmo? Aqui estão alguns bem típicos e as respostas adaptativas. Crie Cartões de Enfrentamento para todos os que servirem para você.

Pensamento sabotador: Eu não mereço créditos por fazer coisas que eu já deveria estar fazendo. Essas coisas não são conquistas. Elas deveriam ser fáceis para mim.

Resposta adaptativa: Se eu não me der créditos por comportamentos essenciais, será menos provável que eu os pratique de maneira constante. Se eu fosse naturalmente magro, tivesse pouco apetite e não tivesse que me esforçar para controlar o peso, talvez eu não merecesse créditos. Mas eu não sou naturalmente magro. Eu realmente luto. Eu realmente mereço créditos todas as vezes em que penso de maneira funcional ou tenho um comportamento funcional.

Pensamento sabotador: Não me parece natural ficar elogiando a mim mesmo.

Resposta adaptativa: Elogiar-me é uma habilidade que vou desenvolver com o tempo. Não tem importância que no início pareça forçado. Quanto mais eu praticar essa habilidade, melhor serei em sua prática e mais automática e natural ela ficará.

Pensamento sabotador: Parece infantil ficar me elogiando.
Resposta adaptativa: Não é tolice me dar os créditos que mereço; é absolutamente essencial para desenvolver minha confiança. Eu precisarei de confiança para atravessar momentos mais difíceis.

Pensamento sabotador: Eu não mereço ganhar créditos até que consiga emagrecer tudo que quero.
Resposta adaptativa: É contraproducente esperar. Eu preciso fortalecer a parte da minha mente que acredita que eu posso seguir o programa. Sou apenas humano e poderei me desviar às vezes. Quando isso acontecer, terei um sentimento de desamparo. Fortalecer minha autoconfiança continuamente através dos créditos poderá me proteger de sentimentos de desesperança e desamparo, e do desejo de abandonar este programa. E, na verdade, o processo de emagrecer é a parte mais difícil. Quando eu aprender as habilidades de que preciso, manter o peso será mais fácil. Por isso, eu mereço muitos créditos agora que estou trabalhando duro.

Comprometa-se
por escrito

Para lembrar constantemente de me elogiar, irei: _____
_____
_____
_____

Quando eu conseguir desenvolver minha autoconfiança
por meio da concessão de elogios, fazer dieta será mais fácil.

Lista das tarefas de hoje:

Marque as tarefas que você completou. Para qualquer item que não tenha completado, anote agora a data em que irá completá-lo.

_____ Li, pelo menos duas vezes hoje, meu Cartão de Vantagens de Emagrecer.

_____ Li outros Cartões de Enfrentamento quando foi necessário.

_____ Criei um esquema para me lembrar de me elogios.

_____ Sentei-me para comer.

Assinale um item:

☐ Todas as vezes   ☐ A maioria das vezes   ☐ Algumas vezes

_____ Elogiei-me por me sentar para comer.

Assinale um item:

☐ Todas as vezes   ☐ A maioria das vezes   ☐ Algumas vezes

Dia 5
ALIMENTE-SE DEVAGAR E CONSCIENTEMENTE

Existem duas razões bastante benéficas sobre a importância de comer devagar e conscientemente.
- Quando você come devagar, seu cérebro tem tempo para registrar que você está satisfeito.
- Quando você percebe e aprecia cada porção de comida, você se sente mais satisfeito depois de comer.

Conversando com quem já fez dieta, cheguei à conclusão de que comer muito rápido e distraidamente é, sem dúvida, um hábito comum entre as pessoas que tem problemas com o peso. Quanto tempo leva para comer? Às vezes, você se sente insatisfeito depois de comer? Já passou pela experiência de fazer uma refeição razoável e dizer a si mesmo *Não foi muita comida, de jeito nenhum. Eu ainda estou com fome* simplesmente porque não prestou atenção no que comeu?

Pesquisas demonstram que existe um intervalo – de até 20 minutos – entre o momento que seu estômago fica pleno de comida e o reconhecimento disso pelo cérebro. Quanto mais devagar você come, mais tempo tem para que a mensagem *"estou satisfeito"* alcance seu cérebro e ele lhe dê o sinal para parar de comer.

Coma devagar

Estudos mostram que as pessoas, de fato, comem menos quando comem devagar. Em um estudo conduzido na Universidade da Luisiana, os pesquisadores deram a um grupo de pessoas com excesso de peso uma refeição de *nuggets* e registraram em que velocidade elas comiam. A seguir, alimentaram o mesmo grupo de voluntários com uma série de refeições durante alguns dias, instruindo-os a levar a comida à boca somente quando ouvissem uma campainha no computador. Era permitido parar de comer em qualquer momento em que se sentissem satisfeitos.

Os pesquisadores variavam o ritmo de comer durante cada refeição. Em uma das refeições, a campainha era acionada aproximadamente duas vezes mais devagar do que o ritmo normal de comer que fora encontrado na fase inicial da pesquisa. Em outra, a campainha soava no ritmo em que o participante estava habituado a comer. Em uma terceira refeição, o alarme do computador soava mais rápido para uma parte da refeição e mais devagar no final dela.

Os resultados? Todos os participantes acabaram comendo menos quando o computador dava o sinal em um ritmo mais lento.

COMO DESACELERAR

Se você está habituado a comer rápido, pode não parecer natural, no início, passar a comer num ritmo mais lento. É necessário que se lembre de descansar os talheres várias vezes durante a refeição e esperar de 10 a 30 segundos antes de pegá-los novamente. Pratique as seguintes estratégias.

Modificar alguma coisa em seu ambiente de refeição. Por exemplo, use um guardanapo de tecido no lugar do de papel. Use pratos diferentes (ou pratos de papelão) ou uma toalha nova. Utilize louças diferentes das habituais. Coloque um vaso ou outro objeto em frente ao prato. Ao visualizar estas coisas diferentes sobre a mesa, lembre-se: *Ah, isso significa que eu devo comer devagar.*

Ajustar um cronômetro para soar de três em três minutos. Se a modificação do ambiente de refeições não for suficiente, talvez o cronômetro ajude. A cada vez em que ouvir o alarme, descanse os talheres e espere pelo menos 10 segundos. Ao pegar os talheres novamente, lembre-se de comer devagar.

Tomar goles de água depois de algumas porções. Mesmo que a água não tenha nenhum poder mágico para fazer emagrecer, beber entre as garfadas ajuda a comer mais devagar.

Começar a refeição com um prato quente. Iniciar a refeição, por exemplo, com uma sopa quente (se estiver incluída na sua dieta), forçará você a comer devagar praticando essa habilidade.

Prestar atenção nas mudanças de seu organismo. Procure sinais de que está começando a ficar satisfeito. Tornando-se consciente das sensações de seu corpo, você poderá se lembrar de diminuir o ritmo.

Olhar para o relógio. Repare na hora em que começou e terminou a refeição. Anote em seu caderno de dieta ou em um lembrete autocolante para colocar geladeira quanto tempo levou a refeição. A cada refeição, tente comer devagar e prolongar um pouco mais seu tempo de duração.

COMO PERCEBER O QUE VOCÊ ESTÁ COMENDO

Distrair-se nas refeições é muito fácil, fato que pode reduzir o grau de satisfação que você está obtendo com a comida. Aqui estão algumas dicas para lhe auxiliar a se concentrar.

Faça refeições em uma atmosfera relaxada. Quanto menos estresse você sentir, mais será capaz de prestar atenção no que está comendo. Faça o que puder para comer em um ambiente calmo e sem estímulo.

Foque atentamente o alimento. Sinta o gosto de cada porção, observe o sabor e a textura de tudo o que está comendo.

Treine-se para comer com atenção apesar das distrações a sua volta. O melhor é minimizar as distrações ao se alimentar, evitando atividades como ler, assistir televisão ou usar o computador. Apesar de ser uma meta desejável, conheço muitas pessoas que não conseguem realizá-la durante muito tempo. Mesmo que você não esteja engajado em uma das atividades acima, pode se distrair por estar na companhia de outras pessoas e conversando com elas.

Tente comer sem se distrair por algumas refeições, até realmente dominar as habilidades de comer devagar e de perceber completamente o que está comendo. Depois, incorpore esses comportamentos às suas refeições habituais. Sempre que perceber que comeu depressa e distraidamente, procure não ter distrações na próxima refeição para modelar essas habilidades.

Solucionar problemas

Pode ser difícil comer devagar e atento quando se tem uma porção de responsabilidades para cumprir. Estas são algumas sugestões para dificuldades específicas (peça a um amigo para ajudar com outros problemas).

Crianças. Existem muitas coisas agradáveis sobre a vida em família, mas comer numa atmosfera relaxada, frequentemente, não faz parte delas. É muito fácil perder o rumo do que e de como se está comendo quando se tem que prestar atenção em crianças pequenas. Alguns de meus pacientes alternam a supervisão com seu cônjuge ou companheiro. Você poderá tentar esta estratégia também.

Por exemplo, quando todos estiverem sentados à mesa, faça apenas uma parte de sua refeição, tão devagar e conscientemente quanto puder. Quando as crianças se levantarem da mesa, você poderá levantar-se também, ficar com elas de 10 a 15 minutos, enquanto seu companheiro termina de comer e, então, pode supervisionar as crianças enquanto você termina sua refeição. Na próxima refeição, invertam a ordem.

Café da manhã. Se você fica muito atribulado de manhã, faça algumas modificações. Antecipe quantas tarefas forem possíveis para a noite anterior. Talvez possa tomar banho, arrumar suas roupas, arrumar o lanche que

> vai levar para o trabalho e ainda arrumar a casa antes de dormir. Também, levante-se mais cedo, se for necessário. Considere o fato de tomar um café da manhã apropriado, com calma e consciência, uma prioridade, assim você pode alcançar sua meta de emagrecer.

É melhor minimizar as distrações enquanto se alimenta, mas, em algum momento, você vai precisar aprender a habilidade de comer conscientemente mesmo se estiver distraído.

Em que você está pensando?

Você tem algum pensamento sabotador em relação a esse passo do programa? Se for assim, faça Cartões de Enfrentamento tendo como base os pensamentos relevantes e as respostas abaixo:

Pensamento sabotador: Se eu não me apressar terei o inconveniente de: (completar)
Resposta adaptativa: Não é razoável sacrificar as minhas necessidades. Eu mereço aproveitar o que estou comendo. Mereço me engajar em comportamentos saudáveis para alcançar minhas metas.

Pensamento sabotador: Eu como muito depressa. Sou assim mesmo.
Resposta adaptativa: Comer depressa provavelmente contribuiu para que eu engordasse. Não posso ter tudo. Não posso comer rapidamente e mesmo assim emagrecer e não engordar de novo. Embora comer mais devagar demande esforços e não pareça natural no princípio, irei me acostumar e então não terei mais que pensar sobre isso.

Pensamento sabotador: Eu realmente não tenho tempo de comer devagar.
Resposta adaptativa: Eu tenho que reorganizar meus horários e arranjar tempo. Se eu precisasse arrumar tempo para me submeter, três vezes por dia, a um tratamento médico que salvaria minha vida, eu encontraria esse tempo de qualquer maneira. Não estou dando para minha dieta a prioridade suficiente.

Comprometa-se
por escrito

Quando eu tiver vontade de comer depressa, irei: _____
_____
_____
_____
_____
_____

Para me lembrar de comer devagar, irei: _____
_____
_____
_____
_____
_____

> *Quando eu aceitar o fato de que tenho de comer devagar e prestar atenção em cada porção do que estou comendo, fazer dieta será mais fácil.*

Lista das tarefas de hoje:

Marque as tarefas que você completou. Para qualquer item que não tenha completado, anote agora a data em que irá completá-lo.

_____ Li, pelo menos duas vezes hoje, meu Cartão de Vantagens de Emagrecer.

_____ Li outros Cartões de Enfrentamento quando foi necessário.

_____ Comi devagar, sentado e observando cada porção.

Assinale um item:

☐ Todas as vezes   ☐ A maioria das vezes   ☐ Algumas vezes

_____ Elogiei-me quando me engajei em comportamentos funcionais para a dieta.

Assinale um item:

☐ Todas as vezes   ☐ A maioria das vezes   ☐ Algumas vezes

Dia 6
ENCONTRE UM TÉCNICO DE DIETA

É verdade, você vai precisar de um técnico de dieta. Está passando algum pensamento sabotador pela sua cabeça? Talvez, prefira manter sua dieta em segredo. Ou ainda se sinta desconfortável em pedir ajuda. Na minha experiência, entretanto, poucas pessoas conseguiram emagrecer e manter o peso conquistado sem a ajuda e o incentivo de alguém. Estudos mostram consistentemente que encontrar alguém para apoiar você aumenta sua chance de sucesso.

Em muitos aspectos, eu também serei um técnico de dieta para você. Por intermédio das páginas deste livro, estou lhe dando os mesmos conselhos que dei para quem fez dieta sob minha orientação ao longo destes anos. Mas, você também precisa de uma pessoa real para conversar, alguém de quem você goste e de quem possa depender. Veja o que seu técnico pode fazer:

Manter você motivado. Seu técnico de dieta pode incentivá-lo, ajudando você a lembrar dos motivos pelos quais seus esforços valem a pena. Dê a ele uma cópia de seu Cartão de Vantagens. Quando estiver na iminência de ceder a um desejo incontrolável de comer – quando os pensamentos sabotadores estiverem pipocando – volte-se para o seu técnico. Se começar a se sentir desanimado e quiser jogar a toalha, ele (como um guardião de sua memória) pode lembrá-lo de que não é sempre que você se sente dessa maneira e, que na maior parte do tempo, tem se sentido bem fazendo dieta.

Construir sua autoconfiança. Seu técnico pode ajudá-lo a verificar se você tem se dado créditos, constantemente. E quando "escorrega" e pensa *Eu não posso mais continuar*, seu técnico pode ajudá-lo a voltar ao caminho e lembrá-lo do quanto você já aprendeu para chegar até aqui. Seu técnico pode neutralizar seu sentimento de desamparo.

Ajudar a solucionar problemas. De tempos em tempos, você encontrará obstáculos que podem tornar difícil seu engajamento neste programa. Você pode descobrir que está muito ocupado para encontrar tempo e energia para seguir a dieta. Pode sentir-se desmotivado ou pensar que alguém, de maneira propositada ou não, colocou obstáculos em seu caminho. Deixe seu técnico ajudá-lo a resolver os problemas relacionados ou não com sua dieta. Duas cabeças pensam melhor que uma!

> *Poucas pessoas conseguiram emagrecer e manter o peso*
> *conquistado sem a ajuda e o incentivo de alguém.*

Ajudar a manter a responsabilidade. Saber que você terá de falar sobre seu progresso para alguém pode motivá-lo a não se desviar do planejamento. ESTE É UM COMPONENTE CRUCIAL DO PROGRAMA. As pessoas que atendi me falaram, muitas vezes: *"Eu não comi exageradamente porque sabia que teria de contar isso a você"*. Você se manterá na linha se souber que tem de fazer relatos ao seu técnico. Certifique-se de que está sendo completamente honesto!

> *Saber que você terá de falar do seu progresso para alguém pode motivá-lo a não se desviar do planejamento.*

Ajudar você a ter uma perspectiva funcional. Imagine seu técnico olhando por trás de seu ombro quando sua determinação perder força. Ao considerar a possibilidade de se desviar da dieta, pense: *O que meu técnico iria me dizer agora?* Esse pensamento poderá ajudá-lo a se manter firme em seu planejamento alimentar.

COMO ENCONTRAR UM TÉCNICO

> **Dica!** Todas as vezes que seu técnico disser alguma coisa útil, anote em seu caderno de dieta para que possa se referir a isso no futuro.

Decida quem gostaria que fosse seu técnico de dieta e o convoque agora. Você pode não precisar da ajuda do técnico neste momento, na implementação das tarefas do programa. Pode também não precisar da inspiração dele nas primeiras semanas, quando sua motivação está alta. Mas, você irá precisar de um técnico, em algum ponto do programa. Convocá-lo agora é importante porque descobri que é pouco provável que quem está dieta tente encontrar um técnico quando passa por algum momento difícil e se sente desanimado – justamente no momento em que o técnico é mais necessário. Se você não tem certeza de quem escolher, considere o seguinte.

Peça a ajuda de um amigo próximo ou membro da família. Não é necessário escolher alguém que já tenha feito dieta. É mais importante que essa pessoa seja positiva, boa em solucionar problemas e verdadeiramente incentivadora, motivadora e orgulhosa de você.

Pense na possibilidade de iniciar este programa com um amigo ou membro de sua família. Algumas pessoas acham muito útil escolher alguém que também queira emagrecer, de forma que possam ser técnicos um do outro.

Você precisa de um técnico que o ajude a identificar e contrariar seus pensamentos disfuncionais, que lhe dê conselhos práticos, que seja altamente incentivador e motivador, e que esteja disposto a ajudá-lo a implementar este programa.

Junte-se a um grupo organizado. Procure por grupos de apoio ao emagrecimento, oferecidos por comunidades sem fins lucrativos, hospitais e organizações comerciais. Peça para assistir um encontro antes de se comprometer a fazer parte do grupo. Você não quer um grupo em que as pessoas apenas falem de seus problemas e expressem suas emoções negativas de forma não construtiva. Você quer um grupo no qual as pessoas descrevam seus sucessos, ajudem os outros nas dificuldades da dieta e dividam estratégias funcionais de emagrecimento.

Se você se unir a um grupo, não se sentirá sozinho, pois estará dividindo experiências com pessoas que também têm dificuldades para emagrecer. Observar seus deslizes e erros de uma maneira objetiva, visando à solução de problemas, pode ajudá-lo a ter uma visão mais funcional de suas próprias dificuldades. Você também pode se sentir muito bem por ajudar outras pessoas – e ser ajudado por elas. Você pode encontrar nesse grupo alguém que concorde em ser seu técnico – e vice-versa!

Encontre um profissional da saúde. Considere trabalhar em parceria com um profissional de saúde mental ou outro profissional da saúde que tenha experiência e sucesso em ajudar pessoas a emagrecer e manter a perda de peso. Não é preciso escolher alguém que se apegue apenas à suposta raiz de seu problema de peso. ("É culpa de sua mãe!"). Você precisa de alguém que o ajude a identificar e contrariar seus pensamentos disfuncionais, que lhe dê conselhos práticos, que seja altamente incentivador e motivador, e que esteja disposto a ajudá-lo a implementar este programa.

Investigue grupos de apoio na internet. As interações frente a frente são, normalmente, mais desejáveis, mas se você realmente não pode encontrar alguém, investigue grupos de apoio para emagrecer na internet. Um estudo desenvolvido pela Universidade de Vermont descobriu que os participantes que se associaram a programas de manutenção de peso na internet mantiveram a mesma perda de peso daqueles que frequentavam pessoalmente os grupos de apoio.

O que discutir com seu técnico

Seu técnico pode ajudá-lo de muitas formas. É ideal agendar um horário para falar regularmente com ele (pessoalmente, se possível), pelo menos uma vez por semana; e depois, entre os encontros, por telefone ou e-mail quando necessário – diariamente se precisar.

Use os encontros semanais para falar sobre:
- Sua mudança de peso na última semana. Não é necessário declarar seu peso atual, apenas o quanto ele aumentou ou diminuiu.
- Os sucessos que obteve na última semana. Utilize a lista de tarefas do dia para relatar o que você fez. Mencione qualquer coisa pela qual mereceu créditos, de forma que seu técnico possa reforçar positivamente o que você realizou.
- As dificuldades que teve na última semana. Fale de seus desejos intensos de comer, dos seus deslizes e dos fatores estressantes da vida. Mencione qualquer coisa que possa interferir na execução dos passos deste programa. Peça para que seu técnico o ajude a encontrar formas de lidar com retrocessos e desafios futuros. Relate seus pensamentos sabotadores e peça para que ele o ajude a respondê-los.

Comunique-se com ele em momentos críticos:
- Quando você estiver passando por situações de alto risco – festa de família, por exemplo – cujo o risco de se desviar da dieta preocupe você. Juntos, imaginem quais estratégias precisará colocar em prática.
- Quando você se desviar da dieta. Discuta o que deverá fazer daí para frente para voltar ao rumo. Você pode precisar de ajuda, principalmente, se estiver sendo autocrítico e se sentindo fracassado.

Telefone ou mande um e-mail, diariamente:
- Se estiver com dificuldades para seguir seu planejamento alimentar diário. Descobri que algumas pessoas precisam dar satisfação a seus técnicos do que comeram durante o dia, todas as noites nas primeiras semanas ou mais. Essa foi a única maneira pela qual elas conseguiram seguir o planejamento alimentar. Disseram-me que frequentemente evitavam comer determinados alimentos porque não queriam ter que contar a seus técnicos.
- Se estiver com problemas para fazer as tarefas diárias deste programa. Você não dependerá de seu técnico para sempre. Todas as suas dificuldades diminuirão com o passar do tempo.

> *Algumas pessoas precisam dar satisfação a seus técnicos do que comeram durante o dia, todas as noites nas primeiras semanas ou mais.*

Em que você está pensando?

Está tendo pensamentos sabotadores sobre convocar um técnico de dieta? Confira se alguns desses pensamentos lhe são familiares e use as respostas funcionais como guia para criar seu Cartão de Enfrentamento.

Pensamento sabotador: E se eu tiver um técnico e falhar assim mesmo? Ele pensará mal de mim.
Resposta adaptativa: Se eu escolher a pessoa certa, ampliarei minhas chances de sucesso. Não vou escolher um técnico que me veja de forma negativa apenas por estar tentando emagrecer.

Pensamento sabotador: Eu não quero impor isso a alguém.
Resposta adaptativa: Em primeiro lugar, seja quem for que eu selecione para meu técnico, provavelmente, terá consideração pelo meu esforço. Em segundo lugar, servir como pessoa de apoio, provavelmente, não é tão oneroso quanto penso. Em terceiro lugar, este processo pode nos aproximar. Muitas pessoas sentem-se honradas em servir como apoio para alguém. Por último, posso dar a alguém a opção de escolher se quer ou não me ajudar.

Pensamento sabotador: Eu deveria ser capaz de fazer isto sozinho.
Resposta adaptativa: Se eu pudesse fazer isto sozinho, já teria emagrecido e não engordado mais. Preciso encarar o fato de que preciso de ajuda, a exemplo do que muitas pessoas fazem.

Pensamento sabotador: Saí da dieta e acho que engordei. Eu não quero telefonar e contar para meu técnico.
Resposta adaptativa: É agora que mais preciso do meu técnico. Em alguns minutos, estarei feliz por ter ligado. Meu técnico não me criticará ou pensará mal de mim. Se eu telefonar, conseguirei a ajuda prática e apoio de que estou precisando. Os motivos para emagrecer que escrevi no meu Cartão das Vantagens ainda são importantes pra mim, portanto devo ir em frente e telefonar agora.

Comprometa-se
por escrito

Eu pedirei a _____ para ser meu técnico.

Quando eu tiver um técnico que esteja me dando apoio e me ajudando regularmente, fazer dieta será mais fácil.

Lista das tarefas de hoje:

Marque as tarefas que você completou. Para qualquer item que você não tenha completado, anote agora a data em que irá completá-lo.

_____ Li, pelo menos duas vezes hoje, meu Cartão de Vantagens de Emagrecer.

_____ Li outros Cartões de Enfrentamento quando foi necessário.

_____ Comi devagar, sentado e observando cada porção.

Assinale um item:

☐ Todas as vezes   ☐ A maioria das vezes   ☐ Algumas vezes

_____ Elogiei-me quando me engajei em comportamentos funcionais para a dieta.

Assinale um item:

☐ Todas as vezes   ☐ A maioria das vezes   ☐ Algumas vezes

_____ Decidi por um técnico ou grupo de apoio.

_____ Executei os passos necessários para obter apoio.

Dia 7
ORGANIZE O AMBIENTE

Acho difícil ter comidas gostosas, normalmente calóricas e pouco nutritivas, na minha frente. Em casa, guardo tudo numa prateleira alta dentro de um armário ou na geladeira. Não deixo comida no escritório ou no carro porque nem sempre tenho energia mental para resistir ao impulso de comer – principalmente no final de um dia de trabalho. As pessoas com as quais trabalhei também encontraram nessa prática uma estratégia valiosa para emagrecer e manter a perda de peso.

É muito importante evitar os estímulos ambientais, principalmente quando se está iniciando a dieta. "Longe dos olhos, longe do coração" é uma boa política nesse momento. Embora não seja necessário reduzir os estímulos ambientais para sempre, você pode decidir, como eu, que prefere manter certos tipos de alimento fora do seu campo de visão mesmo depois que emagrecer. Hoje, eu gostaria que você preparasse sua casa e seu ambiente de trabalho, colocando alimentos tentadores onde não possa vê-los tão facilmente – e todos os alimentos permitidos pela sua dieta, totalmente à vista.

Será que esta sugestão desencadeou pensamentos sabotadores? Muitas pessoas me disseram: *Se eu fizer essas modificações, terei que contar para as pessoas que estou fazendo dieta. Eu ficaria preocupada com a possibilidade de falhar nesta dieta também. Aí todo mundo iria saber. Portanto, é preferível que ninguém saiba que estou fazendo dieta*. Se esse tipo de pensamento estiver passando pela sua cabeça, você terá que encontrar uma boa resposta ou poderá decidir não efetuar as modificações ambientais. Considere o seguinte:

Você não precisa falar para as pessoas que está fazendo dieta. Pode dizer a elas que está decidido a se alimentar de uma maneira mais saudável.

As pessoas o olharão diferente sob que aspectos? Não importa o que aconteça, se eles têm uma visão positiva a seu respeito, provavelmente continuarão pensando assim sobre você.

A maioria das pessoas não acharia que é melhor tentar fazer dieta do que não tentar? Elas provavelmente verão seus esforços para melhorar como um objetivo admirável, mesmo que tudo não resulte conforme o esperado ou desejado.

Por fim, pense em como é provável que você emagreça agora que você tem o poder da terapia cognitiva e de **A dieta definitiva de Beck** – *se* *você seguir todos os passos*. Então, você está preparado para ler a respeito de como você precisa modificar seu ambiente?

> *Prepare sua casa e seu ambiente de trabalho, colocando alimentos tentadores onde não possa vê-los facilmente – e todos os alimentos permitidos pela sua dieta, totalmente à vista.*

MUDANÇAS EM CASA

Siga estas sugestões para reduzir os estímulos alimentares na sua cozinha:

Afaste as tentações pessoais. Abra todos os armários de comida e, na medida do possível, dê ou jogue fora os alimentos que possam tentá-lo a abandonar a dieta. Não se preocupe por jogar comida fora. Eles seriam gastos de um jeito ou de outro – quer seja no lixo, quer seja no seu corpo. Ou, como segunda opção, transfira esses alimentos para a parte de trás de uma prateleira ou para uma prateleira alta. Faça o mesmo em sua geladeira ou *freezer*.

Troque os talheres e o prato que utiliza para comer. Algumas pessoas comem exageradamente quando usam talheres e pratos grandes. Pesquisadores da University of Illinois at Urbana-Champaign descobriram que, em festas, as pessoas que usavam talheres ou pratos grandes costumavam servir-se de quantidades consideravelmente maiores de sorvete do que as que usavam pratos e talheres menores. Se você acha que essa atitude ajudaria, reorganize os utensílios de tal maneira que os pequenos possam ser alcançados mais facilmente.

Considere as outras pessoas. Se sua cozinha é compartilhada com outras pessoas, você precisa pedir a cooperação delas para manter os alimentos tentadores fora de sua vista. Embora qualquer um possa ser beneficiado por dar um fim nos alimentos que não são saudáveis, insistir para que o façam pode não ser uma meta realista para você. Aqui estão algumas sugestões do que você pode fazer:
- Dizer a todos em casa que você vai começar a comer de modo mais saudável. Você não precisa revelar que está tentando emagrecer, a menos que queira.
- Pedir ajuda aos adultos da casa. Em vez de exigir que eles também façam mudanças, você pode fazer um pedido deste tipo: "Você estaria disposto a me ajudar a" (completar)?

- Comunicar para as crianças as modificações que pretende fazer. Não peça permissão a elas. É você, e não eles, que deverá encarregar-se do que irá acontecer na cozinha.
- Se alguém resistir às mudanças que você quer fazer, diga que está aberta para outras soluções. Se houver um impasse, peça algumas ideias ao seu técnico de dieta.

Arrume soluções criativas para os problemas. As pessoas com as quais trabalhei criaram inúmeras estratégias para reduzir os estímulos ambientais.

Quando Carmem iniciou sua dieta, estipulou a seguinte regra: *Nenhum doce dentro de casa.* Uma vez por semana, no entanto, ela levava as crianças ao mercado e elas podiam escolher uma porção do doce que quisessem como uma guloseima.

Felipe pediu a seus filhos adolescentes para que comprassem apenas uma porção individual de certos alimentos por vez (um pacote pequeno de salgadinho, um pacote pequeno de mini sonhos, um pedaço individual de torta).

Maria, uma adolescente, pediu para que os pais eles mantivessem todos os alimentos prejudiciais numa caixa especial dentro de um armário em separado.

Melinda teve que ser criativa. Seu marido gostava comer batatas *chips* e outros salgadinhos. Quando ela mencionou o desejo de realmente não ter esses alimentos em casa, ele não se mostrou disposto a concordar. Então, eles fizeram um acordo: ele manteria os pacotes de salgadinhos dentro do seu carro em vez de mantê-los na cozinha. Ele concordou também em comprar um pãozinho de cada vez em vez de manter vários deles guardados no *freezer*.

MUDANÇAS NO AMBIENTE DE TRABALHO

Onde estão as comidas em seu ambiente de trabalho? Os alimentos ficam à vista na sala do café? Seus colegas costumam deixar bombons ou outras delícias em suas mesas para que outras pessoas possam desfrutá-las? Há algum café ou delicatessen no prédio do escritório? Tem alguma máquina de vender produtos no seu refeitório? Nas reuniões, são servidos salgadinhos?

A disponibilidade desses alimentos é contraproducente para sua boa intenção. Pode ser difícil pedir para que as pessoas no trabalho façam mudanças, mas valerá a pena. Providencie um motivo e transforme seu pedido numa pergunta: "Estou tentando me alimentar de maneira mais saudável. Você estaria disposto a...?"

Aqui estão algumas estratégias que funcionaram para as pessoas que atendi:

- Perguntar aos colegas que mantêm doces ou lanches em suas mesas se eles se importariam de mudar de lugar os potes de doces. Ou você poderia comprar potes mais opacos como um presente para esses colegas.
- Perguntar aos colegas que levam comida para dividir com os outros na sala do cafezinho se poderiam guardá-los onde não ficassem à vista. Diga que ficaria feliz de escrever uma nota indicando onde estariam guardados.
- Sugerir para que o chefe inicie uma campanha para alimentação saudável no escritório. Veja se você pode se incumbir de que sejam servidos vegetais crus ou frutas no lugar (ou junto com) dos salgadinhos.
- Pedir mais alimentos saudáveis na lanchonete.
- Tentar arrumar para que haja pelo menos uma seleção de alimentos mais saudáveis na máquina de vender produtos.

Ana trabalhava com pessoas que frequentemente compravam bolos, sonhos, bolachas e salgadinhos para dividir no escritório. Ela era capaz, normalmente, de resistir a esses alimentos, até que, em uma tarde, quando estava cansada e sua determinação perdeu força. Ela não se achou no direito de pedir aos colegas para não comprarem esses alimentos, mas encontrou uma boa solução. Aproximando-se de uma colega, explicou seu dilema sobre comida e deu uma sugestão: Será que a colega se importaria se Ana mudasse os bolinhos do balcão para um armário? Ana se ofereceu para escrever um aviso "Bolinhos aqui dentro, cortesia da Sheila". Sheila imediatamente concordou. Ana achou muito mais fácil resistir aos bolinhos quando não estavam à mostra, mesmo sabendo onde poderia encontrá-los. Ela teve uma agradável surpresa quando outras pessoas agradeceram-na pela mudança.

Você precisa ser realista; você não poderá eliminar *todos* os estímulos ambientais no trabalho. Conforme o tempo for passando, vai ficando muito mais fácil resistir às tentações. Enquanto isso, firme compromissos, como pegar uma porção pequena de comida e guardá-la para comer mais tarde, ou comer uma porção pequena quando tiver certeza de que não corre o risco de repetir. Essa estratégia funcionou bem para Davi, uma pessoa que atendi. Ele decidiu que escolheria, na máquina de vender produto, uma vez por semana, um lanche (o que quisesse) – mesmo que não fizesse parte do cardápio permitido da dieta. No entanto, permitia-se comprar o lanche apenas às sextas feiras, um pouco antes de ir para casa. Embora ele passasse pela máquina de lanches muitas vezes por dia, conseguia resistir porque dizia para si mesmo: *Eu vou comprar o que quero na sexta feira.*

No escritório em que Dona trabalhava, eram servidas bolachas de chocolate em todas as reuniões de terça feira à tarde. Ela decidiu que pegaria uma bolacha em cada reunião, levaria para sua casa, e comeria à noite, no lugar da fruta que sua dieta recomendava.

> *Firme um compromisso, como levar uma porção pequena de comida para comer mais tarde, ou comer quando tiver certeza que não corre o risco de repetir.*

Em que você está pensando?

Se você está resistente a fazer a tarefa de hoje, deve estar tendo pensamentos sabotadores. Fazer modificações no ambiente é importante. Pegue seus cartões e prepare suas respostas. Os exemplos abaixo poderão ser úteis.

Pensamento sabotador: Se eu fizer as mudanças terei que falar para as pessoas que estou fazendo dieta.
Resposta adaptativa: Qual é o problema, afinal? O pior que pode acontecer é alguém me criticar se por acaso eu não conseguir emagrecer. Por outro lado, é bem provável que este programa seja exatamente o que eu preciso para ter sucesso agora. Anunciar minha intenção de comer de forma mais saudável (eu não tenho que falar que estou fazendo dieta) faz com que seja mais viável que os outros concordem com as mudanças que preciso fazer. E será um alívio não me sentir tentado todas as vezes que for à cozinha ou encontrar comida pelo ambiente de trabalho.

Pensamento sabotador: Eu não deveria incomodar as pessoas.
Resposta adaptativa: Quem eu irei incomodar mais? Essas mudanças realmente serão inconvenientes se comparadas ao benefício que terei? E outras pessoas provavelmente também se beneficiarão dessas mudanças.

Pensamento sabotador: Se eu contar para a família sobre minha dieta, eles farão comentários sobre o que eu estiver comendo.
Resposta adaptativa: Eu posso pedir a eles para que não falem nada: "Ajudaria muito se vocês não comentassem o que eu como ou deixo de comer – Vocês poderiam fazer isso por mim?".

Pensamento sabotador: Eu não deveria colocar as minhas necessidades acima das de minha família.
Resposta adaptativa: Estou determinada a trabalhar em metas que são importantes para mim. Chegou a hora de ir ao encontro das minhas necessidades. Além disso, minha família não precisa de comida que não é saudável. Seria melhor se eles também não comessem.

Pensamento sabotador: Minha família e meus colegas irão ficar furiosos comigo por essas mudanças.
Resposta adaptativa: Estou pensando de maneira realista? Quão furiosos eles poderão ficar? Por quanto tempo eles ficarão furiosos? É razoável que eles fiquem furiosos? Devo lembrar que não estou fazendo isto para deixá-los furiosos. Estou fazendo porque preciso.

Pensamento sabotador: Eu não sei realmente se quero mudar meu ambiente.
Resposta adaptativa: Bem, pode ser que não, mas é muito mais importante emagrecer. Eu não posso ter as duas coisas ao mesmo tempo. Não posso deixar o ambiente como está e emagrecer. Vou ler meu Cartão das Vantagens agora mesmo.

Pensamento sabotador: Eu não quero desperdiçar alimentos jogando-os fora.
Resposta Adaptativa: Se eu não jogá-los fora, corro o risco de "desperdiçá-los" no meu corpo, o que será transformado em gordura. Qual é a melhor maneira de desperdiçá-los?

Comprometa-se
por escrito

Eu farei as seguintes mudanças em minha casa: _____
_____
_____
_____
_____

Eu farei as seguintes mudanças em meu local de trabalho: _____
_____
_____
_____
_____

Quando eu fizer mudanças em casa e no trabalho para afastar qualquer tentação, fazer dieta será mais fácil.

Lista das tarefas de hoje:

Marque as tarefas que você completou. Para qualquer item que não tenha completado, anote agora a data em que irá completá-lo.

_____ Li, pelo menos duas vezes hoje, meu Cartão das Vantagens de Emagrecer.

_____ Li outros Cartões de Enfrentamento quando foi necessário.

_____ Comi devagar, sentado e observando cada porção.

Assinale um item:

☐ Todas as vezes ☐ A maioria das vezes ☐ Algumas vezes

_____ Elogiei-me quando me engajei em comportamentos funcionais para a dieta.

Assinale um item:

☐ Todas as vezes ☐ A maioria das vezes ☐ Algumas vezes

_____ Fiz mudanças em casa.

_____ Fiz mudanças no meu local de trabalho.

6
Semana 2
Organize-se: prepare-se para fazer a dieta

Bem-vindo à Semana 2. No final desta semana, você estará melhor equipado do que nunca para começar uma dieta. Você está começando a pensar que desta vez será diferente? Está começando a entender porque, desta vez, irá conseguir emagrecer e manter seu peso para o resto da vida?

Esta semana você aprenderá novas habilidades. Antes disso, entretanto, eu gostaria que você parasse para pensar um pouco nas mudanças que já ocorreram com você como resultado das tarefas da Semana 1. *O que sabe agora que não sabia antes?* Por exemplo, você sabia, a uma semana atrás, da importância crucial de reler, pelo menos duas vezes por dia, os motivos pelos quais deseja emagrecer? De escolher uma dieta saudável (e ter outra de reserva)? De se sentar, comer devagar e conscientemente em todas as refeições? De se elogiar constantemente por comportamentos alimentares funcionais? De captar e responder aos pensamentos sabotadores que interferem no cumprimento dessas tarefas essenciais? Compreende agora a importância do uso da terapia cognitiva para ajudá-lo a seguir uma dieta e utilizar hábitos alimentares saudáveis? É a diferença na sua forma de pensar que permitirá que você faça mudanças permanentes nos seus hábitos alimentares.

> *É de crucial importância reler, pelo menos duas vezes por dia, todos os motivos pelos quais você deseja emagrecer.*

Como foi a Semana 1 para você? Se completou cada tarefa diária, então, a probabilidade de ser bem-sucedido no programa **A dieta definitiva de Beck** é excelente.

Está bem, vamos à Semana 2. Há muitas outras questões que levam a uma dieta de sucesso além das que você pode ter percebido. Mas, ao final desta semana, você saberá muito mais. Você terá maior disponibilidade de tempo e energia para fazer dieta, para se motivar a fazer exercícios, para compreender a importância de se estabelecer uma meta a curto prazo e de diferenciar e tolerar fome e desejos de comer. Será tão maravilhoso descobrir – de uma vez por todas – que você nunca mais terá que se preocupar com se sentir faminto ou tentado a comer.

As técnicas de terapia cognitiva que você descobrirá durante a Semana 2 são planejadas para fazer com que as semanas iniciais transcorram o mais suavemente possível. Tão logo aprenda estas habilidades extras, estará mais confiante de que, desta vez, sua dieta será bem-sucedida.

Dia 8
ARRUME TEMPO E ENERGIA

A dieta exige um compromisso que vai além de comer de forma diferente. Para principiantes, você precisará ter tempo para planejar as refeições, fazer listas, ir ao supermercado e cozinhar. Precisará comer devagar, fazer exercícios e ler os Cartões de Enfrentamento. Tudo isso requer força e energia mental, especialmente se e quando os pensamentos sabotadores cruzarem seu caminho.

Não imagine que tempo e energia vão se fazer disponíveis por si só. Se você é como a maioria das pessoas, seus dias já devem ser bastante ocupados com trabalho, responsabilidades familiares, trabalhos domésticos, eventos sociais, trabalhos voluntários e outros compromissos. A maioria das pessoas que atendi nestes anos quase nunca podia encontrar o tempo necessário para seguir suas dietas até que *criou* o tempo. Em outras palavras, elas precisaram olhar o calendário e – agendar por escrito – um horário para fazer dieta. Geralmente, isso significa diminuir, delegar ou eliminar algumas tarefas e atividades.

Hoje, eu gostaria que você fizesse o mesmo. Além de ser um benefício tangível, será também um benefício simbólico: é o mesmo que dizer, com efeito: *Sim, eu consigo. Isso vai dar trabalho, mas estou disposto a fazer o que for preciso para emagrecer. Vai valer à pena.*

A primeira etapa neste processo é calcular quanto tempo será necessário para fazer dieta – pelo menos inicialmente, até que você entre no ritmo. Se for possível, sente-se com seu técnico de dieta e dê uma olhada nas re-

feições e receitas sugeridas na dieta que você escolheu. Pense nos alimentos de que você precisará para preparar as refeições e os lanches. Isso é importante porque, se o alimento que planejou comer não estiver facilmente disponível, você pode acabar optando por qualquer outro para substituí-lo. Considere quanto tempo de seu dia e de sua semana será necessário para:
- planejar suas refeições;
- comprar os alimentos necessários;
- preparar as refeições;
- sentar e comer suas refeições lentamente;
- fazer exercícios;
- completar e conferir a sua lista das tarefas do dia;

Quando Beto, um rapaz solteiro de vinte e poucos anos, revisou sua rotina diária, reconheceu que teria que fazer algumas modificações para incluir todas essas coisas em sua agenda. Ele geralmente pulava o café da manhã e frequentemente lanchava em vez de fazer uma refeição saudável. Então, comprava lanches rápidos para jantar. Ele pensou sobre o que teria que fazer para seguir sua dieta e escreveu seu planejamento na primeira página do seu caderno de dieta.

Como Beto conseguiu encontrar tempo? Ele teve que resolver alguns problemas. Neste caso, por exemplo, começou a se levantar mais cedo nos dias de semana. No início, não gostou de ter que fazer isso, mas seu desejo de emagrecer triunfou sobre seu desejo de ficar um pouco mais na cama. Em vez de sentar e assistir a TV, ele assistia a alguns programas enquanto preparava suas refeições. Ele diminuiu para alguns minutos, no início da noite, o tempo que ficava no computador para poder planejar as refeições do dia seguinte e fazer outras tarefas do programa. Como estava particularmente apressado às terças e quintas feiras – ele jogava basquete depois do trabalho –, decidiu levar seu uniforme de jogo para o trabalho em vez de ir para casa se trocar. Decidiu também levar um lanche substancial para não ficar morrendo de fome quando o jogo acabasse. Beto se acostumou rapidamente à sua nova rotina e logo pode deixar de planejar seus horários por escrito. Suas atividades relacionadas à dieta tornaram-se automáticas.

Para Lauri, os jantares de sexta-feira normalmente eram problemáticos por causa de seu desgaste pela semana de trabalho. Embora ela preferisse cozinhar para sua família nas sextas-feiras, ela reconheceu, relutantemente, que fazia mais sentido comprar comidas prontas para servir à família. Dessa maneira, ela podia reservar sua energia para outras atividades que teria que fazer no fim de semana: assistir aos eventos esportivos dos filhos, atualizar os serviços domésticos e preservar sua ocupada agenda social. Seu marido concordou em dar mais assistência às crianças para que Lauri tivesse mais tempo para preparar adequadamente as refeições da família e a dela própria.

DIAS DE SEMANA
7:15-8:00   Preparar café da manhã e almoço; tomar café da manhã.
17:30-18:00 Ir ao supermercado (ou ao restaurante preferido) para levar o jantar para casa OU aquecer comida já preparada.
20:00-20:30 Caminhar por meia hora.
20:45-21:00 Escrever o planejamento de amanhã; fazer outras tarefas deste programa.

SÁBADOS
9:00-9:30   Preparar e tomar o café da manhã.
13:30-14:00 Preparar o almoço e almoçar.
17:45-18:00 Escrever o planejamento de amanhã; fazer as outras tarefas deste programa.

DOMINGOS
8:00-8:30   Preparar e tomar o café da manhã.
12:00-12:30 Preparar o almoço e almoçar.
14:00-15:00 Supermercado
16:00-18:00 Preparar o jantar de domingo e congelar o que sobrou (para várias refeições); picar vegetais (para comer durante a semana).
19:00-19:30 Caminhar por meia hora.
20:45-21:00 Escrever o planejamento para amanhã; fazer outras tarefas deste programa.

COMO ENCONTRAR MAIS TEMPO

Agora, quero que você pegue seu calendário, agenda ou Palmtop. Se não tiver nenhuma dessas opções, use o Meu Cartão de Horários (nas páginas seguintes). Quando você for preenchê-lo, ele deverá ficar parecido com o criado por Maria (página 115), uma mãe solteira. Faça um cartão para um dia de semana típico, outro para final de semana ou feriado típicos.

Se você tem uma rotina relativamente simples, será capaz de agendar cada uma das tarefas do programa, como Beto. Se sua agenda já for lotada, como a de Maria, você pode precisar de ajuda na solução de problemas. Você precisará pensar em uma maneira de delegar, cortar ou eliminar certas atividades. O primeiro passo é verificar muito claramente como você está gastando seu tempo atualmente.

Cartão de Horários de Maria
(Um dia típico de semana)

Tempo	Atividade
6:00	Levantar; tomar café da manhã.
6:30	Fazer exercícios.
7:00	Tomar banho; vestir-se.
7:30	Acordar as crianças.
8:00	Servir café da manhã para as crianças; arrumar a cozinha.
8:30	Ir para o trabalho.
9:00	Trabalhar.
9:30	
10:00	
10:30	
11:00	
11:30	
meio-dia	Almoçar.
12:30	Resolver pendências.
13:00	Trabalhar.
13:30	
14:00	
14:30	
15:00	
15:30	
16:00	
16:30	
17:00	Voltar para casa.
17:30	Ajudar as crianças com as tarefas escolares.
18:00	Preparar o jantar.
18:30	Jantar.
19:00	Lavar louça; colocar a roupa na máquina.
19:30	Levar as crianças para aula de música, resolver pendências, fazer as compras, etc.
20:00	
20:30	Colocar as crianças na cama.
21:00	Planejar o jantar de amanhã; fazer almoço para todos.
21:30	Pagar contas, arrumar a casa, terminar de lavar a roupa, etc.
22:00	Enviar *e-mail* ou telefonar para amigos.
22:30	Ler ou ver TV.
23:00	Ir para a cama.

Meu Cartão de Horários

Use este cartão para preencher conforme sua programação diária. Se você trabalha à noite ou segue uma rotina diferente desta, escreva os horários que são adequados à sua situação.

Tempo	Atividade
6:00	
6:30	
7:00	
7:30	
8:00	
8:30	
9:00	
9:30	
10:00	
10:30	
11:00	
11:30	
12:00	
12:30	
13:00	
13:30	
14:00	
14:30	
15:00	
15:30	
16:00	
16:30	
17:00	
17:30	
18:00	
18:30	
19:00	
19:30	
20:00	
20:30	
21:00	
21:30	
22:00	
22:30	
23:00	

REDUZA SUAS ATIVIDADES

Faça uma revisão das responsabilidades da casa e da família que cabem a você e decida quais pode delegar. Sandra, por exemplo, decidiu que seus filhos adolescentes poderiam limpar a cozinha depois do jantar. No início, eles reclamavam, ficavam desanimados e não faziam um trabalho tão bom quanto Sandra teria feito, mas, apesar de tudo, a cozinha ficava limpa.

Delegar essa atividade permitiu que Sandra saísse da cozinha depois do jantar (eliminando a oportunidade de beliscar os alimentos que estivesse guardando), além de lhe dar a chance de planejar as refeições do dia seguinte. Ela ainda conseguia descansar e ler o jornal sem ser interrompida, o que contribuía para melhorar seu humor e aumentar sua energia mental – ingredientes importantes para manter a motivação de fazer dieta. Ela gostou tanto de ter tempo para si mesma que lamentou não ter delegado essa tarefa antes.

Em seguida, você precisa pensar quais tarefas podem ser reduzidas ou eliminadas. Jeremias realmente desejava trabalhar em alguns projetos da casa (pintar seu quarto, limpar a garagem, cuidar do jardim) nos finais de semana, mas descobriu que simplesmente não tinha tempo ou energia, nas duas primeiras semanas da dieta, para fazer todas essas coisas e ainda ser capaz de harmonizar exercícios e preparação de refeições saudáveis. Como ele sabia que emagrecer valeria a pena, decidiu adiar os dois primeiros projetos e apenas trabalhar um pouco no jardim.

Se você tem dificuldades para pensar em como reduzir suas atividades, fazer um cartão de prioridades poderá ajudar. Em primeiro lugar, preencha em seu calendário ou cartão de horários todos os compromissos da próxima semana. Depois, divida essas atividades e tarefas em três categorias: essencial, altamente desejável e desejável. Discuta com seu técnico de dieta a importância real de cada tarefa ou atividade. Provavelmente, você vai descobrir que muitas tarefas que você antes julgava como essenciais são, na verdade, apenas desejáveis, e que você pode deixá-las de lado por algumas semanas, até a dieta se tornar mais fácil.

Aqui está um exemplo de como Lisa encontrou um jeito de arrumar tempo na sua vida para emagrecer:

Atividades diárias de Lisa
- Trabalhar: 8 horas ou mais por dia.
- Ser mãe (brincar com Érica, ler para ela, seguir a rotina de dormir): 3 ou 4 horas por dia.
- Administrar a casa (cozinhar, limpar, pagar contas): 1 a 2 horas por dia.

- Fazer exercícios ou caminhar: 20 minutos por dia
- Ver TV: 1 hora por dia
- Verificar *e-mails* e navegar na internet: 1 hora por dia
- Falar ao telefone: 1/2 hora por dia
- Trabalhar voluntariamente com instituições sem fins lucrativos: 2 horas, duas vezes por semana.

Cartão de Prioridades de Lisa

Atividades essenciais	Atividades altamente desejáveis	Atividades desejáveis
Algumas atividades maternas: vestir, dar banho e alimentar Érica; ler por 15 minutos; brincar/conversar por 30 minutos; seguir a rotina de dormir.	Assistir um pouco de TV. Atividades maternas como levar Érica para passear, ir à pracinha, ler/brincar/conversar mais.	Outras atividades maternas: tempo adicional para brincar, ler, etc. Serviço adicional de casa.
Trabalhar.	Outras atividades pessoais: banho em vez de uma chuveirada, telefonema longo para a mãe, irmã ou melhor amiga.	Leitura adicional. *E-mail* adicional.
Serviços de casa: cozinhar, lavar roupa, arrumar as camas, lavar louça.		Navegar na internet. Trabalho voluntário.
Fazer exercício ou caminhar.	Serviço de casa adicional.	
Algumas atividades pessoais: ler por 20 minutos, telefonar por 15 minutos, verificar *e-mails* por 15 minutos.	Comprar roupas.	
Resolver pendências, comprar comida.		
Preparar refeições.		
Pagar contas.		

Ao dividir suas atividades nessas categorias, ela pôde ver mais facilmente as vantagens de diminuir temporariamente o trabalho voluntário e as horas em frente à TV para criar tempo para emagrecer. Quando explicou ao marido seus motivos para aproveitar melhor o tempo em sua programação, ele se dispôs (com um pouco de reclamações que ela ignorou) a assumir uma parte do serviço doméstico. Lisa também decidiu dispensar a manicura semanal para economizar tempo e dinheiro para pagar uma faxineira em semanas alternadas.

Agora preencha o Cartão de Prioridades.

Meu Cartão de Prioridades

Atividades essenciais	Altamente desejáveis	Desejáveis

Em que você está pensando?

Se você tem dificuldades para pensar nas mudanças necessárias e implementá-las na sua programação, talvez tenha certas ideias preconceituosas atravessando seu caminho.

Ana, por exemplo, tem a seguinte regra: *Não devo fazer nada que incomode o outro.* Por isso, ela nem mesmo pensa em pedir para que seu marido assuma o supermercado, para que sua mãe cuide das crianças para que ela possa frequentar um grupo de apoio, ou para que sua melhor amiga trabalhe com ela num projeto comunitário. Carolina tem uma regra implícita: *Tenho que ser a melhor mãe possível.* Por isso, não reduz atividades que não são essenciais, como pegar os filhos quase adolescentes na escola (quando eles poderiam utilizar o ônibus escolar), levá-los a todas as atividades extracurriculares que pedem e gastar a maior parte de seu tempo livre fazendo coisas com eles.

João também tem uma regra: *Tenho que manter minha casa em perfeita ordem.* Já que sua esposa se ocupava com outras coisas (e também não se importava como ele com a aparência da casa), a maior parte do serviço de casa recaía nele. Até que João tornou-se menos exigente para finalmente criar tempo e energia suficientes para fazer dieta.

Se você também estipulou regras inviáveis para você mesmo, poderá achar difícil fazer mudanças. Pergunte-se: *Eu realmente tenho controle sobre o meu planejamento diário? Estou sobrecarregado com responsabilidades? Sinto como se minha vida fosse simplesmente complicada demais?* Não decida que mudar é impossível até consultar seu técnico de dieta. Embora sua melhor tacada para emagrecer seja seguir o programa de **A dieta definitiva de Beck**, você e seu técnico podem decidir que é melhor incorporar os passos de maneira mais gradual.

Aqui estão alguns pensamentos sabotadores comuns e suas respostas funcionais. Se algum deles for semelhante ao um pensamento seu, faça Cartões de Enfrentamento para ajudar.

Pensamento sabotador: Sou uma pessoa espontânea. Não gosto de programar meu tempo.

Resposta adaptativa: Para emagrecer, é necessário deixar de lado um pouco da espontaneidade. Eu desejaria que não fosse assim, mas é – pelo menos por enquanto. Eu não posso confiar na compra e na preparação de alimentos de forma espontânea até que eu desenvolva uma rotina. Mas, isso não significa que eu não possa ser espontâneo de outras maneiras.

Pensamento sabotador: Eu não tenho tempo para fazer os passos do programa.

Resposta adaptativa: Seria mais certo dizer que não estou disposto a *arrumar* tempo. Se eu tivesse que me submeter a uma transfusão de sangue diariamente para me manter vivo, certamente eu *arrumaria* tempo. Como o excesso de peso não é necessariamente uma ameaça à vida, preciso me comprometer seriamente se eu quiser ter sucesso na dieta. Preciso ler meu Cartão das Vantagens novamente para ver se quero realmente emagrecer.

Comprometa-se
por escrito

Com a finalidade de arrumar tempo e energia para fazer dieta, eu irei: _____
_____
_____
_____
_____

*Quando eu aceitar o fato de que fazer dieta
requer tempo e energia, e de que eu preciso adaptar meu
planejamento diário, fazer dieta será mais fácil.*

Lista das tarefas de hoje

Você já fez todas as tarefas da primeira semana?
- Você já tem a primeira e a segunda dieta?
- Você já preparou o ambiente de casa e do escritório?
- Já teve um contato inicial com seu técnico de dieta?

Se ainda não, junte essas tarefas à sua lista de hoje. Em seguida, marque as tarefas que você completou. Para qualquer item que não tenha completado, anote agora a data em que irá completá-lo.

_____ Li, pelo menos duas vezes hoje, meu Cartão de Vantagens de Emagrecer.
_____ Li outros Cartões de Enfrentamento quando foi necessário.
_____ Comi devagar, sentado e observando cada porção.

Assinale um item:
☐ Todas as vezes   ☐ A maioria das vezes   ☐ Algumas vezes.

_____ Elogiei-me quando me engajei em comportamentos funcionais para a dieta.

Assinale um item:
☐ Todas as vezes   ☐ A maioria das vezes   ☐ Algumas vezes.

_____ Examinei a próxima semana, agendei a dieta no calendário e pensei em como eliminar ou diminuir certas atividades.
_____ Deleguei algumas tarefas (quando necessário) para outros membros da família ou pedi a algum amigo para me ajudar.

Dia 9
ESCOLHA UM PLANO DE EXERCÍCIOS

Embora muitas pessoas tentem emagrecer fazendo apenas a dieta, as pesquisas garantem que o sucesso do emagrecimento duradouro depende também da regularidade com que se pratica exercícios. Em uma pesquisa feita pelo National Weight Control Registry – um estudo com milhares de pessoas que emagreceram mais de 13 quilos e que não voltaram a engordar por, pelo menos, um ano –, os resultados comprovaram que quase 90 por cento dessas pessoas associaram a dieta à atividade física; apenas 10 por cento haviam feito apenas dieta e 1 por cento emagreceu fazendo apenas atividades físicas.

Os exercícios apresentam muitos benefícios relacionados e não relacionados à dieta:

O exercício ajuda a aderir à dieta. Fazer exercício físico significa dizer a si mesmo: *Estou determinado a emagrecer e ficar em forma. Estou disposto a assumir esse compromisso, mesmo começando devagar. Estou determinado a alcançar o sucesso, de uma vez por todas.* Encarar os exercícios desta maneira pode ajudá-lo a se comprometer com as mudanças na sua alimentação também e a estender essa determinação para outros esforços para a dieta.

O exercício pode ajudar a controlar o apetite. Embora os resultados das pesquisas variem, alguns fisiologistas acreditam que a prática regular de exercícios ajuda a regular o sistema de controle do apetite.

O exercício melhora o humor e alivia o estresse. Se você tem tendência de comer em resposta à ansiedade, frustração e outras emoções negativas, o exercício pode ser uma válvula de escape.

O exercício queima calorias. Durante os exercícios, seus músculos queimam calorias muito mais rápido que o normal. Você também continua queimando calorias mais rapidamente depois do treinamento, enquanto seu corpo recupera e reconstrói seus músculos.

O exercício preserva o tecido muscular. Ao emagrecer, normalmente, você perde gordura e tecido muscular. Como o exercício o ajuda a preservar o tecido muscular, sua perda de peso virá, em sua maior parte, da perda de gordura.

O exercício promove a autoconfiança. Na medida em que faz mais exercícios, você se sentirá melhor a respeito de si mesmo e de suas capacidades. Pesquisadores da Universidade de Houston, no Texas, descobriram que os estudantes que participaram de um programa de emagrecimento e exercícios durante seis semanas disseram sentir-se mais positivos em relação à sua aparência física, menos ansiosos sobre seu corpo e mais confiantes em suas capacidades do que os estudantes que não praticavam exercícios.

O exercício faz você se sentir melhor fisicamente. Quanto mais se movimenta, mais vai querer se movimentar. Exercícios físicos regulares fortalecem pulmões, coração e outros músculos, e isso faz com que suas atividades diárias (arrumar a casa, carregar sacolas de compra) se tornem menos custosas. Os exercícios melhoram o sono e por causa disso você se sentirá com mais energia também.

O exercício melhora sua saúde e ajuda a evitar doenças. As pesquisas descobriram uma correlação entre exercícios físicos regulares e a redução de risco para doenças cardíacas, diabetes e certos tipos de câncer.

> **Você sabia?** Os centros de controle das doenças relatam que apenas 17,5% das pessoas que fazem dieta também fazem exercícios físicos. Não é surpresa que seja tão difícil para as pessoas emagrecerem e, ainda mais, não engordarem novamente.

COMO COMEÇAR

Caso ainda não tenha começado, você pode se engajar em dois tipos de exercícios: exercícios espontâneos (aproveitando as situações diárias para fazer exercícios) e exercícios planejados (estipulando um horário para fazer exercícios específicos).

Antes de começar um programa de exercício, consulte um profissional da saúde. Esse profissional levará em conta seu estado atual de saúde e peso para sugerir ou confirmar que suas escolhas estão apropriadas para você.

Exercícios espontâneos

Você pode começar incorporando exercícios espontâneos às suas atividades diárias agora mesmo. De hoje em diante, faça o seguinte:
- Sempre tente chegar ao seu destino com antecedência, assim você pode descer do ônibus ou estacionar algumas quadras antes e caminhar um pouco.

- Quando pegar o elevador, desça um andar abaixo do seu e suba um lance de escada. Aos poucos, você pode subir dois andares, depois três, etc.
- Se você mora em uma casa de dois andares, guarde as coisas onde têm de ser guardadas e vá buscá-las quando precisar.
- Quando for ao *shopping*, caminhe por todo ele antes de começar a comprar. Todas as vezes em que se perceber esperando para ser atendido (quer seja em um consultório médico, aeroporto, salão de cabeleireiro), ande pelos corredores ou na calçada até que chegue sua vez.

Considere levar um pedômetro no seu cinto para ficar mais motivado a fazer exercícios espontâneos. Esse dispositivo mede a distância que você percorre a pé. Você pode encontrar um bom pedômetro pelo preço de, mais ou menos, R$150,00 em lojas de material esportivo, academias e na internet. Use o pedômetro todos os dias e anote em seu caderno de dieta quantos passos você deu. Desafie-se a andar cada dia mais medindo seu progresso.

Exercícios planejados

Já que praticar exercícios físicos não é opcional quando se quer emagrecer, escolha os que gosta de fazer para que possa ser persistente. Se você não tem certeza do que escolher, consulte um amigo ou um profissional de saúde (este último é muito importante se você tiver alguma limitação médica ou se estiver sedentário há muito tempo). Tente alguns destes exercícios que meus pacientes acabaram gostando:
- Caminhar ou correr diariamente.
- Frequentar uma academia.
- Fazer natação ou hidroginástica.
- Execitar-se usando um DVD, vídeo ou programas de atividades físicas na TV.
- Praticar um esporte.
- Contratar um *personal trainer*.
- Participar de aulas de ginástica ou de dança.

O tipo do exercício planejado não faz diferença, mas comece com níveis razoáveis. Não é realista partir de fazer nada a se exercitar 30 minutos por dia. Você apenas ficará dolorido ou possivelmente se machucará – então, estará propenso a desistir dos exercícios de uma vez.

Se você está relativamente sedentário, comece andando 5 minutos todos os dias até que fique fácil. Vá aumentando de maneira gradual 1 minuto por dia. Lembre-se de que mesmo 5 minutos é melhor do que nenhum minuto!

RESOLVA PROBLEMAS COMUNS RELACIONADOS A EXERCÍCIOS

Muitos problemas de saúde ou de estilo de vida podem dificultar o início da prática de atividades físicas, mas não devem impedi-lo. Entretanto, você precisa ser criativo. Se não consegue pensar em uma maneira de começar a se exercitar, consulte seu técnico de dieta ou pense no que você diria para um amigo que tivesse esse mesmo problema. Embora pacientes tenham relatado muitos problemas que inicialmente pareciam insolúveis, conseguimos encontrar soluções para eles, por exemplo.

Problema: Tenho duas crianças pequenas que precisam de constante supervisão.
Solução: Faça atividades físicas em um centro esportivo que também disponibilize espaços para crianças. Cuide das crianças de outros pais e peça para eles fazerem o mesmo por você. Exercite-se com vídeos que tenham exercícios para famílias, ande de bicicleta com as crianças ou caminhe com elas. Malhe com um DVD de exercícios enquanto as crianças brincam por perto.

Problema: Tenho limitações físicas.
Solução: Muitas pessoas conseguem nadar ou fazer hidroginástica. Outros precisam de fisioterapia para começar. Consulte um profissional de saúde que possa ajudá-lo a elaborar um planejamento adequado.

Problema: Eu não tenho tempo suficiente.
Solução: Separe um horário em seu calendário para fazer atividades físicas. Considere quais atividades diárias você pode eliminar ou diminuir para que possa ter mais tempo para os exercícios. Considere a possibilidade de se levantar um pouco mais cedo e começar o seu dia fazendo exercícios. Agende fazer exercícios como uma atividade essencial e não opcional.

Problema: **Fico envergonhado ao ser observado enquanto faço exercícios.**
Solução: Faça exercícios em casa, auxiliado por um vídeo, ou com um amigo próximo que possa fornecer apoio moral. Melhor ainda, desen-

volva uma programação mental funcional para esse pensamento. Além disso, quem se importa com o que os outros pensam? Eu descobri que a maioria das pessoas que faz exercícios está preocupada apenas com o que está fazendo. Se elas olharem para você, será apenas por um breve momento; então, voltarão sua atenção para o que *elas* estão fazendo.

> **Dica!** Se você tem dificuldade para se motivar a fazer exercícios, peça a um amigo ou a um profissional da área (como, por exemplo, um *personal trainer*) para ficar ao seu lado nas sessões. É fácil diminuir a eficácia, pulando exercícios, mas é muito difícil quando se está com um amigo ou *personal trainer*. Seu técnico também pode trabalhar para ajudá-lo a superar suas dificuldades físicas e posturais.

FINALIZE SEU PLANO DE EXERCÍCIO

Se você faz exercícios menos do que três vezes por semana, seu objetivo hoje será estabelecer uma rotina de exercício mais frequente. Organize-se para começar o quanto antes a seguir um programa de exercícios planejado. Enquanto isso, estabeleça um horário para caminhar todos os dias – mesmo que seja por cinco minutos – e coloque isso em seu calendário ou agenda.

Pense também em uma forma de agregar exercícios espontâneos ao seu dia a dia. Anote seu plano para que você se sinta responsável.

Em que você está pensando?

> Pensamentos sabotadores interferem em sua capacidade iniciar e manter atividades físicas. A maioria desses pensamentos são enganosos ou irrelevantes como, por exemplo: *Muitas pessoas não fazem exercícios, então tudo bem se eu não fizer também*. Se você está com dificuldades para começar um programa de exercícios, releia os benefícios mencionados nestas páginas e escreva os que forem importantes para você em um Cartão de Enfrentamento.
> Utilize as seguintes Respostas Adaptativas para Pensamentos Sabotadores e crie Cartões de Enfrentamento adicionais.
>
> **Pensamento sabotador**: Eu não quero fazer exercícios.
> **Resposta adaptativa:** Eu não deveria me questionar se quero fazer exercícios. Para emagrecer e não voltar a engordar, eu *preciso* fazer exercícios. Além disso, existem vários outros benefícios em se fazer exercícios. Posso estar fazendo tempestade em copo d'água. Vou conseguir.

Pensamento sabotador: Qual é o benefício de andar apenas por cinco minutos?
Resposta adaptativa: Caminhar por cinco minutos é melhor do que não caminhar. Fazer exercício é essencial, mesmo que no início seja por pouco tempo. Posso ir aumentando devagar até chegar ao tempo ideal, mas tenho que começar de um ponto qualquer.

Pensamento sabotador: Sou ocupado demais para fazer exercícios.
Resposta adaptativa: Tenho que considerar os exercícios uma prioridade. Se eu tivesse que me exercitar todos os dias para me manter vivo, encontraria tempo. Eu posso levantar-me mais cedo para encaixar os exercícios em minha rotina, mas não devo me enganar pensando que fazer exercícios é opcional.

Pensamento sabotador: Fazer exercícios não vale a pena para mim.
Resposta adaptativa: Pesquisas revelam que os exercícios são essenciais para a maioria das pessoas que deseja emagrecer e não engordar mais. Se eu quero ter os benefícios de ser magro, tenho que fazer exercícios.

Comprometa-se
por escrito

Os exercícios espontâneos que vou fazer diariamente são: _____
_____
_____
_____

Os exercícios planejados que vou fazer várias vezes por semana são: _____
_____
_____
_____

> *Quando eu aceitar os exercícios como essenciais e começar a praticá-los constantemente, fazer dieta será mais fácil.*

Lista das tarefas de hoje:

Marque as tarefas que você completou. Para qualquer item que não tenha completado, anote agora a data em que irá completá-lo.

_____ Li, pelo menos duas vezes hoje, meu Cartão das Vantagens de Emagrecer.

_____ Li outros Cartões de Enfrentamento quando foi necessário.

_____ Comi devagar, sentado e observando cada porção.

Assinale um item

☐ Todas as vezes   ☐ A maioria das vezes   ☐ Algumas vezes

_____ Elogiei-me quando me engajei em comportamentos funcionais para a dieta.

Assinale um item:

☐ Todas as vezes   ☐ A maioria das vezes   ☐ Algumas vezes

_____ Realizei pelo menos um exercício espontâneo hoje.

_____ Investiguei a possibilidade de fazer exercícios programados.

_____ Coloquei na agenda um horário para fazer exercícios.

_____ Fiz exercícios planejados.

Dia 10
ESTABELEÇA METAS REALISTAS

Estabelecer um objetivo para você pode ser bastante motivador – mas você pode facilmente se sentir sobrecarregado se escolher metas desafiadoras demais ou que você levará muito tempo para alcançar. Não caia nessa armadilha. Qual é a sua meta?
- Chegar a um determinado peso?
- Vestir um tamanho específico de roupa?
- Ter a aparência que tinha quando jovem?

É natural ter uma meta de longo prazo. Na realidade, nós ainda não sabemos se suas metas são razoáveis para você. Também não quero que você fique ansioso pensando em como está longe de alcançá-las. Eu gostaria que você tivesse metas de curto prazo, por exemplo, emagrecer dois quilos.

É provável que queira mais do que isso. Então, assim que atingir essa meta, estabeleça emagrecer mais dois quilos, e assim por diante. Cada vez que emagrecer dois quilos, comemore. Chame os amigos ou seu técnico de deita e festeje com eles. Ou então dê um presente para você.

Uma paciente que atendi costumava comprar um pequeno pingente para sua pulseira cada vez que emagrecia dois quilos. Considere premiar-se de alguma forma não relacionada com comida – como com aulas de tênis ou massagens, por exemplo. É mais importante comemorar seus pequenos sucessos do que esperar até conseguir emagrecer bastante e se sentir bem com os esforços que está fazendo.

Agora, vamos falar sobre a rapidez com a qual você deveria tentar emagrecer. Embora não seja agradável ouvir isto, quanto mais devagar você emagrecer, melhor. Durante a primeira semana, você poderá perder vários quilos. Mas isto é comum agora porque, no início da dieta, a maior parte do peso perdido é derivado, na verdade, da perda de água e não da gordura. Provavelmente, você não continuará emagrecendo com essa rapidez, portanto não desanime.

> *Embora não seja agradável ouvir isto, quanto mais devagar você emagrecer, melhor.*

Na verdade, além de não existirem benefícios em emagrecer rapidamente, existe uma grande desvantagem. Quando você diminui de repente a quantidade de alimentos que consome, seu organismo, para se proteger, torna mais lento o seu metabolismo. É a resposta natural de seu corpo para lhe proteger da morte por inanição.

Especialistas em emagrecimento concordam que sua meta de perda de peso deveria ficar entre 450 e 900g por semana. Mas, está ótimo se você emagrecer apenas 250g, em média, toda a semana.

Em que você está pensando?

Você ainda permanece com a ideia de subir na balança e ver estampado, algum dia, aquele número específico? Você ainda pensa em emagrecer rapidamente?

Leia os seguintes pensamentos sabotadores e suas respostas adaptativas para ajudá-lo a se comprometer a emagrecer dois quilos de cada vez.

Pensamento sabotador: Não vou ficar satisfeito a menos que alcance meu peso ideal. Não mereço elogios enquanto não chegar a esse peso.

Resposta adaptativa: Preciso aprender a ficar feliz com pequenas realizações. Comemorar dois quilos irá melhorar meu humor e minha confiança.

Pensamento sabotador: Emagrecer entre meio quilo e um quilo por semana é muito pouco.

Resposta adaptativa: Quanto vai importar, daqui a alguns anos, o tempo que levei para emagrecer? Preciso me lembrar por que é importante emagrecer devagar. Meu sucesso a longo prazo depende disso.

Comprometa-se
por escrito

Minha primeira meta é emagrecer: _____
_____
(espero que você tenha escrito dois quilos de cada vez).

Quando eu aceitar o fato de que devo ter como meta emagrecer dois quilos de cada vez, fazer dieta será mais fácil.

Lista das tarefas de hoje:

Marque as tarefas que você completou. Para qualquer item que não tenha completado, anote agora a data em que irá completá-lo.

_____ Li, pelo menos duas vezes hoje, meu Cartão das Vantagens de Emagrecer.

_____ Li outros Cartões de Enfrentamento quando foi necessário.

_____ Comi devagar, sentado e observando cada porção.

Assinale um item

☐ Todas as vezes   ☐ A maioria das vezes   ☐ Algumas vezes

_____ Elogiei-me quando me engajei em comportamentos funcionais para a dieta.

Assinale um item:

☐ Todas as vezes   ☐ A maioria das vezes   ☐ Algumas vezes

_____ Fiz exercícios espontâneos.

Assinale um item:

☐ Todas as vezes   ☐ A maioria das vezes   ☐ Algumas vezes

_____ Fiz exercícios planejados.

_____ Estabeleci a meta de emagrecer dois quilos.

Dia 11
DIFERENCIE FOME, VONTADE E DESEJO INCONTROLÁVEL DE COMER

Quase todas as pessoas que atendi tinham dificuldades para diferenciar entre a verdadeira fome (quando você está em jejum por várias horas e seu estômago está vazio), a vontade de comer (não é fome propriamente dita, mas a ideia de comer porque há comida por perto) e desejo incontrolável (uma urgência emocional e fisiológica intensa de comer). Curiosamente, muitas delas achavam que poderiam explicar a diferença. E você?

Pense em algumas ocasiões passadas, quando você comeu bem, talvez em um restaurante ou em uma celebração em família. Imagino que você já tenha tido pensamentos como: *Eu ainda estou com fome. Acho que vou repetir. Estou com fome de doce.*

Se isso já aconteceu, você confundiu fome e vontade de comer. A tarefa de hoje irá ajudá-lo a perceber quando você está verdadeiramente com fome para então dizer a si mesmo: *Bom, acabei de comer uma refeição planejada e ainda estou com fome. Mas, tudo bem. Deve levar uns 20 minutos para meu cérebro enviar para meu corpo a mensagem de que estou satisfeito. Vou esperar para ver como me sinto após 20 minutos.*

Ou você pode tentar dizer para si mesmo: *Eu sei que estou com fome, mas vou comer novamente dentro de algumas horas. Essa é uma chance de fortalecer meu músculo de resistência* (descrito juntamente ao músculo de desistência, no capítulo 2).

Ou então fale para si mesmo: *Eu não estou com fome. Apenas estou querendo comer mais. Porém, não farei isso porque não quero fortalecer meu músculo de desistência.*

MONITORE SUA FOME

Como você sabe quando está com fome de verdade? Pense em três situações recentes nas quais tenha ocorrido o seguinte:
- Você ficou sem comer por muito tempo e se sentiu bastante faminto. Aquela sensação de vazio, frequentemente acompanhada de ruídos no estômago, era *fome*.
- Você comeu uma boa refeição e ainda quis comer mais. Isso era *vontade*.
- Você sentiu uma urgência muito forte de comer, que veio acompanhada de tensão e de uma desagradável sensação na boca, garganta e corpo. Isso era *desejo*.

A maioria das pessoas que faz dieta tem dificuldade em distinguir a fome verdadeira da vontade e do desejo incontrolável de comer.

Para aprender a diferenciar melhor essas sensações, escolha um dia para observar o que você sente antes, durante e depois de comer.

Antes de se sentar para fazer cada refeição ou lanche, observe as sensações em seu estômago. Escreva as suas percepções no Cartão de Monitoramento da Fome, que você verá a seguir. Classifique também a sensação de fome no estômago em uma escala de 0 a 10, sendo 0 nenhuma fome e 10 a maior fome que você já sentiu.

No meio da refeição, observe com atenção as sensações em seu estômago. Anote suas percepções no Cartão de Monitoramento da Fome e classifique novamente a sua fome, usando a mesma escala de 0 a 10.

Classifique novamente a sua fome quando acabar de comer. Observe seus pensamentos: Você ainda quer comer mais? Percebe uma sensação física em seu estômago? Ela se localiza mais em sua boca ou garganta? Com o que ela se parece? Qual a força dessas sensações? Você quer comer algum alimento específico (o que significa que você está com vontade ou desejo intenso) ou qualquer comida (o que provavelmente significa que você ainda está com fome)? Descreva as sensações no cartão.

Vinte minutos depois de acabar de comer, classifique novamente a sua fome e descreva no cartão qualquer sensação física ou vontade de comer que esteja experimentando.

O modelo de cartão abaixo foi preenchido por Pamela, uma das pessoas que atendi.

Cartão de Pamela de Monitoramento da Fome		
Hora	*O que sinto no estômago*	Força da Fome 0 a 10
Antes do jantar	*Muito vazio, roncando um pouco.*	8
No meio do jantar	*Um pouco mais cheio.*	5
Imediatamente após o jantar	*Medianamente cheio, mas querendo repetir, sensação de urgência na boca e na garganta.*	2
20 minutos após o jantar	*Cheio, satisfeito, feliz por não ter comido muito.*	0

Cartão de Monitoramento da Fome

Use este cartão para completar a tarefa de hoje, sendo 0 para nenhuma fome e 10 para a maior fome que você já sentiu.

Hora	O que sinto no estômago	Força da Fome 0 a 10
Antes do café da manhã		
No meio do café da manhã		
Imediatamente após o café da manhã		
20 minutos após o café da manhã		
Antes do almoço		
No meio do almoço		
Imediatamente após o almoço		
20 minutos após o almoço		
Antes do jantar		
No meio do jantar		
Imediatamente após o jantar		
20 minutos após o jantar		

Depois de ter prestado atenção durante um dia nas sensações que ocorrem em seu corpo e abdômen, você estará mais apto a distinguir entre "fome" e "não fome". Se você ainda não souber, repita a tarefa quantas vezes forem necessárias – e discuta suas descobertas com seu técnico de dieta. Sempre que souber que seu estômago está cheio, mas você ainda está querendo comer, comece a rotular este estado de vontade ou desejo de comer.

> **Dica!** Lembre-se de que, entre 20 minutos e 3 horas depois de ter feito uma refeição razoável, qualquer urgência de comer novamente será provavelmente devido ao desejo de comer e não à fome.

Em que você está pensando?

Aqui estão alguns pensamentos sabotadores comuns e suas respostas funcionais. Se algum deles for semelhante ao um pensamento seu, faça Cartões de Enfrentamento para ajudar.

Pensamento sabotador: Eu não preciso fazer nada disso; sei a diferença entre fome e desejo intenso de comer.
Resposta adaptativa: Talvez eu saiba a diferença em um nível intelectual, mas é importante saber a diferença no nível físico também. É possível que algumas vezes eu possa confundir desejo com fome. A importância de fazer esse exercício é saber se realmente estou tendo muita fome e com muita frequência (o que é um problema para ser resolvido) ou se eu realmente estou tendo um desejo intenso (que é uma sensação que eu preciso aprender a tolerar).

Pensamento sabotador: Esta tarefa é muito difícil. Não tenho vontade de fazer isso.
Resposta adaptativa: Isso não vai exigir tanto tempo ou energia. Por que não tentar para ver o que acontece?

Pensamento sabotador: Por que preciso saber a diferença? Vou apenas continuar fazendo minha dieta e pronto.
Resposta adaptativa: Quando eu chegar na fase de manutenção do peso, estarei mais flexível com a alimentação se eu comer apenas em resposta à fome. Se, neste momento, eu não praticar reconhecer a diferença entre fome e desejo intenso de comer, não serei capaz de fazer a dieta com sucesso e voltarei a engordar.

Comprometa-se
por escrito

Para aprender a reconhecer quando estou com fome de verdade, eu irei: _____
_____
_____
_____

Quando eu aprender a reconhecer a diferença entre fome e desejo incontrolável de comer, fazer dieta será mais fácil.

Lista das tarefas de hoje:

Marque as tarefas que você completou. Para qualquer item que não tenha completado, anote agora a data em que irá completá-lo.

_____ Li, pelo menos duas vezes hoje, meu Cartão de Vantagens de Emagrecer.

_____ Li outros Cartões de Enfrentamento quando foi necessário.

_____ Comi devagar, sentado e observando cada porção.

Assinale um item:

☐ Todas as vezes ☐ A maioria das vezes ☐ Algumas vezes.

_____ Elogiei-me quando me engajei em comportamentos funcionais para a dieta.

Assinale um item:

☐ Todas as vezes ☐ A maioria das vezes ☐ Algumas vezes.

_____ Fiz exercícios físicos espontâneos.

Assinale um item:

☐ Em todas as oportunidades   ☐ Algumas vezes
☐ Uma ou duas vezes   ☐ Nenhuma vez

_____ Fiz exercícios físicos planejados

_____ Fiz (ou decidi em um futuro próximo fazer) a classificação da minha fome no Cartão de Monitoramento da Fome.

Dia 12
PRATIQUE A TOLERÂNCIA À FOME

Ontem, você aprendeu a diferença entre fome, vontade e desejo. Hoje, a tarefa é um pouquinho mais difícil. Você irá aprender a tolerar a fome.

Você está preocupado com a sensação de fome? Quando faço esta pergunta às pessoas que fazem dieta, elas, invariavelmente, respondem que não – a princípio. Mas, quando sugiro o exercício de hoje, a maioria se sente desconfortável. Algumas dizem: "Eu não estou *preocupada* com isso. Apenas *não quero* sentir fome". Porém, apareceu um fato novo: elas estavam ansiosas. *De certa maneira, elas não sabiam se poderiam, de fato, tolerar a fome.*

Quando as pessoas que lutam para emagrecer ficam com fome, frequentemente têm sensações intensas de fome. Podem ser como uma emergência. Toda a atenção se concentra no seu desconforto – e em quando e onde elas irão comer. Essas pessoas começam a pensar que não serão capazes de tolerar tanto desconforto.

Se você já passou por uma situação parecida, é importante aprender que *pode* tolerar a fome. Quando efetivamente se convencer disso, a fome não vai ter toda essa proporção. Ao sentir fome fora do horário do almoço ou do lanche, você será capaz de dizer a si mesmo: *Paciência, eu gostaria de comer agora, mas tudo bem, posso esperar.*

Você será capaz de voltar sua atenção para outras coisas, e a sensação intensa de fome irá gradualmente diminuindo. Se nunca se permitiu ficar com fome ou com muita fome, talvez não acredite em mim quando eu disser que, se você estiver com fome e não responder imediatamente comendo, a fome irá definitivamente diminuir.

A tarefa de hoje irá ajudá-lo a ver que você *pode* tolerar a fome e também que ela vem e passa. Eu gostaria de lhe propor que hoje ou um dia destes (você pode escolher o que se adapta mais à sua agenda), propositadamente, você deixe de almoçar (não faça esta tarefa se estiver impedido por uma restrição médica, como diabetes, que requer que você coma regularmente). Essa tarefa o ajudará a perceber que *a fome não é uma emergência*. Na verdade, acho até que você descobrirá que a sensação de sentir fome não é tão desconfortável como imagina.

Se você tem medo de sentir fome, habitualmente come para evitar essa sensação. Talvez você nunca tenha aprendido que não faz mal sentir fome, ou então, nunca tenha desenvolvido habilidades que o ajudassem a resistir à fome. Pular uma refeição propositadamente provará algo: definitivamente, você não tem que comer quando está com fome. O fato de querer comer não significa que você deva sempre comer. Essa é uma das coisas mais importantes que você tem que saber se quiser emagrecer e nunca mais voltar a engordar.

> *Você, definitivamente, não tem que comer só porque está com fome. O fato de querer comer não significa que deva sempre comer.*

O QUE FAZER

Escolha um dia desta semana para praticar tolerância à fome. Se você acha que a experiência vai ser muito desafiadora, escolha um dia em que estará mais ocupado e que saiba que não irá encarar difíceis estímulos para comer. As pessoas que atendi, na sua maioria, preferiram um dia útil. A rotina de trabalho os ajudou a esperar a hora do jantar.

Para ajudá-lo a colocar o desconforto da fome em perspectiva, reflita sobre experiências desconfortáveis que não tenham relação com a fome. Utilize Escala de Desconforto e a preencha de forma que 0 represente uma situação na qual não tenha experimentado desconforto e 10 represente o maior desconforto que já sentiu.

Abaixo, a escala preenchida por Carolina, uma de minhas pacientes:

Escala de Desconforto de Carolina	
Nível de desconforto	Situação
0	Descansando, vendo uma comédia depois do jantar
1	....
2	....
3	Numa entrevista de emprego
4	....
5	Esperando um resultado médico
6	....
7	....
8	Quando fiz uma cirurgia de canal
9	....
10	Quando quebrei a perna

Escala de Desconforto

Zero representa uma situação em que você não tenha experimentado nenhum desconforto, e 10, a situação na qual tenha experimentado um desconforto extremo.

Nível de desconforto	Situação
0	
1	
2	
3	
4	
5	
6	
7	
8	
9	
10	

Você usará essa escala para medir o grau de desconforto com a fome durante o dia em que decidiu não almoçar. Não deixe de fazer esta escala. Você irá utilizá-la também na tarefa de amanhã.

PASSANDO FOME

No dia em que for praticar a sensação de fome, registre no Cartão de Desconforto da Fome a medida do desconforto que está sentindo. Observe as anotações em um cartão. Exemplo.

Cartão de Nair de Desconforto com a Fome		
Hora	Nível atual de desconforto (0-10)	Taxa de desconforto durante a última hora (0-10)
12:00	3	0-3
13:00	2	0-3
14:00	0	0-4
15:00	3	0-3
16:00	4	0-4
17:00	3	0-4
18:00	3	0-4

A tarefa fez com que Nair observasse que seu desconforto com a fome não ultrapassou o nível 4 e que ela era absolutamente capaz de tolerar a fome.

No dia escolhido, tome o café da manhã e propositadamente *não coma* mais nada até o jantar. Na hora em que costuma almoçar, calcule o quanto você se sente desconfortável (não quanta fome está sentindo) e escreva seu grau de desconforto no seu cartão. Continue anotando, de hora em hora, no Cartão de Desconforto com a Fome, o quanto está se sentindo desconfortável por ficar sem comer. Além disso, compare o desconforto entre o momento atual e uma hora atrás em termos de mais baixo ou mais alto.

Cartão de Desconforto com a Fome		
Hora	Nível atual de desconforto (0-10)	Taxa de desconforto durante a última hora (0-10)
12:00		
13:00		
14:00		
15:00		
16:00		
17:00		
18:00		

Em que você está pensando?

Quando estiver fazendo seu experimento de fome, você precisará confrontar repetidamente pensamentos sabotadores como: *Eu não quero continuar fazendo isto; é muito desconfortável*. Lembre-se de momentos em que já esteve com fome antes e sobreviveu, por exemplo: quando jejuou para fazer um procedimento médico ou em datas religiosas, quando não pôde comer porque estava preso no trânsito ou quando o serviço do restaurante estava lento. Você sempre sobreviverá porque *a fome não é uma emergência*.

Se esses pensamentos forem mais fortes do que você e o levarem a comer antes da hora, tente fazer este experimento todos os dias, aumentando cada vez mais o tempo que consegue ficar sem comer até que chegue a hora do jantar. Se o seu medo da fome é muito forte, você vai precisar dominá-lo aos poucos.

Aqui estão alguns pensamentos sabotadores comuns de pessoas que tiveram dificuldade em tolerar a fome. Faça Cartões de Enfrentamento para ler quando precisar.

Pensamento sabotador: Eu deveria comer quando estou com fome. Não é isso que todo mundo faz?
Resposta adaptativa: A maioria das pessoas não come sempre que está com fome. Elas esperam até a próxima refeição. Eu preciso aprender esta habilidade também.

Pensamento sabotador: Por que eu deveria, deliberadamente, provocar meu desconforto pulando o almoço?
Resposta adaptativa: Preciso experimentar passar fome para diminuir o medo que tenho dela. Este experimento ajudará a reduzir minha ansiedade com a fome no futuro. A melhor maneira de superar o meu medo é enfrentá-lo. Este experimento me dará forças para a próxima vez que estiver com fome e ainda não for hora de comer.

Você sabia? É importante distinguir entre "necessitar" e "querer". As pessoas podem realmente ficar mais de uma semana sem comer e não morrer por causa disso. Contanto que não esteja impedido por uma restrição médica, podemos definitivamente deixar de comer durante um determinado dia.

Comprometa-se
por escrito

Vou fazer minha experiência de sentir fome no dia: _____

> *Quando eu superar minha intolerância à fome, fazer dieta será mais fácil.*

Lista das tarefas de hoje:

Marque as tarefas que você completou. Para qualquer item que não tenha completado, anote agora a data em que irá completá-lo.

_____ Li, pelo menos duas vezes hoje, meu Cartão de Vantagens de Emagrecer.

_____ Li outros Cartões de Enfrentamento quando foi necessário.

_____ Comi devagar, sentado e observando cada porção.

Assinale um item:
☐ Todas as vezes   ☐ A maioria das vezes   ☐ Algumas vezes.

_____ Elogiei-me quando me engajei em comportamentos funcionais para a dieta.

Assinale um item:
☐ Todas as vezes   ☐ A maioria das vezes   ☐ Algumas vezes.

_____ Fiz exercícios espontâneos

Assinale um item:
☐ Em todas as oportunidades   ☐ Algumas vezes
☐ Uma ou duas vezes   ☐ Nenhuma vez

_____ Fiz exercícios planejados.

_____ Escolhi um dia para não almoçar a fim de aprender que eu posso tolerar a fome.

Dia 13
SUPERE O DESEJO INCONTROLÁVEL POR COMIDA

Uma vez vi um cartaz que mostrava uma mulher em pânico na sua cozinha, enquanto os alimentos nos armários, na mesa e na geladeira estavam falando com ela, com balões de texto dizendo: "Coma-me! Coma-me! Coma-me!". Você já passou por uma experiência como essa, quando parece que os alimentos estão chamando você? Eu certamente já passei e as pessoas que consultaram comigo também. A boa notícia é que, mesmo que os alimentos ainda continuem lhe chamando, você *consegue* permanecer no controle.

Os *desejos* normalmente têm seu ponto alto durante as primeiras semanas da dieta. Na medida em que você restringe ou para de comer alimentos que lhe causam desejo (normalmente *fast food*, doces, salgadinhos e similares), seus desejos por esses alimentos vão diminuindo de maneira significativa. Hoje, você vai aprender como lidar com os desejos de maneira eficaz e decisiva.

Se você já fez uma dieta bem-sucedida antes, talvez se lembre da sensação maravilhosa de ficar livre dos desejos intensos de comer. Para enfraquecer a intensidade e reduzir a frequência de um desejo, entretanto, você tem *que parar de ceder a eles*. Quem tem dificuldade para fazer dieta normalmente descobre que não se limita a apenas um pedaço do alimento que lhes desperta desejo; mesmo quando tentam comer apenas um pedacinho, acabam comendo bastante. Você também descobriu que os desejos não chegam ao fim quando tentamos satisfazê-las com apenas um pedaço?

Retardar a satisfação de um desejo aumenta sua capacidade de tolerá-lo e aumenta também sua autoconfiança de que consegue suportá-lo. Quanto mais você retarda a satisfação de um desejo, menos intenso e frequente ela será no futuro. Eventualmente, você irá experimentá-los, mas, em vez de se sentir mal, se sentirá bem. Você dirá espontaneamente para si mesmo: *É incrível. Estou sentindo esse desejo intenso, mas sei que posso tolerá-lo e ele passará. É ótimo que eu esteja conseguindo suportar!* Ao contrário de se sentir em privação, você se sentirá bem – orgulhoso, forte, confiante e no controle da situação. Fazer dieta será muito mais fácil.

Para chegar até este ponto, entretanto, você primeiro precisa aprender a responder aos seus *desejos*, o que é, na verdade, mais fácil do que as pessoas imaginam. Os desejos começam a diminuir quando você decide que não vai, absolutamente, afastar-se da dieta. Eles aumentam quando você está indeciso sobre comer ou não.

Para enfraquecer a intensidade dos desejos e reduzir sua frequência, você precisa parar de se entregar a eles.

Hoje, você aprenderá a provar a si mesmo que você não precisa comer, isto é, ceder aos desejos para que eles desapareçam. Você pode assumir o controle e mandá-los embora. Primeiro, reuna informações sobre os seus desejos para que possa demonstrá-las para si mesmo. Depois, aprenda as técnicas antidesejos.

A descoberta de que você é capaz de tolerar seus desejos por comida é uma das coisas mais importantes de se aprender quando a meta é emagrecer e nunca mais voltar a engordar.

COMO MEDIR OS DESEJOS

Seu próximo desejo pode aparecer hoje, amanhã ou ao longo de poucas semanas. Quando isso acontecer, eu gostaria que você preenchesse o Cartão de Desejos por Comida com as seguintes informações:
• A duração do desejo.
• O desconforto que ele lhe causa em uma escala de 0 a 10.
• A técnica anti-desejos usada por você.

Quando Francine, uma paciente minha, preencheu seu cartão, descobriu que seus desejos não eram tão dolorosos quanto ela havia previsto. Ela descobriu também que, assim que se convenceu que não ia se entregar e começou a se envolver em outras atividades, os desejos foram embora. Seu cartão ficou assim:

	Cartão de Desejos por Comida		
	Use a escala de 0 a 10 para registrar o quanto seus desejos são realmente desconfortáveis.		
Dia / Hora	Segunda-feira, 15:00	Segunda-feira, 19:00	Segunda-feira, 21:30
Desconforto	6	3	2
Duração	10 min	4 min	2 min
Técnicas antidesejos utilizadas	Técnicas cognitivas; deixar a sala; respiração para relaxamento; voltar a trabalhar.	Técnicas cognitivas; beber um copo d'água; passar *e-mail* para amigos.	Técnicas cognitivas; pôr as sobras no lixo

Cartão de Desejos por Comida			
Use Escala de Desconforto (Dia 12), que você preencheu ontem, para ajudá-lo a avaliar quanto seus desejos incontroláveis de comer são realmente desconfortáveis			
Dia / Hora			
Desconforto			
Duração			
Técnicas antidesejos utilizadas			
Dia / Hora			
Desconforto			
Duração			
Técnicas antidesejos utilizadas			

Como parte do treinamento para superar os desejos por comida, você irá preencher o Cartão de Desejos por Comida. Antes disso, entretanto, você vai aprender as estratégias antidesejos, incluindo algumas técnicas cognitivo-comportamentais.

A parte emocionalmente dolorosa do desejo é a batalha que você trava contra ele. Quando você começar a dizer para si mesmo, com total convicção, NÃO TENHO ESCOLHA, *o desejo por comida irá diminuir.*

ESTRATÉGIAS ANTIDESEJO

Técnicas de programação mental

Você pode tomar algumas atitudes para contrariar o seu próximo desejo. Os primeiros cinco passos ajudam a preparar sua programação mental, e devem ser usados sempre que um desejo aparecer:

1. Rotular. Diga para si mesmo: *Este sentimento é só um desejo. Ele é desconfortável e intenso, mas (como a fome) ele também não é uma emergência.*

2. Permanecer Firme. Diga a si mesmo que, absolutamente, você não irá comer o alimento que é motivo desse desejo. Lembre-se de que realmente não quer fortalecer seu músculo de desistência e enfraquecer o de resistência. Pergunte-se se valerá a pena ceder a esse prazer momentâneo de comer. Pense como o fato de ceder irá minar sua autoconfiança.

3. Não se permitir escolha. A parte emocionalmente dolorosa do desejo é a batalha que você trava contra ele. Quando você disser a si mesmo, com absoluta convicção, NÃO TENHO ESCOLHA e se envolver em uma atividade qualquer, o desejo irá diminuir. (Você lerá mais sobre isso no Dia 16). O desejo não passará, no entanto, se você vacilar e dizer para si mesmo: *Isto é tão intenso, não sei se consigo suportar.* É claro que você consegue suportar! Pode ser desconfortável, mas nada de ruim vai acontecer se você resistir. Na realidade, durante alguns minutos, você se sentirá orgulhoso.

4. Imaginar o resultado de ceder. Vá em frente e pense em comer aquilo que está provocando esse desejo. Imagine esse alimento em sua boca. Quantos segundos você levou para comer? Por quanto tempo sentiu prazer? Agora visualize *o resto do cenário* – aquela parte da experiência na qual você não costuma pensar até que seja tarde demais. Imagine-se fraco e fora de controle. Imagine-se chateado, desistindo e comendo cada vez mais, sentindo-se cada vez pior. Está se sentindo pesado e deprimido? Quando começar a se entristecer com estas imagens, lembre-se quantas vezes desistiu antes, quantas vezes prometeu que não faria mais isso e como se sentiu desacreditado.

Agora que já viu o cenário todo, o que lhe parece melhor: comer ou não comer?

5. Lembrar-se dos motivos que você tem para resistir aos desejos. Leia o seu Cartão de Vantagens. Você não será capaz de obter os maravilhosos benefícios de emagrecer se não conseguir superar os desejos. Se você continuar a ceder, sempre estará correndo o risco de engordar.

TÉCNICAS COMPORTAMENTAIS

Se você ainda estiver motivado a comer algo que não deveria depois de usar técnicas de programação mental, experimente quantas técnicas comportamentais você precisar:

1. Ficar longe do alimento que lhe provoca desejo. Quando a visão ou o cheiro de um alimento desperta o desejo de consumi-lo, você pode guardá-lo onde não possa vê-lo ou se livrar dele (dar para alguém, jogar no lixo).

Se não for possível tirar o alimento de sua frente, então saia você da frente dele. Deixe o local, vá para outro aposento, vá ao banheiro (e leia seu Cartão de Enfrentamento) ou saia.

2. Beber um líquido com pouca ou nenhuma caloria. A sede pode parecer fome e induzi-lo a comer. Pense em tomar um refrigerante, água com limão, sucos diluídos (se seu programa alimentar permitir), ou outra bebida de baixa caloria.

3. Relaxar. Você pode ensinar seu corpo a relaxar de muitas formas. Existem muitos CDs e livros com técnicas de relaxamento. Uma técnica simples consiste em prestar atenção em sua respiração: conte até quatro, vagarosamente, enquanto inspira e também quando expira. Faça respiração superficial; não deixe seu peito levantar e baixar. Espere e repita esse exercício pelos próximos três minutos. No final você estará mais calmo e controlando seus desejos.

4. Distrair-se. Você se lembra de quando uma distração natural interrompeu seu desejo e de como você ficou feliz, mais tarde, por não ter comido naquela hora? O telefonema de um amigo, talvez, o cachorro insistindo para passear, ou a visita do chefe para discutir algo com você. Quando acabou de realizar o que precisava, seu desejo havia acabado ou enfraquecido. Você havia focalizado a atenção em outra coisa.

Quando a visão ou o cheiro de um alimento desperta
o desejo de consumi-lo, você pode guardá-lo onde não possa
vê-lo ou se livrar dele. Se não for possível tirar o alimento
de sua frente, então saia você da frente dele.

Cartão de Atividades de Distração

Avalie cada distração em uma escala de 0 a 10 com 0 significando que esta atividade não ajuda em nada, e 10 que esta atividade ajuda completamente.

Atividade de distração	Efetividade (0-10)
	0 1 2 3 4 5 6 7 8 9 10
Escovar os dentes.	○ ○ ○ ○ ○ ○ ○ ○ ○ ○ ○
Lixar as unhas.	○ ○ ○ ○ ○ ○ ○ ○ ○ ○ ○
Reler parte deste livro.	○ ○ ○ ○ ○ ○ ○ ○ ○ ○ ○
Telefonar para um amigo ou para seu técnico.	○ ○ ○ ○ ○ ○ ○ ○ ○ ○ ○
Conversar com um vizinho ou colega.	○ ○ ○ ○ ○ ○ ○ ○ ○ ○ ○
Ir a uma loja.	○ ○ ○ ○ ○ ○ ○ ○ ○ ○ ○
Brincar com uma criança ou animalzinho de estimação.	○ ○ ○ ○ ○ ○ ○ ○ ○ ○ ○
Andar de bicicleta.	○ ○ ○ ○ ○ ○ ○ ○ ○ ○ ○
Caminhar ou praticar exercícios.	○ ○ ○ ○ ○ ○ ○ ○ ○ ○ ○
Ler ou escrever *e-mail*.	○ ○ ○ ○ ○ ○ ○ ○ ○ ○ ○
Tomar um banho ou uma chuveirada.	○ ○ ○ ○ ○ ○ ○ ○ ○ ○ ○
Fazer uma atividade artística.	○ ○ ○ ○ ○ ○ ○ ○ ○ ○ ○
Montar um quebra-cabeças.	○ ○ ○ ○ ○ ○ ○ ○ ○ ○ ○
Tocar um instrumento musical.	○ ○ ○ ○ ○ ○ ○ ○ ○ ○ ○
Consertar o carro.	○ ○ ○ ○ ○ ○ ○ ○ ○ ○ ○
Trabalhar no jardim ou pátio.	○ ○ ○ ○ ○ ○ ○ ○ ○ ○ ○
Colar fotografias no álbum.	○ ○ ○ ○ ○ ○ ○ ○ ○ ○ ○
Fazer uma tarefa doméstica (lavar ou passar).	○ ○ ○ ○ ○ ○ ○ ○ ○ ○ ○
Trocar lâmpadas.	○ ○ ○ ○ ○ ○ ○ ○ ○ ○ ○
Navegar pela internet (encontre coisas que você sempre quis ver e as salve para estas ocasiões).	○ ○ ○ ○ ○ ○ ○ ○ ○ ○ ○
Ecreva aqui algumas técnicas de distração adicionais:	○ ○ ○ ○ ○ ○ ○ ○ ○ ○ ○
....	○ ○ ○ ○ ○ ○ ○ ○ ○ ○ ○
....	○ ○ ○ ○ ○ ○ ○ ○ ○ ○ ○
....	○ ○ ○ ○ ○ ○ ○ ○ ○ ○ ○

É provável que no início você pense que precisa de uma distração muito forte para desviar sua atenção do alimento que deseja. Muitas pessoas procuram se distrair vendo TV ou lendo. Descobri que na maior parte das vezes esse tipo de atividade não tem força suficiente para funcionar como técnica de distração. Se para você elas dão certo, está bem. Mas existem inúmeras atividades que são potencialmente mais eficazes para distrai-lo no Cartão de Atividades de Distração na página 148. Experimente tantas quanto puder e avalie, em uma escala de 0 a 10, a eficácia de cada uma na diminuição de seus desejos de comer.

Depois de experimentar inúmeras técnicas, faça uma lista das mais úteis e anote cada uma delas no seu caderno de dieta, começando com as mais eficazes. Vá ampliando a lista à medida que descubra outras possibilidades.

Os desejos diminuirão definitivamente, conforme será constatado quando você fizer a dieta e aprender a tolerá-los. Não é preciso entrar em guerra sempre que olhar para seus alimentos favoritos. Será um alívio saber que você pode resistir a alimentos não planejados, mesmo que seu desejo seja intenso.

Em que você está pensando?

A seguir, alguns dos pensamentos sabotadores e suas respostas adaptativas mais comuns nesta fase do programa. Faça Cartões de Enfrentamento para os que se aplicam a você.

Pensamento sabotador: Na próxima vez que tiver um desejo, não serei capaz de controlá-lo.

Resposta adaptativa: Eu não consegui controlar os desejos por comida no passado, mas agora eu tenho uma série de técnicas antidesejos que posso usar e que os farão desaparecer. Além disso, o desconforto causado pelo desejo é parecido com outros desconfortos que tive como, por exemplo: Eu tolerei isso e posso com certeza tolerar os desejos.

Pensamento sabotador: Eu me conheço. Na próxima vez que tiver um desejo por comida, não vou conseguir me controlar.

Resposta adaptativa: Isso é provável. Mas eu tenho que pensar que não preciso ficar à mercê de meus desejos para sempre. Para me livrar deles, eu posso fazer duas coisas: ou ceder, continuar comendo e nunca emagrecer, ou usar as técnicas que aprendi até acabar com os desejos. À medida que eu me certifique de que essas técnicas realmente funcionam, eu conseguirei espantar meus desejos incontroláveis de comer cada vez mais facilmente. Ficarei feliz quando atingir o ponto de não me preocupar quando for às festas ou comer fora. Eu saberei, com certeza, que posso controlar esses desejos.

Comprometa-se
por escrito

Quando tiver um desejo, eu irei: _____
_____
_____
_____

Quando eu parar de ceder aos desejos e eles se tornarem mais fracos e menos frequentes, fazer dieta será mais fácil.

Lista das tarefas de hoje:

Marque as tarefas que você completou. Para qualquer item que não tenha completado, anote agora a data em que irá completá-lo.

_____ Li, pelo menos duas vezes hoje, meu Cartão de Vantagens de Emagrecer.

_____ Li outros Cartões de Enfrentamento quando foi necessário.

_____ Comi devagar, sentado e observando cada porção.

Assinale um item:

☐ Todas as vezes ☐ A maioria das vezes ☐ Algumas vezes

_____ Elogiei-me quando me engajei em comportamentos funcionais para a dieta.

Assinale um item:

☐ Todas as vezes ☐ A maioria das vezes ☐ Algumas vezes

_____ Fiz exercícios espontâneos.

Assinale um item:

☐ Em todas as oportunidades ☐ Algumas vezes
☐ Uma ou duas vezes ☐ Nenhuma vez

_____ Fiz exercícios planejados.

_____ Tolerei a fome.

_____ Fiz um plano para tolerar os desejos.

_____ Tolerei os desejos.

Dia 14
PLANEJE O DIA DE AMANHÃ

Se você ainda não começou a fazer sua dieta, começará amanhã! Se você já começou, ainda assim precisará fazer a tarefa de hoje.

Hoje é dia de fazer um planejamento alimentar escrito que inclua *tudo* o que você comerá amanhã. E, amanhã, irá conferir tudo o que comeu que estava no planejamento e anotar qualquer alimento consumido que não estava planejado.

Você continuará planejando e monitorando sua alimentação por escrito todos os dias durante muitas semanas e meses, possivelmente até emagrecer tudo o que quer - e talvez depois disso também.

Tudo bem, eu quase posso ouvir seus pensamentos sabotadores. Apesar de ser uma tarefa simples, é também a tarefa à qual as pessoas que atendo mais ofereceram resistência. Talvez, o que você esteja pensando coincida com o que elas me disseram:

- Eu não tenho mesmo que fazer isso, tenho?
- Isso é muito complicado. Eu não quero fazer esta tarefa.
- Isso significa que eu não posso simplesmente comer aquilo que eu gostaria.

Escrever e monitorar são atividades muito importantes e, se você é como a maioria das pessoas com quem trabalhei, creio que irá achar a idéia de colocá-las em prática bem mais complicada do que realmente é.

O planejamento alimentar é essencial. Ele irá ajudá-lo a:

- pensar na maneira de obter e preparar o alimento que está em sua dieta;
- lembrar-se do que comer e quando. Sem planejamento, você se coloca na difícil situação de ter que resolver os problemas na hora em que aparecem. Quando você está com fome e procura na geladeira algo para comer, pode acabar comendo algo que não seja compatível com sua dieta;
- eliminar a alimentação espontânea. A alimentação espontânea – pequenas mordidas nos lanches, as sobras e outros alimentos – é frequentemente o que faz com que as pessoas não emagreçam.
- tolerar a fome e os desejos, e também a aprender que pode conviver com isso;
- tomar decisões antes que os impulsos para comer apareçam. Suponha que uns amigos o convidem para jantar. Eles lhe oferecem uma sobremesa tentadora. A decisão já tomada: não. A sobremesa

não está no seu planejamento, assim você não come. Você não tem que pesar prós e contras, basta seguir seu plano. Isso elimina tensões e dificuldades.

Planeje e monitore sua alimentação por escrito, todos os dias.

COMO PLANEJAR

Mesmo que sua dieta prescreva detalhadamente os alimentos que poderão ser consumidos, eu, ainda assim, quero que você dedique um pouco de seu tempo para planejar as refeições de amanhã. Use o caderno de dieta, uma folha de papel, um cartão de anotações, um Palmtop ou sua agenda e escreva o que você vai comer, quanto vai comer e quando vai comer.

Leia o planejamento de Márcia, uma das pessoas atendidas por mim:

CAFÉ DA MANHÃ
1 banana
1 pote de iogurte dietético
1 pedaço de pão integral com geleia dietética
¼ de xícara de leite (no café)

LANCHE
1 pedaço de queijo fresco
2 bolachas de trigo

ALMOÇO
115 gramas de atum misturado com duas colheres de maionese de baixa caloria
1 xícara de vegetais picados (tomates e pepinos pimentão)
3 fatias de melão
1 xícara de leite desnatado

LANCHE
10 nozes pecan

PERTO DO JANTAR
5 a 8 cenourinhas

JANTAR
170 g de frango cozido temperado com 3 colheres de molho *teriyaky*, meia batata média cozida, duas colheres de iogurte
Salada de alface e vegetais com duas colheres de molho dietético
1 xícara de brócolis
1 xícara de ervilhas com meia colher de chá de óleo de oliva
1 maçã

LANCHE
1 xícara de iogurte dietético
4 xícaras de pipoca de microondas, *light*

> **Opções para a refeição**
>
> Inúmeras pessoas acham melhor dedicar meia hora para fazer um cardápio com várias opções de refeições e lanches e então numerá-los. Maria escreveu as seguintes opções para o café da manhã:
> **Café da manhã** – Opção 1: 1 xícara de cereal, 1 xícara de leite desnatado, 1 fruta.
> **Café da manhã** – Opção 2: 2 ovos mexidos, 1 fruta, 1 fatia de queijo mussarela de baixa caloria.
> **Café da manhã** – Opção 3: 1 xícara de queijo *cottage* de baixa caloria, 1 banana média.
> **Café da manhã** – Opção 4: 1 xícara de mingau de aveia, 1 xícara de leite desnatado, 1 fruta.
> Ela escreveu também várias opções para lanches, almoços e jantares. Toda noite, Maria escolhia uma dessas opções para o dia seguinte. Isto diminuiu consideravelmente seu tempo de planejamento.

Depois que seu planejamento estiver escrito, verifique se você tem os alimentos em casa ou os ingredientes para prepará-los. Existe alguma coisa que você possa fazer hoje para que o dia de amanhã transcorra mais calmamente? Cortar os vegetais que vai usar no jantar? Deixar preparado o almoço? Agora, resolva como vai manter o planejamento escrito com você durante todo o dia de amanhã.

PENSANDO NO FUTURO

Amanhã, você vai se pesar oficialmente pela primeira vez. Vai subir na balança assim que se levantar e escrever seu peso em seu caderno de dieta. Na semana que vem, você vai dar início ao seu gráfico de emagrecimento, utilizando esse número e o da próxima semana. Esse procedimento vai ajudá-lo a monitorar o seu progresso (dia 21).

Siga estas indicações:
- Tente usar sempre a mesma roupa quando for se pesar.
- Suba na balança apenas uma vez. Não volte a subir na balança na expectativa de um peso mais baixo. Essa atitude só irá torná-lo obsessivo.
- Não ache que seu peso é uma catástrofe ou se critique. Não interessa se você pesa 57, 68, 114 ou 159 quilos, se tem pouco ou muito

para emagrecer, as técnicas que você está aprendendo neste livro são para o resto de sua vida. O tempo que vai levar para alcançar seu objetivo, 4 semanas ou 4 anos, não importa também. Você vai continuar usando este programa por um longo tempo.

Em que você está pensando?

A ideia de fazer planejamento lhe parece injusta, punitiva ou disciplinadora demais? Posso dizer, por experiência própria, que não há outro jeito. Por um lado, você está correto sobre ser injusto ter que planejar. Afinal de contas, muitas pessoas que não fazem dieta não precisam fazer isso. Elas simplesmente param na frente da geladeira e pensam: *O que eu quero comer esta noite?* Quem quer emagrecer, no entanto, não pode se dar esse luxo. Mesmo que você faça boas escolhas alimentares agora, dentro de alguns dias ou semanas, tomar decisões espontâneas vai fazê-lo engordar.

Portanto, se o seu pensamento for: *Eu não tenho que realizar esta parte do programa,* admita que, na realidade, ele quer dizer: *Eu não quero fazer esta parte do programa.* Comprometa-se a anotar, só por uma semana, tudo o que você vai comer no dia seguinte. No fim da semana, decida se vai querer continuar fazendo isso por mais uma semana. É mais fácil comprometer-se por uma semana de cada vez do que pensar que vai ter que fazer planejamentos pelo resto da vida – principalmente porque você, provavelmente, não precisará. Algumas pessoas acham que anotar o que irão comer por algumas semanas ou meses é suficiente. Não é possível se comprometer por uma semana inteira? Então, pelo menos se comprometa por hoje e por amanhã.

Vamos considerar que você vá tentar por um dia, uma semana, ou muitos meses. Como você vai saber a hora de parar? Assim que você achar que está usando as ferramentas deste livro de forma consistente – e emagrecendo continuamente – experimente parar de fazer o planejamento alimentar e veja o que acontece. Se conseguir fazer a dieta de maneira consciente, ótimo. Caso contrário, continue planejando e monitorando sua alimentação.

Se você estiver tendo pensamentos sabotadores, prepare-se para escrever seus Cartões de Enfrentamento.

Pensamento sabotador – Eu não quero fazer nenhum planejamento.
Resposta adaptativa – O que vale mais: querer emagrecer ou não querer me incomodar. Já que quero emagrecer, vou começar a planejar. Isso levará apenas alguns minutos. Eu posso escolher. Posso dar ouvidos a esta parte resistente da minha mente ou decidir de maneira firme que vou fazer este plano, mesmo querendo resistir. É bom começar a ignorar minha resistência porque ela vai aparecer outras vezes quando eu não estiver com vontade de seguir meu plano.

Pensamento sabotador – Eu posso fazer a dieta sem ter que ficar escrevendo planejamentos alimentares.
Resposta adaptativa – Isto até pode ser verdadeiro – a princípio – mas porque não maximizar minhas chances?

Pensamento sabotador – Escrever um plano alimentar não me fará emagrecer.
Resposta adaptativa – Se o programa apenas consistisse em escrever planos alimentares, não funcionaria, mas, neste caso, escrever é apenas uma estratégia. De qualquer forma, não saberei se vai dar certo até que eu tente. Preciso fazer o que estiver ao meu alcance para emagrecer porque é de fato o que quero.

Pensamento sabotador – Depois eu faço o planejamento.
Resposta adaptativa – Eu não vou deixar para depois. Escrever meu plano é uma prioridade.

Comprometa-se
por escrito

Com a finalidade de eliminar a alimentação espontânea e emagrecer, planejarei a alimentação do dia seguinte, todas as noites, às: _____

Quando eu aceitar que tenho de escrever um plano alimentar todas as noites para o dia seguinte, fazer dieta será mais fácil.

Lista das tarefas de hoje:

Marque as tarefas que você completou. Para qualquer item que não tenha completado, anote agora a data em que irá completá-lo.

_____ Li, pelo menos duas vezes hoje, meu Cartão de Vantagens de Emagrecer.

_____ Li outros Cartões de Enfrentamento quando foi necessário.

_____ Comi devagar, sentado e observando cada porção.

Assinale um item:

☐ Todas as vezes   ☐ A maioria das vezes   ☐ Algumas vezes

_____ Elogiei-me quando me engajei em comportamentos funcionais para a dieta.

Assinale um item:

☐ Todas as vezes   ☐ A maioria das vezes   ☐ Algumas vezes

_____ Fiz exercícios espontâneos.

Assinale um item:

☐ Em todas as oportunidades   ☐ Algumas vezes
☐ Uma ou duas vezes   ☐ Nenhuma vez

_____ Fiz exercícios planejados.

_____ Consegui tolerar a fome e os desejos em vez de ceder a eles.

_____ Fiz meu planejamento alimentar para amanhã.

7
Semana 3
Vá em frente: comece sua dieta

Não importa se esta é a segunda ou a vigésima vez que você começa uma dieta. O conhecimento adquirido e aplicação prática desse conhecimento nas duas últimas semanas deixaram-no mais bem equipado do que nunca para:
- Planejar o que vai comer.
- Comer de maneira saudável.
- Resistir à fome e aos desejos.
- Responder aos pensamentos sabotadores que conduzem para alimentação não planejada.
- Elogiar-se e ter confiança de que desta vez você pode ter sucesso.

Ao praticar suas novas habilidades, todos os dias, as mudanças ocorridas em sua vida serão parte de sua nova programação mental. Você está surpreso pelo que já aprendeu? Se você está começando sua dieta nesta semana (ou se começou há algum tempo), não está se sentindo mais bem preparado? Por exemplo, você já aprendeu que existem duas diferenças cruciais entre fome e desejo de comer: a primeira é que você pode tolerar essas sensações desconfortáveis e que, não importa o que faça ou deixe de fazer, se você não ceder, elas passarão. A segunda é que você pode fazer com que elas passem muito mais rápido, usando suas técnicas antidesejos, mudando sua programação mental e engajando-se em comportamentos funcionais. Agora você sabe o que fazer pelo resto de sua vida.

Esta semana, você aprenderá técnicas adicionais de terapia cognitiva para fortalecer ainda mais seu músculo de resistência e estar mais apto para rejeitar alimentos tentadores – mesmo que estejam bem à sua frente. Se você tem problemas com a dieta em virtude das características descritas no Capítulo 3, nesta semana você vai progredir muito na direção de reestruturar sua programação mental. Você vai deixar de ser de uma pessoa que sofre com a dieta para ser alguém que pensa como uma pessoa magra.

Elogie-se e tenha confiança; desta vez você *pode* ter sucesso

Dia 15
MONITORE SUA ALIMENTAÇÃO

Mesmo que já esteja seguindo uma dieta, não pule a tarefa de hoje. Ela é essencial! Caso esteja começando agora, quero dar-lhe os parabéns. O dia de hoje é um marco de mudanças importantes em sua vida. Elogie-se por ter chegado até aqui.

A primeira coisa a fazer é se pesar. Se você costuma se pesar de roupa, procure vestir sempre as mesmas todas as manhãs em que for subir na balança. Escreva seu peso no caderno de dieta. Depois, faça o seguinte:

Siga sua programação alimentar. Coma somente os alimentos programados ontem à noite. Coma tudo o que estiver planejado, a não ser que se sinta satisfeito antes de terminar, e não pule refeições.

Monitore sua alimentação imediatamente após de terminar cada refeição e lanche, avaliando se comeu o que havia planejado.

Elogie-se cada vez que permanecer fiel ao planejamento. Diga para si mesmo: *Isso foi muito bom! Comi o que estava planejado e agora estou conferindo.*

Responda a seus pensamentos sabotadores, caso tenha consumido qualquer alimento não-planejado. Se estiver pensando: *Por que fui comer isto? Eu, na verdade, nem estava querendo. Sou um idiota,* responda de maneira funcional, como: *Está bem, comi alimentos que não foram planejados. Não é o fim do mundo. Posso voltar à dieta neste minuto e é muito bom que eu tenha escrito isso.*

No final do dia, dê uma olhada nas anotações feitas em sua programação alimentar. Elogie-se por tudo o que fez bem feito. Você comeu qualquer alimento não planejado? Se a resposta for sim, procure o modelo de solução de problemas e pense no que você precisa fazer, no futuro, para eliminar esse tipo de alimentação. Por exemplo, se você tem muita fome entre as refeições, talvez seja necessário planejar refeições maiores ou incluir um lanche na dieta. Se você come por estar se sentindo entediado, organize melhor o seu tempo. Se você precisar de ajuda, chame seu técnico de dieta.

Siga esta sequência todos os dias, durante um longo período de tempo.

OS BENEFÍCIOS DE ANOTAR O QUE SE COME

Vários estudos científicos demonstram que manter um registro, por escrito, do que se come, aumenta a probabilidade de emagrecer e não voltar a engordar. Uma pesquisa conduzida no Centro Médico de São Francis em Peoria, Illinois, descobriu que os sujeitos que fizeram anotações alimentares detalhadas conseguiram emagrecer até nas férias de inverno, enquanto os outros engordaram.

Monitorar a alimentação por escrito facilita sua permanência no propósito da dieta pelas seguintes razões:

Ajuda você a permanecer responsável pelo que realmente come. Você pode pensar que não precisa se preocupar com essa estratégia por conseguir memorizar sem fazer anotações escritas. Porém, é surpreendente o que nossa mente naturalmente esquece e nos permite esquecer quando, na realidade, não desejamos nos lembrar. Mesmo os mais adeptos a programas nutricionais – os nutricionistas, por exemplo – são culpados por esquecerem o que comem. Em um estudo feito na Universidade Estadual da Luisiana, pesquisadores pediram aos nutricionistas para calcular o número de calorias que estavam consumindo. Esses profissionais subestimaram em 10% seu consumo calórico.

Necessariamente, não nos enganamos conscientemente sobre o que comemos. É muito fácil esquecer as sobras de comida, o creme no café, o prato repetido e as degustações no supermercado. A verificação do que você comeu e o registro por escrito do consumo de alimentos não planejados faz com que você se torne consciente do que está fazendo. Você não tem como se enganar quando olha para uma evidência.

> **Dica!** Em determinado momento da dieta, eu garanto que você vai querer parar de anotar o que está comendo. Isso normalmente acontece quando você se desvia um pouco da dieta e está evitando encarar essa realidade para não se sentir mal. Quando perceber essa tentação, volte ao passo anterior. Em momentos como esses, é 10 vezes mais importante anotar os alimentos consumidos. Fique atento ao pensamento sabotador que diz: *Não faz mal deixar de anotar desta vez.* Mas é claro que faz.

Conferir o que você comeu e escrever o que não havia planejado comer faz com que você se torne consciente do que está fazendo.

Monitorar constantemente a alimentação traz os seguintes benefícios:

Ajuda a fortalecer sua motivação. Gera oportunidades para que você se elogie, principalmente quando diz para si mesmo, conscientemente, que foi muito bom seguir seu planejamento alimentar.

Ajuda a construir sua autoconfiança. Quando você foca em como está se saindo bem no cumprimento do seu planejamento alimentar, começa a perceber que *consegue* fazer dieta, que *é capaz* de fazer o que é preciso para emagrecer.

Ajuda a reconhecer e resolver problemas. Ao dedicar algum tempo, todas as noites, para verificar se se desviou de seu plano alimentar – e porque o fez – você tem a oportunidade de pensar em como corrigir esse problema no futuro. Em vez de se considerar um fracasso por ter comido exageradamente ou consumido alimentos não planejados, você pode ver esses comportamentos como problemas possíveis de serem solucionados e não como fracassos pessoais.

As pessoas que fizeram anotações detalhadas sobre sua alimentação conseguiram emagrecer até mesmo durante as férias de inverno.

COMO MONITORAR, POR ESCRITO, O QUE VOCÊ COME

Tenha sempre com você o planejamento que foi escrito na noite anterior.

Depois que terminar a refeição, o quanto antes, faça estes três tipos de anotações:

1. Assinale o que você comeu e que estava no seu planejamento.
2. Risque qualquer coisa que tenha planejado comer e que não tenha comido.
3. Circule qualquer alimento que tenha comido demais, e anote e circule qualquer alimento que comeu sem planejar.

Certifique-se de fazer estas anotações imediatamente depois da refeição. A espera pode diminuir a sua percepção, aumentar a probabilidade de alimentação sem planejamento e provocar o esquecimento dos alimentos consumidos – isso tudo aumenta o risco de engordar.

Veja a seguir as anotações no planejamento alimentar de Márcia. Conforme você pode ver, ela comeu os alimentos planejados, com exceção do pão, no café da manhã, e da vagem, no jantar. Comeu também, no jantar, a metade de uma batata assada e uma porção de abobrinha, que não tinham sido planejadas. Várias vezes ela afirmou que, se não estivesse mantendo anotações tão detalhadas de sua alimentação, certamente, teria se desviado do seu planejamento alimentar muito mais frequentemente.

CAFÉ DA MANHÃ
1 banana
1 copo de iogurte desnatado
~~(1 fatia de pão multigrãos com uma colher de sopa de geleia dietética)~~
¼ de xícara de leite (no café)

LANCHE
1 fatia de queijo
1 bolacha de trigo integral

ALMOÇO
120 gramas de atum misturado com 2 colheres de sopa de maionese *light*
1 xícara de vegetais crus em pedaço (tomates cereja, pepinos e pimentão)
3 fatias de melão
1 xícara de leite desnatado

LANCHE
10 nozes pecans

UM POUCO ANTES DO JANTAR
5 a 8 cenourinhas

JANTAR
180 gramas de frango cozido com 3 colheres de sopa de molho *teryaki*
½ batata média assada com 2 colheres de sopa de iogurte natural
Salada de alface, vegetais crus e 2 colheres de sopa de molho dietético
1 xícara de brócolis
~~(1 xícara de vagem com ½ colher de azeite de oliva)~~
1 maçã
1 porção de abobrinha
1/2 porção extra de batata assada

LANCHE
1 xícara de sorvete de iogurte dietético
4 xícaras de pipoca de baixa caloria

Na Sessão
com a Dra. Beck

No início, Márcia não estava muito satisfeita com a ideia de fazer um planejamento alimentar. Fez com pouco entusiasmo na primeira semana e totalmente sem entusiasmo na semana seguinte. Questionei Márcia a respeito.

Dra. Beck: Você não conseguiu fazer anotação alimentar alguma durante toda a semana?
Márcia: Não sei, apenas achei que dava muito trabalho.
Dra. Beck: Quanto tempo você leva para escrever o planejamento à noite?
Márcia: [pensando] Hum, eu não tenho certeza.
Dra. Beck: Que tal se fizermos seu planejamento para amanhã? Está bem para você?
Márcia: [relutante] Eu acho que sim.
Márcia fez o planejamento em menos de três minutos.
Márcia: Estou surpresa, pensei que levasse de 10 a 15 minutos.
Dra. Beck: Então, não é tão trabalhoso como imaginou?
Márcia: Não. Eu acho que não.
Dra. Beck: E amanhã, quanto tempo levará para conferir o que comeu no café da manhã?
Márcia: Alguns segundos, eu suponho.
Dra. Beck: E o mesmo para os lanches e outras refeições?
Márcia: Sim.
Dra. Beck: Está bem, vamos imaginar que já é amanhã à noite. Você está pensando: *É melhor anotar meu plano alimentar para amanhã.* O que você está sentindo ao imaginar esta cena?
Márcia: [suspiros] Um pouco resistente, eu acho.
Dra. Beck: O que está passando pela sua cabeça?
Márcia: Eu, realmente, não quero fazer isso.
Dra. Beck: O que mais está pensando?
Márcia: Estou cansada. Não tenho energia. Além do mais, talvez eu nem precise disso, sei o que tenho que comer.
Dra. Beck: Tudo bem. Você está com seu Cartão de Vantagens aí? Pode pegar e lê-lo agora para mim?
Márcia pega o Cartão e o lê em voz alta.
Dra. Beck: O quanto estas coisas são importantes para você?
Márcia: Muito importantes.
Dra. Beck: O que parece mais importante: não fazer as anotações de seu plano alimentar ou ter uma aparência melhor, se sentir bem, ser mais atraente, ser menos autocrítica...
Márcia: [interrompendo] As vantagens são mais importantes.

Dra. Beck: Você tem certeza?
Márcia: Sim, eu tenho certeza [pausa], mas...
Dra. Beck: Mas?
Márcia: Eu gostaria de não ter que escrever o meu plano.
Dra. Beck: Você se lembra o que conversamos há poucas semanas – sobre *por que* você precisava escrever seu plano? Afinal, você emagreceu um pouco. Então, por que fazer isso?
Márcia: Bem, você disse que fazer dieta seria mais fácil nas primeiras semanas, mas que chegaria o momento que minha motivação poderia diminuir.
Dra. Beck: Exatamente. E aí o que aconteceria?
Márcia: Eu suponho que o mesmo que aconteceu em todas as outras vezes que tentei fazer dieta. Eu começava comendo o que não devia e daí desistia de tudo.
Dra. Beck: De modo que já sabemos o que não funcionou. Não funcionou decidir apenas nos últimos minutos o que iria comer. Porque, quando sua motivação é menor, você come alimentos que não estão em sua dieta.
Márcia: Sim.
Dra. Beck: Mas e se você já tivesse adquirido o hábito de fazer um planejamento toda a noite e conferir no dia seguinte...?
Márcia: Eu acho que pode ajudar.
Dra. Beck: Você acha que consegue dizer para si mesma: *Não, não coma isso ou você vai ter que anotar.*
Márcia: Sim, provavelmente.
Dra. Beck: E isso ajudará você a resistir?
Márcia: Eu penso que sim.
Dra. Beck: Agora, o quanto ainda lhe parece ruim fazer o planejamento todas as noites, por três minutos, se você concorda que isso *irá* ajudá-la a ficar mais magra, mais atraente, sentir-se melhor...
Márcia: Não parece tão ruim. Eu não sei por que fui tão resistente.
Dra. Beck: Bem, isso é porque você teve aqueles pensamentos sabotadores. Mas, agora você sabe enfrentá-los. Que tal se você fizesse um Cartão de Enfrentamento para ser lido todas as noites, logo depois do jantar, junto ao seu Cartão de Vantagens?
Márcia: Tudo bem.

Márcia fez o seguinte Cartão de Enfrentamento:

Se eu notar qualquer resistência de minha parte para anotar meu planejamento de amanhã, devo me lembrar que:
- Vou precisar dele quando minha motivação diminuir.
- Não estou conseguindo aderir à dieta sem o planejamento.
- Levarei apenas três minutos no máximo.
- Eu realmente quero emagrecer por causa de todas aquelas vantagens.

Em que você está pensando?

Ao mesmo tempo em que as pesquisas ressaltam a importância do planejamento alimentar, também ressaltam o baixo índice de adesão a ele pelas pessoas que querem emagrecer. Um estudo descobriu que menos de um terço delas anota todos os alimentos que consome e ainda assim só o faz durante a metade dos dias em que deveria! Eu aposto que essas pessoas têm muitos pensamentos sabotadores que as atrapalham.

Use estes exemplos para criar os Cartões de Enfrentamento que irão ajudá-lo a realmente manter registros escritos todos os dias:

Pensamento sabotador: Isto dá muito trabalho.
Resposta adaptativa: Eu não vou ter que fazer isto pela vida inteira. Além do mais, provavelmente será menos entendiante do que estou imaginando. Por que não tentar por uma semana e ver o que acontece?

Pensamento sabotador: Eu não preciso anotar nada; consigo me lembrar do que como.
Resposta adaptativa: Deixar de anotar não me ajudou no passado. Sem dúvida, esqueço de alguma coisa que como. Preciso ter consciência do que estou comendo.

Pensamento sabotador: Quando eu emagrecer um pouco, vou começar a anotar. Assim, estarei mais motivada para esta tarefa.
Resposta adaptativa: Se eu esperar, é quase certo que nunca começarei.

Comprometa-se
por escrito

Registrarei por escrito exatamente o que comi: _____
(espero que você tenha respondido, "imediatamente depois de comer").

Quando eu aceitar o fato de que tenho que monitorar minha alimentação por escrito, fazer dieta será mais fácil.

Lista das tarefas de hoje:

É hora de verificar qual é sua postura em relação às tarefas anteriores. As tarefas da Semana 1 e 2, que preparavam você para dieta, já foram feitas?

- Você escolheu as duas dietas de que falamos anteriormente?
- Você organizou seu tempo para fazer dieta? Preparou os ambientes da sua casa e do seu trabalho?
- Está conversando com seu técnico de dieta regularmente?

Se ainda não realizou os itens acima, acrescente-os à tarefa de hoje. Marque as tarefas que você completou. Para qualquer item que não tenha completado, anote agora a data em que irá completá-lo.

_____ Li, pelo menos duas vezes hoje, meu Cartão de Vantagens de Emagrecer.

_____ Li outros Cartões de Enfrentamento quando foi necessário.

_____ Comi devagar, sentado e observando cada porção.

Assinale um item:
☐ Todas as vezes   ☐ A maioria das vezes   ☐ Algumas vezes.

_____ Elogiei-me quando me engajei em comportamentos funcionais para a dieta.

Assinale um item:
☐ Todas as vezes   ☐ A maioria das vezes   ☐ Algumas vezes.

_____ Fiz exercícios espontâneos.

Assinale um item:
☐ Em todas as oportunidades   ☐ Algumas vezes
☐ Uma ou duas vezes   ☐ Nenhuma vez

_____ Fiz exercícios planejados.

_____ Monitorei por escrito todos os alimentos consumidos hoje, anotando logo depois de acabar de comer.

_____ Fiz meu planejamento alimentar escrito para amanhã.

_____ Pesei-me e registrei o meu peso.

Dia 16
EVITE A ALIMENTAÇÃO NÃO-PLANEJADA

Algumas pessoas não têm dificuldade para tomar decisões sobre o que e quanto comer. Elas simplesmente abrem o armário da cozinha ou a geladeira e escolhem o que querem. Porém, se você é como a maioria das pessoas que fazem dieta, você já lutou muitas vezes quando se sentiu tentado a comer algo que não deveria. Provavelmente, o diálogo que se estabelece em sua mente seja mais ou menos assim: *Eu quero, muito mesmo, comer isto, mas sei que não devo. Mas eu quero muito mesmo. Eu não deveria, mas gostaria muito. Sei que não está no meu planejamento alimentar, mas não me importo, vou comer mesmo assim.*

Essa argumentação interna pode gerar tensão, deixando-o desconfortável, tanto emocional como fisicamente. Você vai se sentir atraído pela ideia de aliviar esta tensão, comendo. Uma vez que decide comer, você percebe que seu desconforto diminui imediatamente – antes mesmo do alimento ser alcançado. Você pode fazer outras coisas para reduzir a tensão envolvida nesse processo. Da mesma forma que decidir comer poder aliviar a tensão, decidir *não* comer também pode.

Seu planejamento alimentar escrito irá ajudá-lo a tomar decisões antecipadamente – antes de ser confrontado com os desejos e a tensão. Porém, não eliminará a indecisão. Haverá momentos em que você discutirá com você mesmo. Talvez, como em uma festa, ao desejar uma taça de vinho, que não está incluída no planejamento, ou quando uma colega lhe perguntar se quer experimentar o bolo que ela fez. Os estímulos para comer são infinitos, mas a solução é direta: *Diga para si mesmo que você não tem escolha. Você tem um plano e irá cumpri-lo – sem "se", "e" ou "mas".*

Ao dizer firmemente NÃO TENHO ESCOLHA, você minimiza a dificuldade e alivia o desconforto da dúvida. Pense em todas as regras com as quais tem que conviver na vida. Você fica em dúvida quanto a escovar ou não escovar os dentes? Imagine o aborrecimento que seria ter que se esforçar todos os dias para se engajar em tarefas tão triviais! Porém, você não se aborrece porque já tem uma regra: *Tenho que escovar meus dentes todos os dias.*

É possível estabelecer a regra "não tenho escolha" para outras situações. Eu, por exemplo, criei algumas regras alimentares pessoais que raramente quebro. Nem chego a pensar muito nelas; simplesmente as sigo. Não tenho que me esforçar, não entro em conflito, não me sinto em privação e não acabo comendo alimentos que me farão sentir culpa mais tarde.

Você tem um plano e vai seguir esse plano – *sem nenhum "se", sem nenhum "e", sem nenhum "mas".* Seguir uma regra minimiza o desconforto gerado pela indecisão *sobre comer ou não comer.*

Estas são as minhas regras:
1. Comer uma quantidade substancial de proteínas, vegetais e frutas, em todas as refeições.
2. Não comer alimentos de má qualidade depois do jantar.
3. Comer apenas vegetais crus enquanto preparo o jantar.
4. Quando comer fora, comer apenas 25% a mais do que, normalmente, como em casa.

Essas regras fazem com que, ao sair das reuniões no período da tarde, eu me sinta bem e não veja a hora de chegar o jantar. Essas regras me ajudam também a não engordar mais do que alguns gramas quando estou de férias. Seguir uma regra minimiza o desconforto gerado pela indecisão sobre comer ou não comer.

FAZENDO O CARTÃO DE ENFRENTAMENTO PARA NÃO TENHO ESCOLHA

Pense em algumas regras alimentares que gostaria de estabelecer. Elas não vão surgir todas de uma vez, são geradas durante o processo da dieta. Porém, existe uma regra com a qual você deve se comprometer (e não tem escolha quanto a este assunto): você tem que seguir o seu planejamento alimentar.

Para fortalecer esta ideia, faça um Cartão de Enfrentamento semelhante ao que está demonstrado abaixo. Leia o cartão NÃO TENHO ESCOLHA, pelo menos, duas vezes por dia e também sempre que estiver com dificuldade para decidir se vai ou não comer um determinado alimento.

Não tenho escolha!

Em que você está pensando?

Se você estiver tendo pensamentos sabotadores sobre a necessidade de abandonar a alimentação espontânea, prepare Cartões de Enfrentamento.

Pensamento sabotador: Eu mereço poder comer o que quiser.
Resposta adaptativa: Se eu desejo obter todos os benefícios de ser magro, não posso comer nada que não seja planejado. Eu tenho que fazer com que o pensamento "Eu mereço ser magro e estar bem comigo mesmo" tenha prioridade sobre "Eu mereço fazer escolhas espontâneas sobre o que eu quero comer".

Pensamento sabotador: Não acho que consiga aceitar o fato de não poder comer espontaneamente.
Resposta adaptativa: Eu tenho me permitido escolher sobre o que, quando e quanto comer durante muito tempo, por isso parece natural e certo comer espontaneamente. No entanto, tenho que encarar o fato de que a alimentação espontânea não está funcionando para mim. Quanto mais eu falar NÃO TENHO ESCOLHA, menos vou ter que me esforçar na hora de tomar minhas decisões.

Comprometa-se
por escrito

Quando eu estiver com vontade de comer alguma coisa não planejada, eu irei:
_____
_____
_____
_____

Quando eu aceitar o fato de que devo desistir da alimentação espontânea, fazer dieta será mais fácil.

Lista das tarefas de hoje:

Marque as tarefas que você completou. Para qualquer item que não tenha completado, anote agora a data em que irá completá-lo.

_____ Li, pelo menos duas vezes hoje, meu Cartão de Vantagens de Emagrecer.
_____ Li outros Cartões de Enfrentamento quando foi necessário.
_____ Comi devagar, sentado e observando cada porção.

Assinale um item:
☐ Todas as vezes   ☐ A maioria das vezes   ☐ Algumas vezes

_____ Elogiei-me quando me engajei em comportamentos funcionais para a dieta.

Assinale um item:
☐ Todas as vezes   ☐ A maioria das vezes   ☐ Algumas vezes

_____ Fiz exercícios espontâneos.

Assinale um item:
☐ Em todas as oportunidades   ☐ Algumas vezes
☐ Uma ou duas vezes   ☐ Nenhuma vez

_____ Fiz exercícios planejados.
_____ Fiz meu planejamento alimentar escrito para amanhã.
_____ Monitorei por escrito todos os alimentos consumidos hoje.
_____ Fiz o Cartão de Enfrentamento para NÃO TENHO ESCOLHA.

Dia 17
ACABE COM OS EXCESSOS ALIMENTARES

Mesmo que você não esteja tentado a comer exageradamente hoje, é indiscutível que as situações que estimulam seu apetite continuarão aparecendo. Se está habituado a comer em casa, por exemplo, pode ter que se esforçar para não repetir o prato. No restaurante, você é, quase sempre, servido com uma quantidade maior de alimento do que sua dieta permite e isso pode estimulá-lo a limpar o prato. Hoje, você vai praticar não comer exageradamente.

Existem duas circunstâncias que você deve encarar como comer em exagero:

- **Comer qualquer alimento numa quantidade maior do que seu planejamento permite.** Talvez você tenha planejado na noite passada comer 180g de frango, mas acabou comendo 300g. Ou talvez tenha planejado comer uma xícara de vegetais crus e acabou comendo duas, já que sua quantidade é ilimitada na dieta.
- **Sentir-se satisfeito antes de terminar de comer,** porém continuar comendo até se sentir saturado.

Se você quiser ser bem sucedido na meta de emagrecer e não voltar a engordar, é necessário aprender a reconhecer o seu ponto de satisfação e, então parar, imediatamente, de comer.

ENCHA O PRATO – MAS, NÃO COMA TUDO

Hoje, você vai colocar em seu prato, de propósito, uma quantidade maior de comida do que você planejou comer para aprender a não comer exageradamente. Escolha uma refeição, preferencialmente o almoço ou o jantar. Escolha um alimento que esteja em sua dieta, mas quero que você, de propósito, sirva-se dele numa quantidade bem maior do que está planejado. Sirva-se também de um alimento não permitido pela dieta. Ao iniciar a refeição, empurre a porção extra, tanto do alimento permitido como do não-permitido, para um dos lados do prato, e coma apenas o que está em seu planejamento alimentar.

Se tiver vontade de comer a porção extra, utilize algumas das técnicas antidesejos aprendidas no dia 13. Se continuar querendo comer mais, responda aos pensamentos sabotadores. Por exemplo, se você pensar: *É uma vergonha deixar alimentos no prato. É ruim desperdiçar alimentos*, diga a si mesmo: *Não tem nada demais deixar comida no prato. Isso me ajudará na meta de emagrecer. Vai me ajudar a fortalecer meu músculo de resistência.*

Lembre-se do bem estar que você vai sentir por não ter comido exageradamente e de como se sentiria mal se o fizesse. Dê uma olhada no passado e reflita sobre as consequências de ter comido exageradamente. Você se sente feliz por ter comido demais, visto que contribuiu para seu peso atual? Ou você lamenta tudo isso? A proporção entre lamentar tudo isso e estar feliz com o resultado de ter comido demais é de 20 mil para 1? Pergunte-se: *Estarei feliz daqui a dez minutos se eu comer exageradamente?*

Quando terminar de comer só o que planejou, lave seu prato. Jogue fora a sobra ou guarde para uma outra refeição. Caso tenha desempenhado esta tarefa facilmente, não será preciso repetir. Porém, se você teve que se esforçar muito para resistir à porção extra de alimento, não se desespere. Elogie-se por ter tentado e observe o que aprendeu com esta experiência. Continue repetindo este exercício até que se torne fácil para você.

Por toda a sua vida, espere encontrar muitas situações nas quais não terá controle sobre a comida que servirão a você (restaurantes, eventos, casa de amigos ou de familiares), quando será beneficiado por este tipo de prática. Pode ser interessante repetir este treinamento na véspera de uma situação na qual você se sentirá tentado a exagerar.

Para ter sucesso em sua meta de emagrecer e não voltar a engordar, é preciso se acostumar a não comer além da quantidade estabelecida no planejamento alimentar.

Na Sessão
com a Dra. Beck

Quando pedi que Ângela fizesse este exercício, ela pensou que seria fácil. Ficou muito surpresa quando percebeu que não era. Falou-me sobre isso na sessão seguinte à experiência.

Dra. Beck: E então Ângela você fez o experimento? Colocou comida extra no seu prato?
Ângela : [respirando fundo] Sim, fiz uma tentativa ontem.
Dra. Beck: E o que achou?
Ângela: Foi difícil – realmente difícil!
Dra. Beck: Diga-me o que aconteceu.
Ângela: Ontem à noite, no jantar, coloquei quase uma porção inteira extra de frango no meu prato.
Dra. Beck: E então?
Ângela: Eu não sei. Isso me deixou realmente muito nervosa.
Dra. Beck: O que foi que você estava pensando?
Ângela: Eu... Simplesmente não gostei de ver isso. Eu não gostei de ver comida no meu prato e não poder comê-la.
Dra. Beck: O que você achou que podesse acontecer?
Ângela: Fiquei com medo de continuar comendo.
Dra. Beck: E você comeu?
Ângela: Não, mas acabei me levantando no meio do jantar e guardei a comida extra na geladeira.
Dra. Beck: Então você conseguiu fazer a metade do experimento.
Ângela: Sim.
Dra. Beck: Quando você pensou: *Eu poderia comer isso*, você respondeu a esse pensamento?
Ângela: Eu não sei do que exatamente você está falando.
Dra. Beck: Você falou para si mesma: *Se eu quiser comer isto, posso me impedir usando as técnicas antidesejos?* Você se lembrou que poderia tê-las usado?
Ângela: Não, acho que não me passou pela cabeça.
Dra. Beck: Você poderia pensar nisto agora? Quais as técnicas antidesejos você poderia ter usado quando se sentiu atraída a comer a porção extra de frango?
Ângela: Eu acho que poderia ter me levantado da mesa por alguns instantes e depois continuado a refeição.
Dra. Beck: Muito bem! O que você acha que poderia ter acontecido se você tivesse respondido ao seu pensamento sabotador, dizendo a si mesma: *Se eu me sentir tentada, posso sempre me levantar e me distrair.* Você teria ficado nervosa?

Ângela: Não, acho que não.
Dra. Beck: Você acha que poderia ter continuado a refeição sem comer a porção extra?
Ângela: Sim, provavelmente.
Dra. Beck: Está certo. E que tal tentar novamente? Poderia experimentar no lanche ou no jantar de hoje?
Ângela: Sim, vou tentar.
Dra. Beck: Você acha que seria melhor se fosse feito com um alimento mais fácil? Que outros alimentos planejados você conseguiria deixar, tranquilamente, no prato?
Ângela: Eu tenho uma sobra de vagem cozida no vapor. Posso colocar uma porção extra no meu prato.
Dra. Beck: Está bem. Comece com a vagem. Aí quem sabe amanhã você possa colocar um pouco de frango extra em seu prato. E no dia seguinte, um pedaço levemente maior para poder ir construindo sua autoconfiança. Está bem assim para você?
Ângela: Está, eu vou tentar assim.
Dra. Beck: Agora, se você tiver algum problema, será por causa de seus pensamentos sabotadores. Vamos deixar voce fazer um Cartão de Enfrentamento agora mesmo.

Ângela fez o seguinte Cartão de Enfrentamento:

> Quando me sentir ansiosa sobre alimentos extras que estão em meu prato, devo lembrar-me que, sempre que pensar em comê-los, posso usar as técnicas antidesejos que aprendi.

Em que você está pensando?

Que pensamentos sabotadores estão atrapalhando a realização deste experimento? Alguns dos mais comuns e suas respostas adaptativas são:

Pensamento sabotador: Eu não tenho que fazer este treinamento. Eu vou conseguir parar de comer sem precisar dele.

Resposta adaptativa: Fazer esta experiência não é assim tão importante. Em todo caso, eu deveria tentar. A pior coisa que pode acontecer é, de fato, não ter precisado fazer este exercício. Posso não aprender nada com ele, mas também posso aprender muito.

Pensamento sabotador: Eu odeio desperdiçar comida deliberadamente.

Resposta adaptativa: O que é melhor, desperdiçar comida deliberadamente ou comer exageradamente e engordar? O que eu diria para a minha melhor amiga se ela estivesse na mesma situação? A verdade é que essa porção extra de alimento vai ser desperdiçada em meu corpo ou no lixo. De qualquer maneira, estará sendo desperdiçada. Não importa o que ouvi de meus pais quando era criança, comer demais não vai solucionar o problema das pessoas que morrem de fome ao redor do mundo.

Comprometa-se
por escrito

Para treinar a habilidade de evitar comer exageradamente, irei:

Quando eu aprender a parar de comer mesmo que ainda tenha comida no meu prato, fazer dieta será mais fácil.

Lista das tarefas de hoje:

Marque as tarefas que você completou. Para qualquer item que não tenha completado, anote agora a data em que irá completá-lo.

_____ Li, pelo menos duas vezes hoje, os Cartões de Enfrentamento das Vantagens de Emagrecer e NÃO TENHO ESCOLHA.

_____ Li outros Cartões de Enfrentamento quando necessário.

_____ Comi devagar, sentado e observando cada porção.

Assinale um item:

☐ Todas as vezes ☐ A maioria das vezes ☐ Algumas vezes

_____ Elogiei-me quando me engajei em comportamentos funcionais para a dieta.

Assinale um item:

☐ Todas as vezes ☐ A maioria das vezes ☐ Algumas vezes

_____ Fiz exercícios espontâneos.

Assinale um item

☐ Em todas as ocasiões ☐ Em algumas ocasiões
☐ Em uma ou duas ocasiões ☐ Em nenhuma ocasião

_____ Fiz exercícios planejados.

_____ Fiz um planejamento alimentar escrito para amanhã.

_____ Monitorei por escrito os alimentos consumidos hoje, logo após as refeições.

_____ Treinei para aprender a não comer exageradamente.

Dia 18
MODIFIQUE SUA DEFINIÇÃO DE SACIEDADE

Desde o começo desta semana, você tem feito um planejamento escrito do que vai comer antes de comer. Você se pergunta: *Por que eu não posso simplesmente comer quando estou com fome e parar de comer quando estou satisfeito?*

O ideal seria que você comesse apenas quando estivesse com fome e parasse de comer quando estivesse quase satisfeito ou satisfeito. Entretanto, é provável que não seja muito bom nessa habilidade. A maioria das pessoas que atendi não sabia reconhecer quando estava sentindo fome e quando não estava. Quando tais pessoas se deixavam guiar pelos sinais da fome, invariavelmente, comiam exageradamente.

Uma maneira de saber se você está comendo exageradamente é imaginar como seria fácil caminhar quase apressadamente antes de comer. Você deveria ser capaz de caminhar nesse ritmo, com a mesma facilidade, depois da refeição. Se não consegue fazer uma caminhada assim depois de comer, significa que você comeu em exagero e que talvez tenha uma definição irrealista de saciedade.

Pessoas magras sentem-se desconfortáveis ao perceberem que comeram a ponto de dificultar uma caminhada que fariam com facilidade antes de comer. Mas, quando você come dessa forma, talvez não sinta o mesmo desconforto por achar que essas sensações são normais. É possível que sua definição de saciedade faça parte das razões pelas quais você engordou e também da sua dificuldade para emagrecer.

Você pode comer além do ponto da saciedade normal por várias outras razões, por exemplo: para prolongar a experiência de comer – isto é, ter alimentos em sua boca por um tempo maior; por sentir dificuldade em desviar a atenção da comida já que sabe que está totalmente disponível; por pensar que, se não comer agora, sentirá muita fome antes da próxima refeição. Talvez, você associe a sensação de estar super satisfeito com sentimento de segurança ou proteção contra o desconforto. Em outras palavras, você come mais agora para evitar o desconforto de sentir fome mais tarde.

Se não consegue facilmente fazer uma caminhada, quase apressadamente, depois da refeição, significa que você comeu em exagero e talvez tenha uma definição irrealista de saciedade.

QUEBRE A CONEXÃO

Para que você possa emagrecer e não engordar mais, precisa desfazer a associação existente entre ter comido demais e estar satisfeito. Isso não acontecerá sem que você faça muitas e muitas experiências de comer até estar apenas satisfeito e dizer a si mesmo: *É ótimo ter parado de comer agora.* Então, você vai começar a associar o fato de ter comido demais à anormalidade. Quando você desfizer essa associação, terá muito menos dificuldades e se sentirá muito menos em privação. Faça o seguinte:

- Durante um mês, depois de cada refeição, pergunte para si mesmo: *Será que consigo fazer uma caminhada, quase apressadamente?* Se estiver em dúvida, tente fazer a caminhada.
- Se a resposta é afirmativa, diga: *Ótimo, estou experimentando uma saciedade normal.*
- Se a resposta é negativa, diga: *Parece que comi demais. Não é normal. Na minha próxima refeição, vou me controlar para não colocar muita comida no prato.*
- Todas as vezes em que você gostaria de comer exageradamente e não o faz, elogie-se. Você pode dizer, por exemplo: *É muito bom exercitar meu músculo de resistência.*
- Se você se sente estimulado a comer exageradamente, remova os estímulos. Por exemplo, se está em uma refeição em família, afaste para longe os talheres que usou para pegar a comida depois que todos se serviram. Se alguém o está servindo e coloca muita comida em seu prato, empurre a quantidade extra para a beirada do prato. Peça a alguém da família guardar as sobras e também para limpar e raspar o prato.
- Responda a seus pensamentos sabotadores. Depois de ter terminado de comer o que havia planejado, talvez você pense: *Ah, eu queria muito comer mais um pouco.* Se isso acontecer, diga: *Não, estou satisfeito. Quero ficar magro, então vou parar de comer agora.*
- Se estiver ansioso, recorde-se de que comer não é uma emergência. Lembre-se de que você pode tolerar esta sensação – você já provou isso no Dia 12. A fome vem e vai, e certamente você consegue esperar até sua próxima refeição – sempre vai haver outra refeição chegando.

Se você consegue parar de comer antes de ter comido demais, talvez só precise fazer esta tarefa uma única vez. Por outro lado, se você é daquelas pessoas que tem que se esforçar muito para parar antes de comer exageradamente, talvez tenha que trabalhar continuamente nesta habilidade por várias semanas.

> **Dica!** Se você termina de comer o que está no seu prato e se sente decepcionado por não poder comer mais, lembre-se de que comerá novamente daqui a pouco. Você poderia dizer: *Tudo bem, irei lanchar daqui a três horas – uma maçã e um pedaço de queijo. Posso esperar.* Então, leia imediatamente seu Cartão de Enfrentamento para lembrar do porquê vale a pena superar esta decepção momentânea.

Em que você está pensando?

Você está resistente com a ideia de ter que comer menos? Então, leia os seguintes pensamentos sabotadores e crie Cartões de Enfrentamento baseados nas respostas abaixo.

Pensamento sabotador: Eu gosto da sensação de ter realmente comido demais.
Resposta adaptativa: Preciso aceitar que esta sensação não é considerada normal. Estou, de fato, comendo além da saciedade, e isso tem contribuído para o meu sobrepeso.

Pensamento sabotador: Minha dieta diz que posso comer quantias ilimitadas de determinados alimentos. Qual é o mal de comê-los em grande quantidade, então?
Resposta adaptativa: Existirão muitas e muitas situações nas quais não terei acesso aos alimentos que posso comer à vontade: restaurantes, bufês, e encontros sociais. Se eu não estiver praticando repetidamente a habilidade de comer até a saciedade normal, é provável que eu coma muito mais, inclusive alimentos limitados, em situações como essas.

Pensamento sabotador: E se eu ficar com fome antes da próxima refeição?
Resposta adaptativa: Aprendi no Dia 12 que a fome não é uma emergência, que posso tolerar as sensações da fome e que, se eu não ficar focado nela, a fome irá se dissipar. Se eu ainda não estiver confiante nas minhas habilidades para tolerar a fome, devo repetir as tarefas do Dia 12 além das tarefas que tenho que fazer hoje.

Comprometa-se
por escrito

Quando eu reconhecer a sensação normal de saciedade, irei: _____
_____
_____
_____

Quando eu conseguir modificar meu conceito
de saciedade, fazer dieta será mais fácil.

Lista das tarefas de hoje:

Marque as tarefas que você completou. Para qualquer item que não tenha completado, anote agora a data em que irá completá-lo.

_____ Li, pelo menos duas vezes hoje, o Cartão de Enfrentamento das Vantagens de Emagrecer e NÃO TENHO ESCOLHA.
_____ Li outros Cartões de Enfrentamento quando necessário.
_____ Comi devagar, sentado e observando cada porção.

Assinale um item:
☐ Todas as vezes ☐ A maioria das vezes ☐ Algumas vezes

_____ Elogiei-me quando me engajei em comportamentos funcionais para a dieta.

Assinale um item:
☐ Todas as vezes ☐ A maioria das vezes ☐ Algumas vezes

_____ Fiz exercícios espontâneos.

Assinale um item:
☐ Em todas as ocasiões ☐ Em algumas ocasiões
☐ Em uma ou duas ocasiões ☐ Em nenhuma ocasião

_____ Fiz exercícios planejados.
_____ Fiz um planejamento alimentar escrito para amanhã.
_____ Monitorei por escrito os alimentos consumidos hoje, logo após as refeições.
_____ Comi apenas até a saciedade normal.

Assinale um item:
☐ Todas as vezes ☐ A maioria das vezes ☐ Algumas vezes

Dia 19
PARE DE SE ENGANAR

Quem faz dieta tem uma surpreendente capacidade de se enganar a respeito de alimentação. Eles podem ser racionais e razoáveis em outras situações, mas quanto a dietas, não. Pense nas outras vezes que você precisou restringir a alimentação fazendo uma dieta. Você deu a si mesmo uma desculpa esfarrapada para comer?

Leia a lista de pensamentos sabotadores auto-ilusórios e confira os que você teve quando fez outras dietas:

Tudo bem comer isto porque....
- Não é um pedaço inteiro.
- Vou comer só dessa vez.
- Não é tão calórico.
- Vou compensar comendo menos, mais tarde.
- Não vai fazer diferença.
- Paguei por essa comida.
- Vai ser um desperdício.
- Vou desapontar alguém se não comer isto.
- Todo mundo está comendo.
- Estou comemorando.
- Ninguém me verá comendo isso.
- São só migalhas.
- É de graça.
- Quero mesmo comer isso.
- É uma ocasião especial.
- Estou chateado e simplesmente não ligo pra isso.
- Estou com desejo de comer isto e, além do mais, é algo que não tenho oportunidade de comer a toda hora.

Esses pensamentos iludem você e o levam a comer o que não deveria. Além disso, caloria é caloria, não importa quando, onde ou porque você esteja comendo. Talvez, neste momento, você consiga perceber a irracionalidade dessas ideias. Porém, no momento em que você realmente quer comer algo, pode tentar se convencer de que esses pensamentos são válidos.

COMO PARAR DE SE ENGANAR

Na próxima vez em que sentir um impulso para comer alguma coisa que não faz parte do seu planejamento, observe o que está passando pela sua cabeça. Somente em raras ocasiões, as pessoas levam comida à boca sem ter um pensamento que precede o ato de comer. Preste atenção, especialmente nos pensamentos que começam com a frase: *Tudo bem comer isto porque...*

Esses pensamentos são, normalmente, auto-ilusórios. Você precisa se preparar previamente para eles. Crie um Cartão de Enfrentamento do tipo "Não está certo", como no exemplo a seguir, e leia esse cartão diariamente, talvez sempre que ler o Cartão de Enfrentamento de Vantagens de Emagrecer. Além disso, pegue-o sempre que se achar em risco de sair do planejamento alimentar.

Medindo os alimentos

Se a sua dieta exige que você meça a quantidade de alimentos que pode comer, não se engane pensando que consegue medir com precisão sem instrumentos. As pessoas que não medem ou pesam sua comida, notoriamente subestimam as porções. Talvez comer um pouquinho de alimento a mais em cada refeição por não saber a medida exata não tenha importância neste momento, mas, em algum momento, fará diferença. Você precisa encarar com franqueza suas decisões sobre alimentação. Se vai comer mais do que sua dieta propõe, o faça deliberadamente e não porque você falsamente se conforta pensando: *Tudo bem se eu não souber exatamente o quanto estou comendo.*

Você não terá que medir os alimentos pelo resto de sua vida. Assim que estiver apto a calcular a medida das porções apenas visualizando-as, poderá parar de medi-las. (Claro que, quando você incluir um novo alimento na sua dieta, precisará medi-lo).

Como você saberá se está preparado para parar de medir os alimentos? Sirva-se de um alimento e então meça antes de comer. Se você se aproximou do resultado, provavelmente está pronto para parar com a medição desse alimento. No entanto, é uma boa ideia medir sua comida periodicamente para avaliar se sua estimativa está sendo precisa.

Não Está Certo

Não está certo comer qualquer tipo de comida se ela não está no planejamento. Estou apenas tentando me enganar. Cada vez que eu como algo que não devo, fortaleço meu músculo de desistência e enfraqueço o de resistência. Posso até me sentir bem logo após comer, mas vou me sentir mal depois. Se eu desejo emagrecer e nunca mais voltar a engordar, eu, absolutamente, preciso parar de me iludir.

Em que você está pensando?

Você pode não ter muitos pensamentos auto-ilusórios e sabotadores neste minuto. Mas, provavelmente, eles aparecerão mais tarde, quando você quiser comer algo que não deve. Esteja preparado e tenha suas respostas prontas.

Pensamento sabotador: Tudo bem comer isto porque a quantidade é tão pequena.
Resposta adaptativa: O fato do alimento não conter muitas calorias não significa que eu deva comer. Eu não deveria. Preciso usar todas as oportunidades para quebrar meu hábito de comer coisas que não planejei.
Pensamento sabotador: Tudo bem comer isto porque, do contrário, estarei desperdiçando dinheiro.
Resposta adaptativa: É melhor perder dinheiro do que ganhar peso.
Pensamento sabotador: Tudo bem comer isto porque todo mundo está comendo também.
Resposta adaptativa: Preciso decidir se quero comer igual os outros e permanecer com sobrepeso ou controlar minha alimentação e emagrecer.
Pensamento sabotador: Tudo bem comer isto porque eu quero - e, além disso, eu realmente não me importo.
Resposta adaptativa: Posso não me importar neste exato momento, mas com certeza me importarei em poucos minutos – ficarei muito infeliz por comer algo que não devo. E, tenho certeza de que me importarei quando descobrir que não estou emagrecendo.

Comprometa-se
por escrito

Na próxima vez que me surpreender tendo pensamentos auto-ilusórios, irei: _____
_____
_____
_____
_____
_____

*Quando eu parar de me enganar sobre minha
alimentação, fazer dieta será mais fácil.*

Lista das tarefas de hoje:

Marque as tarefas que você completou. Para qualquer item que não tenha completado, anote agora a data em que irá completá-lo.

_____ Li, pelo menos duas vezes hoje, os Cartões de Enfrentamento das Vantagens de emagrecer e NÃO TENHO ESCOLHA.

_____ Li outros Cartões de Enfrentamento quando necessário.

_____ Comi devagar, sentado e observando cada porção.

Assinale um item:

☐ Todas as vezes   ☐ A maioria das vezes   ☐ Algumas vezes.

_____ Elogiei-me quando me engajei em comportamentos funcionais para a dieta.

Assinale um item:

☐ Todas as vezes   ☐ A maioria das vezes   ☐ Algumas vezes

_____ Fiz exercícios espontâneos.

_____ Fiz exercícios planejados.

_____ Fiz um planejamento alimentar escrito para amanhã.

_____ Monitorei por escrito os alimentos consumidos hoje, logo após as refeições.

_____ Comi apenas até a saciedade normal.

_____ Criei um Cartão de Enfrentamento dizendo: "Não está certo".

Dia 20
VOLTE AOS TRILHOS

Ontem, você aprendeu sobre pensamentos auto-ilusórios que tendem a fazer com que você ceda às vontades e aos desejos de comer. Hoje, você vai aprender a responder a um desses pensamentos especificamente – aquele que o incentiva a abandonar a dieta *pelo resto do dia,* depois que você comeu alguma coisa não planejada. Seu pensamento pode ser parecido com: *Não posso acreditar que me dei permissão para comer isto! Eu realmente estraguei tudo. Então, agora, vou comer o que quiser durante o dia inteiro e retomar a dieta amanhã.*

Mas, não há razão para esperar. Será que você estragou tudo, de verdade? Claro que não!

O que você comeu? Um hambúrguer extra? Um sonho recheado? Um pedaço de torta? Vamos supor que você tenha comido um alimento contendo 500 calorias. Para engordar 450g, você teria que comer aproximadamente 3500 calorias extras – sete vezes mais do que você comeu; 500 a mais não irá afetar substancialmente o seu peso. Então, você comeu 500 calorias extras – bem, e daí? Faz mais sentido parar agora ou continuar comendo? Não há motivo para continuar comendo 100, 200, 300 ou até mesmo 3000 calorias extras.

Essa ideia está representada graficamente mais adiante. Viu o que acontece quando você tenta se enganar? É claro que é melhor parar de comer assim que possível. É destrutivo comer alimentos não planejados pelo resto do dia, apenas porque você comeu algo que não estava na sua programação alimentar.

VOLTE PARA A DIETA, AGORA.

Se você se sentir tentado a continuar comendo o que não deve, faça o seguinte:

Reconheça que cometeu esse deslize. Diga para si mesmo: *Tudo bem, eu não deveria ter comido aquilo. Cometi um erro. Mas, com certeza, não vai ser este erro que vai me fazer engordar nesta semana.*

Comprometa-se novamente com a dieta. Leia este capítulo outra vez, assim como outras partes deste livro ou Cartões de Enfrentamento relevantes para este problema.

Crie um limite simbólico. Não se permita esperar até amanhã para voltar à dieta. Em vez disso, diga: *Aqui está o meu limite, bem aqui,* *onde eu vou parar de comer alimentos que não planejei.* Sinalize esse limite com ações como escovar os dentes, lixar as unhas, dar um passeio, telefonar para um amigo ou para o técnico de dieta, ou se engajar em alguma atividade não relacionada à comida.

Um pedaço grande de bolo coberto de glacê **500 calorias**
Um pedaço de bolo coberto de glacê e um sonho **800 calorias**
Um pedaço grande de bolo coberto de glacê, um sonho e um pote de sorvete **1200 calorias**
Um pedaço grande de bolo coberto de glacê, um sonho, um pote de sorvete e um chocolate **1500 calorias**
Um pedaço grande de bolo coberto de glacê, um sonho, um pote de sorvete, um chocolate e um pacote de batata frita **2000 calorias**
Um pedaço grande de bolo coberto de glacê, um sonho, um pote de sorvete, um chocolate, um pacote de batata frita e 3 pedaços de queijo **2300 calorias**
Um pedaço grande de bolo coberto de glacê, um sonho, uma colher de sorvete, um chocolate, um pacote de batata frita, 3 pedaços de queijo, 2 bolachas de chocolate, 1 *muffin grande*, 3 colheres de geleia de amendoim e 1 *pretzel* **3500 calorias**

É destrutivo continuar comendo de forma impulsiva pelo resto do dia só porque você comeu alguma coisa que não estava no seu planejamento alimentar.

Elogie-se por ter parado de comer – seja qual for o momento quando isso ocorreu. Se você desejava continuar comendo, mas não o fez, merece elogios! É importante não se sentir desmoralizado. Você precisa se dar um desconto por ser um ser humano e ter cometido um erro.

Fique atento a sentimentos de fracasso e desamparo. Ao cometer um deslize, é possível que se sinta fracassado e acredite que simplesmente não é capaz de fazer dieta. É essencial ter em mente que lapsos são inevitáveis; é *normal* desviar-se da dieta de vez em quando. Ninguém é perfeito.

Continue a comer normalmente. Algumas pessoas pensam: *Agora que comi algo que não podia, tenho que compensar, não comendo mais nada pelo resto do dia*. Ao pensar assim, você pode se sentir infeliz, ressentido ou ansioso, com a expectativa de que terá muita fome mais tarde. E então, pode acabar decidindo comer tudo o que quiser. É preciso colocar esse erro em perspectiva. Não é um problema tão grande. Vá em frente e continue seguindo o planejamento pelo resto do dia.

Aprenda com tudo isso. Avalie seu erro com o técnico da dieta. Use esta experiência como uma oportunidade para aprender a evitar ocorrências semelhantes no futuro. Por exemplo, você, alguma vez:

- Esqueceu de rever seus Cartões de Enfrentamento das Vantagens, NÃO TENHO ESCOLHA e Não está Certo?
- Negligenciou o planejamento alimentar?
- Esqueceu (ou não se preocupou) de levar seu planejamento com você?
- Encontrou-se com alguém que insistiu para que você comesse?
- Tentou comer como outras pessoas com quem estava?
- Encontrou um estímulo inesperado?
- Ficou cercado de alimentos que não planejou comer?

É claro que Janice não havia planejado comer aquele pedaço de pizza antes do jantar. Mas a caixa da pizza estava olhando fixamente para ela quando abriu a geladeira, procurando algo para beber. Depois de comer (de pé, ao lado da geladeira), ela percebeu que devia ter jogado fora o resto de pizza ou embrulhado bem e colocado em um lugar da geladeira onde não estivesse tão visível. Ela percebeu também que havia chegado muito estressada do trabalho e que teria sido melhor ter permanecido no carro e usado a estratégia de respiração controlada para relaxar, pelo menos por alguns minutos, antes de entrar em casa.

O que é uma compulsão?

Compulsão é uma forma extrema de comer exageradamente. Quando as pessoas são compulsivas, elas sentem um impulso desesperado para continuar comendo. Elas bloqueiam a voz da razão e se sentem fora do controle, algumas vezes como se estivessem quase em transe. Elas comem uma quantidade extremamente grande de alimento – quase sempre

> rapidamente – e ficam desconfortavelmente satisfeitas. Muitas pessoas têm conseguido controlar a compulsão usando as técnicas deste livro. Se você está seguindo este programa fielmente, mas ainda tem episódios frequentes de compulsão, talvez precise consultar um profissional da área de saúde mental.

Para se preparar para as ocasiões em que você come o que não é esperado, crie, agora mesmo, um Cartão de Enfrentamento sobre Voltar para os Trilhos. Leia, pelo menos uma vez por dia, e também nos momentos em que precisar. Inspire-se no modelo abaixo:

Volte aos trilhos

Se eu comer o que não devo, ainda assim, não terei estragado tudo. Isso não é o fim do mundo. Eu posso retomar meu planejamento alimentar neste minuto. Só porque cometi um erro, não significa que tenho que continuar comendo. Isso não faz sentido. É milhões de vezes melhor parar agora do que me dar permissão para comer mais.

Em que você está pensando?

Talvez, neste momento, você não tenha os pensamentos sabotadores relacionados abaixo, mas os terá na hora em que se afastar do seu planejamento. Inclua tudo que lhe parece útil no seu Cartão de Enfrentamento sobre Voltar aos Trilhos.

Pensamento sabotador: Eu não acredito que comi! Eu nunca vou emagrecer!

Resposta adaptativa: O que meu técnico de dieta me diria se soubesse que fiz isso? Talvez, dissesse: "Não se sinta mal. Uma hora ou outra, todo mundo come exageradamente. Você pode recomeçar agora mesmo. Isso não é um problema tão grave. Dê um desconto para você".

Pensamento sabotador: Isto é muito difícil. Eu não consigo. Eu nunca vou ser capaz de parar de comer deste jeito. Eu acho que vou desistir.

Resposta adaptativa: Bem, então cometi um erro. Cometer erros é inevitável. É irracional esperar que eu seja perfeito o tempo todo. Não sou um fracassado. Posso aprender com esta experiência, e isso vai me ajudar da próxima vez.

Comprometa-se
por escrito

Quando cometer um erro e comer o que não estava planejado, irei: _____
_____
_____

> *Quando eu encarar meus deslizes apenas como erros e decidir me comprometer novamente, no mesmo momento, com o planejamento alimentar, fazer dieta será mais fácil.*

Lista das tarefas de hoje:

Marque as tarefas que você completou. Para qualquer item que não tenha completado, anote agora a data em que irá completá-lo.

_____ Li, pelo menos duas vezes hoje, os Cartões de Enfrentamento das Vantagens de emagrecer, NÃO TENHO ESCOLHA, Não está certo e Volte aos Trilhos.

_____ Li outros Cartões de Enfrentamento quando necessário.

_____ Comi devagar, sentado e observando cada porção.

Assinale um item

☐ Todas as vezes   ☐ A maioria das vezes   ☐ Algumas vezes

_____ Elogiei-me quando me engajei em comportamentos funcionais para a dieta.

Assinale um item:

☐ Todas as vezes   ☐ A maioria das vezes   ☐ Algumas vezes

_____ Fiz exercícios espontâneos.

Assinale um item:

☐ Em todas as ocasiões   ☐ Em algumas ocasiões
☐ Em uma ou duas ocasiões   ☐ Em nenhuma ocasião

_____ Fiz exercícios planejados.

_____ Fiz um planejamento alimentar escrito para amanhã.

_____ Monitorei por escrito os alimentos consumidos hoje, logo após as refeições.

_____ Comi apenas até a saciedade normal.

_____ Identifiquei e respondi a pensamentos autoilusórios.

_____ Criei um Cartão de Enfrentamento sobre Voltar aos Trilhos.

Dia 21
PREPARE-SE PARA SE PESAR

Amanhã, você irá subir na balança e descobrir se emagreceu durante esta semana. As pesagens semanais podem ajudá-lo de várias maneiras:

- **Permitindo que comemore e fortaleça sua autoconfiança quando consegue emagrecer**. É importante reconhecer que seu árduo trabalho o conduziu diretamente para a diminuição de seu peso (isso não foi uma mágica) e se sentir bem com os resultados.
- **Possibilitando que se mantenha honesto se engordou**. Se você não está seguindo todos os passos deste programa, as pesagens regulares fazem você encarar o fato de que não poderá ter sucesso se continuar fazendo apenas os passos do programa que tem vontade.
- **Ajudando a permanecer comprometido com este programa**. Se você está contente porque emagreceu, irá se sentir motivado a continuar fazendo as coisas desta maneira. Se estiver desapontado, irá avaliar onde errou, reler alguns capítulos deste livro e recomeçar.

Mas, seja cuidadoso: *se você pisar na balança com a programação mental inapropriada*, pesar-se pode desgastar sua motivação mais do que ajudar.

OS NÚMEROS DA BALANÇA

**Pense nas vezes em que se pesava e se sentia infeliz.
O cenário seguinte lhe parece familiar?**

Situação: ↓	Você sobe na balança e se depara com um número maior do que o esperado.
Pensamento sabotador: ↓	Eu não posso acreditar nisso. Isso é realmente terrível.
Emoção: ↓	Chateado (com raiva, triste, desmoralizado, sem esperança).
Comportamento:	Embarcar "em um mau dia de alimentação".

Se você encarar o resultado da balança como evidência de sua fraqueza, de sua inadequação ou falta de controle, então o ganho de peso (ou uma perda menor do que a esperada) poderá, facilmente, resultar em comilança.

É muito importante usar a balança como um instrumento de informação que fornece dados para que você possa guiar sua alimentação. Se você verificasse sua temperatura, usaria o número apontado pelo termômetro para ajudá-lo a decidir se deveria ir para o trabalho, se deveria tomar um anti-térmico ou se deveria ligar para seu médico. Ao se pesar, use o resultado da balança como um guia para decidir se você deve continuar fazendo o que tem feito ou se deve fazer algumas modificações.

Certo dia, a balança vai registrar exatamente o peso que deveria registrar, em função daquilo que você comeu, da energia que gastou nos últimos dias, da quantidade de líquido retido e de outras influências biológicas.

Antes de subir na balança, tente não pensar: *Espero estar pesando "X" quilos*. Em vez disso, pense: *Na última semana pesei "X". Hoje eu deveria estar pesando entre 450g e 1 quilo a menos do que o último peso.*

Se o número mostrado na balança não baixou – ou não baixou muito – e você suspeita de que está comendo demais, não perca tempo culpando-se e tendo pensamentos negativos.

Considere o que pode estar fazendo de errado e faça algo positivo para resolver o problema. Talvez você esteja sendo muito flexível na hora de medir a porção de comida ou de contar calorias ou carboidratos. Talvez precise acrescentar, todos os dias, alguns minutos em seus exercícios planejados. Peça ajuda ao seu técnico de dieta para implementar qualquer tarefa que você precisa praticar.

Se o resultado da balança indicar que você não emagreceu, apesar de estar seguindo, de fato, o planejamento alimentar e os exercícios, não se apavore. É normal aumentar ou diminuir 900 gramas em determinados dias por motivos hormonais ou fisiológicos. Neste caso, sem dúvida, você vai emagrecer na próxima semana se continuar seguindo sua dieta.

Não importa qual será o peso de amanhã, dê um passo para trás e lembre-se: em determinado dia, o número da balança é exatamente o que deveria ser, dado o que você comeu, quanta energia gastou nos últimos cinco dias, a quantidade de líquido retida e outras influências biológicas.

Se o resultado da pesagem for menor, fique feliz, mesmo que tenha emagrecido apenas um pouquinho. Como eu digo para as pessoas que atendo, nós comemoramos cada 200 gramas que emagrecemos.

P: Posso me pesar mais do que uma vez por semana?
R: Sim, e algumas pessoas perceberam que se pesar diariamente as ajudou a se dessensibilizarem em relação à balança. No entanto, não o faça mais de uma vez por dia. Isto é um sinal de que você está obcecado por dieta e não tem uma perspectiva saudável sobre outros aspectos, também importantes, de sua vida.

FAÇA SEU GRÁFICO

Hoje, você irá criar o Gráfico de Emagrecimento, que o ajudará a manter seu peso em perspectiva. Mesmo que você se pese diariamente, registre apenas o peso de um dia da semana. No mesmo dia da semana, toda a semana, pese-se e anote o número da balança em seu caderno de dieta. Com o tempo, você preencherá um gráfico similar ao que Telmo preencheu:

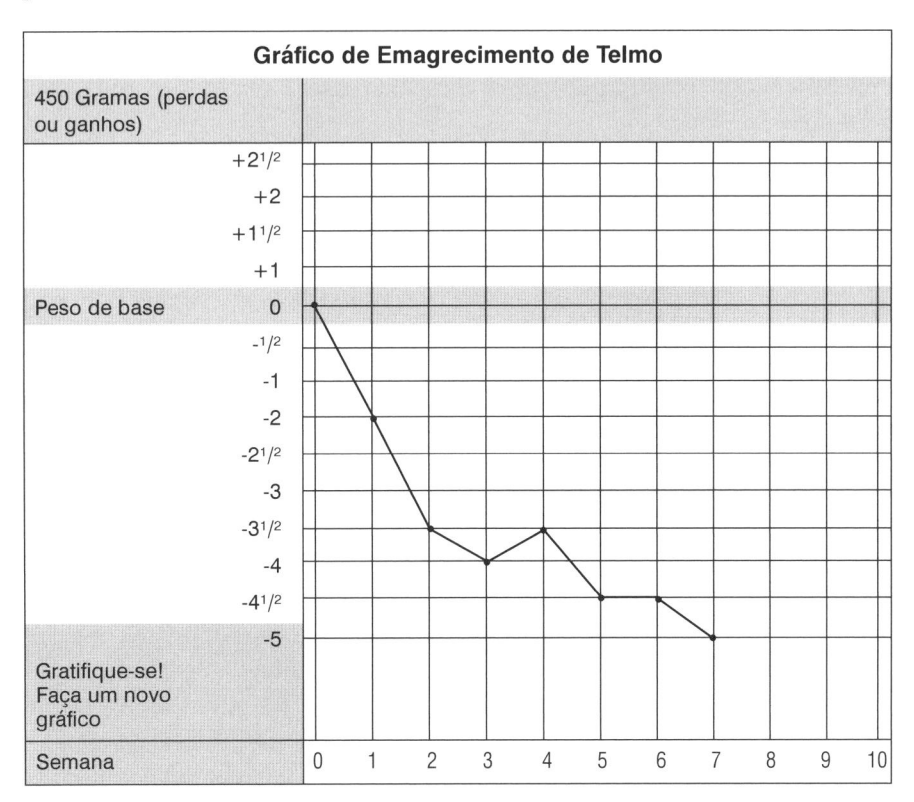

	Gráfico de Emagrecimento de Telmo										
450 Gramas (perdas ou ganhos)											
	$+2^{1/2}$										
	$+2$										
	$+1^{1/2}$										
	$+1$										
Peso de base	0										
	$-1/2$										
	-1										
	-2										
	$-2^{1/2}$										
	-3										
	$-3^{1/2}$										
	-4										
	$-4^{1/2}$										
	-5										
Gratifique-se! Faça um novo gráfico											
Semana		0	1	2	3	4	5	6	7	8	9	10

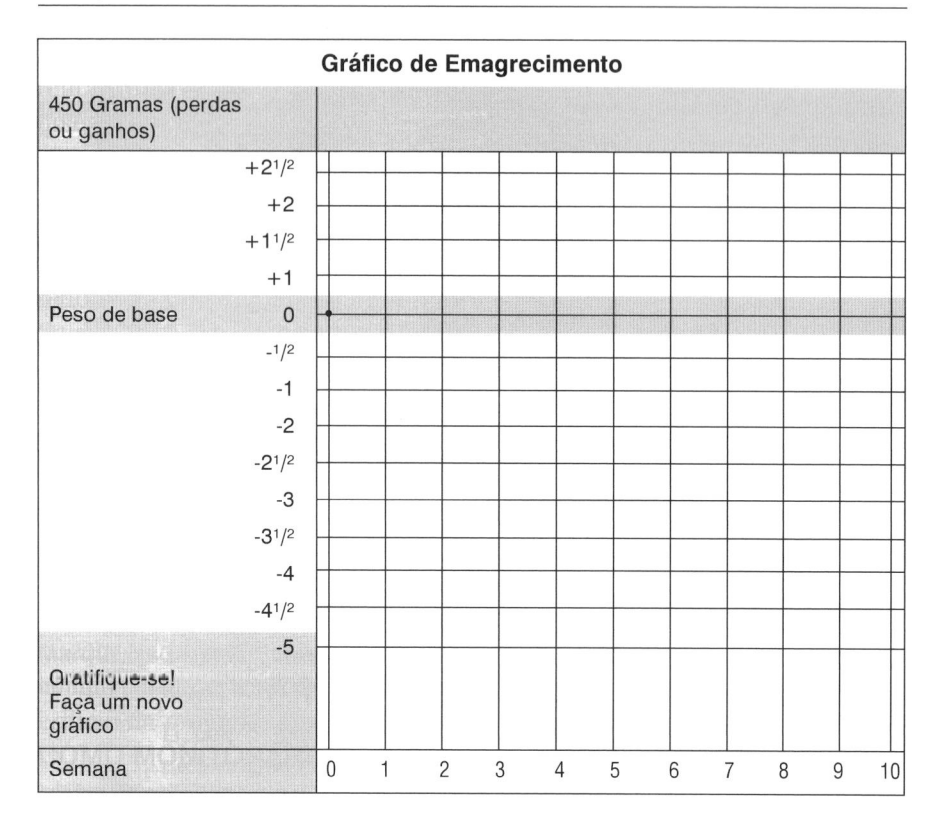

Gráfico de Emagrecimento												
450 Gramas (perdas ou ganhos)												
	+2¹/²											
	+2											
	+1¹/²											
	+1											
Peso de base	0											
	-¹/²											
	-1											
	-2											
	-2¹/²											
	-3											
	-3¹/²											
	-4											
	-4¹/²											
	-5											
Gratifique-se! Faça um novo gráfico												
Semana		0	1	2	3	4	5	6	7	8	9	10

Desenhe um gráfico como este em seu caderno de dieta, tire uma fotocópia ou utilize uma folha de papel própria para gráficos. Assim que você terminar de preencher este gráfico inicial (porque você emagreceu mais de 2 quilos ou está fazendo dieta há mais de 10 semanas), desenhe outro gráfico e assim por diante. Estes gráficos dão a você a perspectiva geral do seu progresso. Eles ajudam a prevenir o foco somente no número revelado pela balança em um determinado dia.

Não há necessidade de escrever o peso atual no gráfico (mas poderá escrevê-lo embaixo como "Peso de Base", se desejar); o que você vai fazer é marcar a diferença entre o peso da semana anterior e o atual, para menos ou para mais. Observe que comecei este gráfico para você, colocando um ponto em "0". Amanhã, você vai observar quanto seu peso mudou e colocar um outro ponto, representando essa mudança na linha da Semana 1.

É importante que saiba que praticamente ninguém emagrece a mesma quantidade de peso toda semana. A maioria das pessoas são como Telmo, começam emagrecendo rapidamente e então emagrecem mais devagar. *Todos* passam por situações em que o peso permanece o mesmo ou aumenta um pouco, de uma semana para outra. O gráfico típico do emagrecimento mais parece uma linha em zig-zag e inclinada do que uma linha reta inclinada. Seja confiante. Em geral, seu peso diminuirá, mas é improvável que diminua toda semana.

Este gráfico poderá ajudá-lo também seguir o programa de maneira constante. Muitos dos pacientes que atendi confessaram que ficavam motivados a não ceder aos desejos, em parte, porque queriam ser capazes de marcar o ponto e ver a linha descendo.

Não espere emagrecer todas as semanas. Isso não vai acontecer.

Se você engordar, faça as seguintes questões:
O que eu diria a um amigo que estivesse na mesma situação? Eu iria gostar menos dele por isso? Eu o veria como uma pessoa má ou de menor valor ou como um fracassado? Lembre-se de que seu peso não é o reflexo do que você é por dentro.

O que me faz pensar que irei emagrecer toda semana? A maioria das pessoas emagrece um pouco, atingem um platô, emagrecem um pouco mais, engordam um pouco novamente, emagrecem um pouco mais, atingem outro platô e assim por diante. Porque seria diferente comigo?

O que eu deveria rever com meu técnico de dieta? Será que preciso de ajuda para manter este aumento de peso em perspectiva?

Em que você está pensando?

Como você está se sentindo a respeito de se pesar amanhã: animado? Ansioso? Amedrontado? Muitas pessoas me dizem que têm medo da balança. Se você é como elas, é possível que invente desculpas para não se pesar.

Você pode precisar fazer Cartões de Enfrentamento, caso esteja com alguns desses pensamentos:

Pensamento sabotador: Não preciso me pesar. Eu ficarei sabendo como estou indo através das minhas roupas.

Resposta adaptativa: É preciso aprender a habilidade de usar o resultado da balança como uma informação que direcionará meu planejamento alimentar e o de exercícios. Estou me iludindo se penso que posso controlar meu peso sem essas informações. Se eu for como outras pessoas que fazem dieta, provavelmente tenho uma tendência a superestimar ou subestimar meu peso, o que, em ambos os casos, poderá me conduzir a consequências negativas.

Pensamento sabotador: Não quero me pesar; acho que engordei.

Resposta adaptativa: Posso ter engordado ou não. Se eu engordei, isso não é o fim do mundo, mas preciso saber porque assim eu resolvo o que fazer. Tenho que superar o medo da balança. É muito importante encarar os fatos.

Pensamento sabotador: Vou me sentir horrível se o resultado da balança for maior!

Resposta adaptativa: Só me sentirei horrível se deixar que meus pensamentos sabotadores me convençam de que sou mau ou fraco por ter engordado. Na pior das hipóteses, ganhar peso significa que eu devo ter cometido enganos passíveis de serem corrigidos durante a próxima semana.

Comprometa-se
por escrito

Antes de subir na balança, amanhã, vou dizer a mim mesmo: _____
_____
_____
_____

Quando eu aprender a usar o resultado da balança como informação para guiar meu planejamento alimentar, fazer dieta será mais fácil.

Lista das tarefas de hoje:

Marque as tarefas que você completou. Para qualquer item que não tenha completado, anote agora a data em que irá completá-lo.

- _____ Li, pelo menos duas vezes hoje, os Cartões de Enfrentamento das Vantagens de emagrecer, NÃO TENHO ESCOLHA, Não está certo e Volte aos Trilhos.
- _____ Li outros Cartões de Enfrentamento quando necessário.
- _____ Comi devagar, sentado e observando cada porção.

Assinale um item:
- ☐ Todas as vezes ☐ A maioria das vezes ☐ Algumas vezes

- _____ Elogiei-me quando me engajei em comportamentos funcionais para a dieta.

Assinale um item:
- ☐ Todas as vezes ☐ A maioria das vezes ☐ Algumas vezes

- _____ Fiz exercícios espontâneos.

Assinale um item:
- ☐ Em todas as ocasiões ☐ Em algumas ocasiões
- ☐ Em uma ou duas ocasiões ☐ Em nenhuma ocasião

- _____ Fiz exercícios planejados.
- _____ Fiz um planejamento alimentar escrito para amanhã.
- _____ Monitorei por escrito os alimentos consumidos hoje, logo após as refeições.
- _____ Comi apenas até a saciedade normal.
- _____ Fiz meu gráfico de emagrecimento

8
Semana 4
Reaja aos pensamentos sabotadores

Como você está indo em seus esforços para emagrecer? Espero que esteja usando as habilidades da terapia cognitiva diariamente. Algumas já devem estar automáticas. Outras provavelmente ainda ofereçam dificuldades. Por exemplo, é provável que você ainda encontre dificuldade para planejar e monitorar a alimentação, tolerar desejos e ter bons hábitos alimentares. Outras habilidades podem ainda requerer atenção considerável e energia também. Talvez você precise reler frequentemente o material das páginas anteriores deste livro. Continue! Suas habilidades se tornarão cada vez mais automáticas com o passar dos dias. Conforme pratica, todas elas se tornarão naturais. Em determinado momento, tudo ficará muito, muito mais fácil para você.

Nesta semana, continuaremos a construir seu senso de autocontrole e autoconfiança. A cada dia, você identificará e reagirá aos pensamentos sabotadores que o levaram a comer sem planejamento anteriormente. Você aprenderá também a reagir aos sentimentos de:

- Decepção: Eu realmente queria poder comer isto.
- Injustiça: Não é justo que todos possam comer esta comida e eu não.
- Sobrecarga: Isto é muito difícil. Não posso continuar.

Embora você saiba que tem novas habilidades para lutar contra seus pensamentos sabotadores e aumentar sua autoconfiança, você deve esperar momentos de dúvidas e desapontamentos.

Identificar e responder aos pensamentos sabotadores representa uma das mais importantes habilidades que este programa oferece. Quando a semana terminar, você estará mais bem equipado para pensar como uma pessoa magra.

Dia 22
DIGA "PACIÊNCIA" PARA A DECEPÇÃO

Em algum momento da fase de emagrecimento, sem dúvida, você se sentirá desmotivado. Hoje, por exemplo, você vai se sentir assim se a balança não registrar o peso que você espera. Poderia acontecer amanhã, ou na próxima semana, quando sair com os amigos e eles estiverem comendo o que você não pode comer. Em certos momentos, as desvantagens de fazer dieta parecem superar as vantagens. Você pode se sentir ressentido ou até um pouco rebelde: *Por que eu devo fazer o que este livro diz? Deve haver uma maneira mais fácil.*

Modificar uma programação mental que levou anos para se formar demanda tempo. Embora você saiba que tem novas habilidades para lutar contra seus pensamentos sabotadores e aumentar sua autoconfiança, você deve esperar enfrentar momentos de dúvida e decepção.

Quando isso acontecer, você precisará lembrar que fazer dieta foi uma escolha livre de sua parte. E que ainda há outra escolha possível de ser feita: você pode se sentir infeliz e insultar o destino que "o colocou nesta situação" ou aceitar as desvantagens de fazer dieta como um meio necessário para atingir um fim. Uma vez que você verdadeiramente aceite que tem que seguir os passos deste programa, suas dificuldades diminuirão e fazer dieta será mais fácil.

APENAS DIGA "PACIÊNCIA"

Em 1994, aprendi uma lição importante sobre aceitação. Foi o ano em que meu filho mais novo foi submetido a uma dieta extremamente restrita para controlar a epilepsia. Era um tratamento bem aceito, chamado dieta cetogênica, prescrita pelo seu médico. Graças a Deus, funcionou! Por quase seis anos (a maioria das crianças passam por isso apenas um ou dois anos), meu filho comia três refeições por dia e nenhum lanche. Cada refeição continha principalmente gordura – creme de manteiga e maionese, óleo ou manteiga – e apenas uma pequena porção de proteínas e uma menor ainda de carboidratos. Você pode imaginar porque ele é o meu herói. Por quase seis anos, ele não colocou na boca sequer um pedaço de doces, bolachas, sorvetes ou qualquer outra guloseima que contivesse açúcar. Ele nunca comia uma fatia inteira de fruta, uma fatia inteira de pão ou mais de uma xícara de salgadinhos de cada vez. Ele nunca repetia o prato ou comia entre as refeições. Nem uma só vez.

Você não pode impedir que os pensamentos sabotadores apareçam, mas pode reagir a eles.

Como fizemos para que ele se submetesse a essa dieta? Nós usamos uma técnica que chamo de "Paciência". Sempre que ele queria comer algo que não podia, ele ganhava uma estrela num cartão se dissesse apenas: *Paciência*. Na realidade, significava: *Eu não gosto que seja assim, mas vou aceitar e ir em frente.*

Dentro de poucos dias, suas dificuldades diminuíram. Dentro de uma ou duas semanas, ele havia mudado completamente sua programação mental. Ele aprendeu que havia categorias inteiras de alimentos que não poderia comer, mas aceitou o que tinha que fazer e se acostumou.

O mesmo pode acontecer com você. Acho que não acontecerá tão rapidamente, mas, quanto mais você se esforçar para aceitar a restrição alimentar, mais rapidamente encontrará a paz para decidir o que é preciso fazer. Você não pode impedir que os pensamentos sabotadores apareçam, mas pode reagir a eles. Quando você pensar: *Não é justo que eu não possa comer isto* ou *Deve haver um modo mais fácil*, diga apenas: *Paciência*. Ou, em outras palavras: *Eu não gosto de passar por isto, mas vou aceitar e ir em frente*. Pensar dessa forma elimina as dificuldades, ajuda você a se sentir melhor e permite que você mude o foco de sua atenção.

Todas as vezes em que se encontrar em dificuldades, tente dizer a si mesmo: *Paciência*. Isso irá lembrá-lo de que você escolheu fazer dieta porque quer emagrecer. Você pode não gostar de fazer dieta, mas ela *é* realidade. Ela *é* o que você tem que fazer para atingir sua meta. Experimente dizer para si mesmo:
- Quero aquele sonho. Paciência.
- Realmente estou com fome. Paciência.
- Gostaria de comer um hambúrguer em vez da salada. Paciência.
- Estes salgadinhos parecem tão bons. Paciência.
- Não me vejo fazendo exercícios todos os dias. Paciência.

- Não me vejo escrevendo meu planejamento alimentar para amanhã. Paciência.

É um conceito simples, mas extremamente importante.

Em que você está pensando?

Alguns destes pensamentos lhe parecem familiares? Em caso afirmativo, esteja pronto para fazer seus Cartões de Enfrentamento.

Pensamento sabotador: Eu não acredito que isso possa funcionar para mim. Parece muito simplista.

Resposta adaptativa: Não vai me exigir muito tempo ou esforço fazer esta tentativa. O que eu tenho a perder?

Pensamento sabotador: Eu não quero aceitar as coisas que tenho de fazer. Fazer dieta deveria ser mais fácil.

Resposta adaptativa: Eu tenho escolhas: posso brigar com o que tenho de fazer e me sentir mal ou aceitar que isso é assim mesmo. Isso não significa de eu goste. Existem muitas coisas que não gosto na vida. Eu, particularmente, não gosto de pagar contas. Definitivamente, não gosto de me levantar tão cedo para ir trabalhar. Eu não gosto de arrumar a casa. Mas aceito isso. Não luto muito contra essas tarefas e assim elas não me causam tanto desconforto.

Comprometa-se
por escrito

Sempre que me encontrar com dificuldades, irei: _____
_____
_____
_____
_____
_____

*Quando eu aceitar as mudanças que preciso
realizar, fazer dieta será mais fácil.*

Lista das tarefas de hoje:

É tempo de recapitular. Há inúmeras ferramentas que você teve que aprender além das que aparecem na sua lista de tarefas diárias. Pense em como você está se saindo em relação a estas:

- Você precisa arrumar mais tempo e energia para fazer dieta?
- Você precisa fazer mais alguma modificação nos ambientes de sua cozinha ou do trabalho?
- Você tem consultado seu técnico de dieta regularmente?
- Você precisa pular uma refeição para praticar tolerância à fome?
- Você precisa praticar o exercício de deixar comida no prato novamente?
- Você precisa se lembrar de parar de comer antes de comer demais?
- Se você saiu do seu planejamento alimentar, você voltou aos trilhos?

Marque as tarefas que você completou. Para qualquer item que não tenha completado, anote agora a data em que irá completá-lo.

_____ Li, pelo menos duas vezes hoje, os Cartões de Enfrentamento das Vantagens de Emagrecer, NÃO TENHO ESCOLHA, Não está Certo e Volte aos Trilhos.

_____ Li outros Cartões de Enfrentamento quando necessário.

_____ Comi devagar, sentado e observando cada porção.

Assinale um item:

☐ Todas as vezes ☐ A maioria das vezes ☐ Algumas vezes

_____ Elogiei-me quando me engajei em comportamentos funcionais para a dieta.

Assinale um item:

☐ Todas as vezes ☐ A maioria das vezes ☐ Algumas vezes

_____ Fiz exercícios espontâneos.

Assinale um item:

☐ Em todas as ocasiões   ☐ Em algumas ocasiões
☐ Em uma ou duas ocasiões   ☐ Em nenhuma ocasião

_____ Fiz exercícios planejados.
_____ Fiz um planejamento alimentar escrito para amanhã.
_____ Monitorei por escrito os alimentos consumidos hoje, logo após as refeições.
_____ Disse: *Paciência* (*eu não gosto desta situação mas vou aceitá-la e seguir em frente*), quando quis alguma coisa que não poderia ter.
_____ Pesei-me, anotei os resultados em meu gráfico de emagrecimento e relatei a mudança de meu peso ao meu técnico de dieta.

Dia 23
CONTRARIE A SÍNDROME DA INJUSTIÇA

Glória está no trabalho. Suas colegas de trabalho estão comendo biscoitos. Ela pensa: *É injusto não poder comer o que todo mundo está comendo,* e começa a se sentir ressentida. Então ela pensa: *Não me importo,* cede e come os biscoitos.

O que Glória não percebe é que, enquanto poder não parecer justo que suas colegas possam comer biscoitos e ela não, é ainda mais injusto ter o seu humor afetado e fortalecer seu músculo de desistência por comer o que não é permitido em sua dieta. Mesmo que ela não desse importância para isso naquele momento, ela se importará muito, nos minutos seguintes.

Entre as pessoas que fazem dieta, muitas se permitem comer quando se confrontam com a ideia de injustiça. Você pode ser uma delas. Nós todos crescemos com a ideia de que a vida deveria ser justa – mas a vida não é justa. Não é justo que algumas pessoas tenham que lutar contra seu peso. Não é justo que algumas pessoas (devido as suas condições econômicas) passem fome todos os dias. Não é justo que algumas pessoas morram jovens. A vida não é justa. Fazer dieta não é justo.

Quando você tem pensamentos sobre dieta, alimentação, alimentos ou peso que começam com *É injusto que...,* você pode remoer esse pensamento negativo e se sentir mal, ou então dizer: *É verdade, não é justo. Paciência.* E então focalizar a atenção em todas as vantagens que você tem na vida e que outras pessoas não têm.

COLOQUE A INJUSTIÇA EM PERSPECTIVA

Se a ideia de que fazer dieta é uma injustiça incentiva você a comer, faça o seguinte:

Relembre os motivos pelos quais você decidiu fazer dieta. A menos que sua dieta seja motivada por razões médicas, você escolheu livremente esse caminho. Você não é obrigado a fazer dieta. Você pode não estar se sentindo assim *exatamente neste momento*, mas algum tempo atrás, sentiu fortemente que as vantagens superavam o trabalho duro. Naquele momento, você sentiu que as desvantagens de não fazer dieta eram severas demais. Leia seu Cartão de Enfrentamento das Vantagens novamente.

Pense nas vantagens que você tem na vida. Comparando-se com muitas pessoas no mundo, você é muito mais livre para fazer o que quer, para falar sobre o que é importante para você, para viver sua vida como quiser. É injusto que você tenha todas essas liberdades enquanto outras pessoas não têm. Pense em outros exemplos de vantagens que você tem.

Faça um Cartão de Enfrentamento. Se você está constantemente pensando que é injusto ter que fazer dieta, você precisa de um Cartão de Enfrentamento para ajudá-lo a mudar esse pensamento.

Este exemplo pode ajudá-lo a fazer seu próprio cartão.

Fazer dieta pode não ser justo, mas eu tenho duas escolhas: eu posso ficar com pena de mim, parar de seguir meu planejamento, não atingir minha meta e continuar a me sentir infeliz comigo mesmo. Ou então eu posso praticar a empatia comigo mesmo, mas ir em frente e fazer o que sei que preciso. Todo mundo experimenta algum tipo de injustiça na vida. Essa é uma das minhas. Além disso, a grande injustiça comigo seria deixar que essas desculpas me impedissem de atingir a meta que eu quero tanto alcançar.

Na Sessão
com a Dra. Beck

Rosa estava tão derrotada com a noção de injustiça, depois de dois meses de dieta, que precisamos abordar este tópico na sessão.

Rosa: Tenho que contar para você, tive um dia terrível com a comida, terça-feira.
Dra. Beck: Diga-me o que aconteceu.
Rosa: Eu estava no trabalho e todas as mulheres estavam comendo biscoitos caseiros. Eu não sei. Foi muito difícil. Eu acho tão injusto que elas possam comer e eu não.
Dra. Beck: Então você as viu comendo os biscoitos e pensou: *É tão injusto*. Você pensou alguma coisa mais?
Rosa: Hum, sim, que eu não me importava, eu realmente queria mesmo comer alguns biscoitos.
Dra. Beck: E então o que aconteceu?
Rosa: Bem, resisti a princípio, mas uma das mulheres deixou alguns na recepção para que as pessoas pudessem se servir, então peguei um. E depois peguei mais um. Depois peguei o terceiro. Você sabe, eles eram realmente muito calóricos.
Dra. Beck: E ainda parece injusto que você não possa comê-los?
Rosa: [suspiros] Bem, sim, um pouco menos, eu acho.
Dra. Beck: E você ainda não se importa de ter comido?
Rosa: Não. Eu me sinto mal. Na verdade, me senti mal logo em seguida.
Dra. Beck: Rosa, você sabe que está certa sobre ser injusto não poder comer os biscoitos. Você quer desistir de sua meta para assim poder comer quantos biscoitos quiser?
Rosa: Não.
Dra. Beck: Você tem certeza?
Rosa: Sim, eu realmente quero emagrecer.
Dra. Beck: Fico imaginando se isso ajudaria você a pensar assim. É injusto que você não possa comer os biscoitos, ou, certamente, comer tantos quanto gostaria. Mas, talvez fosse mais injusto se você os comesse e não conseguisse emagrecer. [pausa] O que lhe parece mais injusto: não comer os biscoitos ou não emagrecer?
Rosa: Ah, definitivamente não emagrecer.
Dra. Beck: Está certo, então vamos fazer um Cartão de Enfrentamento. O que você acha que deveria dizer?

Leia a seguir o que Rosa escreveu em seu Cartão de Enfrentamento:

> Quando me parecer injusto não poder comer alguma coisa, reconhecer que estou certa. Então, me perguntar: *Que injustiça eu devo escolher: não poder comer isto ou não emagrecer?* Então, responder: *"Paciência"* e ir em frente.

Em que você está pensando?

Mais cedo ou mais tarde, os pensamentos sabotadores sobre injustiça acabam aparecendo. Aqui estão alguns deles e suas respostas adaptativas.

Pensamento sabotador: É injusto não poder comer normalmente.
Resposta adaptativa: Na verdade, é provável que eu nunca tenha comido "normalmente". Antes de começar a dieta, provavelmente eu estava comendo demais e com muita frequência, e também escolhendo alimentos não saudáveis. Agora, estou comendo normalmente para uma pessoa que tem a meta de emagrecer.

Pensamento sabotador: Eu não deveria ter que lidar com isto.
Resposta adaptativa: Eu tenho três escolhas:
1. Posso desistir e ficar com este peso – ou, mais precisamente, continuar a ganhar peso todo ano.
2. Eu posso entrar e sair de dietas. Passar dias/meses/anos comendo tudo o que quero, dias/meses/anos tentando aderir a uma dieta, e, na maior parte do tempo, pesando mais que quero.
3. Posso aceitar o fato de que não é justo fazer dieta, mas prosseguir, continuando a fazer o que é necessário para emagrecer. Estou escolhendo livremente esta opção.

Comprometa-se
por escrito

Sempre que eu me escutar dizendo que fazer dieta é injusto, irei: _____
_____
_____

Quando eu deixar de dizer para mim mesmo que fazer dieta não é justo, fazer dieta será mais fácil.

Lista das tarefas de hoje:

Marque as tarefas que você completou. Para qualquer item que não tenha completado, anote agora a data em que irá completá-lo.

_____ Li, pelo menos duas vezes hoje, os Cartões de Enfrentamento das Vantagens de Emagrecer, NÃO TENHO ESCOLHA, Não está certo e Volte aos Trilhos.

_____ Li outros Cartões de Enfrentamento quando necessário.

_____ Comi devagar, sentado e observando cada porção.

Assinale um item:

☐ Todas as vezes ☐ A maioria das vezes ☐ Algumas vezes

_____ Elogiei-me quando me engajei em comportamentos funcionais para a dieta.

Assinale um item:

☐ Todas as vezes ☐ A maioria das vezes ☐ Algumas vezes

_____ Fiz exercícios espontâneos.

Assinale um item:

☐ Em todas as ocasiões ☐ Em algumas ocasiões
☐ Em uma ou duas ocasiões ☐ Em nenhuma ocasião

_____ Fiz exercícios planejados.

_____ Fiz um planejamento alimentar escrito para amanhã.

_____ Monitorei por escrito os alimentos consumidos hoje, logo após as refeições.

_____ Esforcei-me para aceitar o que tenho que fazer para emagrecer ("Paciência").

_____ Fiz um Cartão de Enfrentamento para trabalhar com sentimento de injustiça.

Dia 24
SAIBA LIDAR COM O DESÂNIMO

Para a maioria das pessoas, emagrecer é fácil no início porque sua motivação e autoconfiança estão altas. Em determinado momento, porém, as dificuldades começam a aparecer. A vida interfere de tal maneira que aderir à dieta requer um esforço considerável. Os desejos se tornam mais intensos e algumas pessoas entram em pânico. Elas têm pensamentos sabotadores como:
- Não deveria ser difícil assim.
- Nunca serei capaz de fazer isto.
- Não quero mais fazer dieta.

É normal, às vezes, sentir-se sobrecarregado e desmotivado. É natural ter dúvidas a respeito da própria capacidade para continuar fazendo o que você sabe que precisa, mas não é certo permitir que esses pensamentos o sobrecarreguem. Para pensamentos que o desmotivam, você tem uma escolha: permitir que eles desgastem sua motivação, fazendo você desistir e abandonar sua meta, ou reagir vigorosamente a eles, sentir-se melhor, ficar mais motivado e continuar a trabalhar na direção dos seus objetivos.

É importante lembrar que você *pode* fazer o que deve ser feito! Lembre-se: fazer dieta *realmente* fica mais fácil. A tarefa de hoje irá ajudá-lo a perseverar mesmo quando o caminho se torna árduo.

ENCONTRE MOTIVAÇÃO

Para se motivar, especialmente frente à insegurança, faça o seguinte:
Leia seu Cartão de Enfrentamento das Vantagens com mais frequência. Isso provavelmente irá ajudá-lo a reescrever esse cartão, pensando com mais cuidado sobre cada item. Acrescente qualquer vantagem que não tenha escrito anteriormente.

Some as horas difíceis. Muitas pessoas que atendi também quiseram desistir em determinado momento. Eles chegavam e diziam: "Tive uma semana *tão* dura. Não sei se quero continuar". E então me contavam das dificuldades que tiveram que enfrentar para continuar fazendo dieta.

É interessante como a lembrança dessas dificuldades contamina sua semana inteira. Na verdade, a maioria dessas pessoas teve dificuldades de 20 minutos a algumas horas, uma ou duas vezes por semana. Nas outras 164 horas da semana, elas *não tiveram* dificuldades. Durante a maior parte do tempo, elas nem mesmo haviam pensado na dieta. Contudo, todas elas relataram, inicialmente, que a semana toda havia sido intolerável.

> *Lembre-se de que fazer dieta não é*
> *difícil, na maior parte do tempo.*

Pense em quantos minutos ou horas você, de fato, teve que se esforçar na semana passada e compare com tempo em que as emoções foram neutras ou positivas. Pense sobre quanto tempo você não estava nem mesmo *pensando* sobre alimentação e dieta.

Focalize no que é possível ser feito hoje. Pensar num futuro muito distante é incrivelmente disfuncional. Todas as vezes em que estiver pensando: *Eu não vou conseguir manter isto por um mês, um ano, ou por mais tempo,* diga: *Esqueça o futuro. Foque no dia de hoje. Eu sei que posso continuar fazendo o que tenho que fazer hoje. Se for difícil amanhã, eu vou lidar com isso amanhã*. Faça um Cartão de Enfrentamento para se lembrar de todas essas coisas.

Em que você está pensando?

Quando você se sentir sobrecarregado em relação ao futuro, estes pensamentos sabotadores podem aparecer. Prepare-se para eles fazendo o Cartão de Enfrentamento.

Pensamento sabotador: Eu me sinto sobrecarregado. Este programa está muito complicado. Eu não consigo fazê-lo.
Resposta adaptativa: Este livro vai me ajudar a caminhar passo a passo. Não tenho que ler tudo em um dia só. Posso reler e praticar. Posso pedir para meu técnico de dieta para me ajudar.
Pensamento sabotador: Essas tarefas são muito difíceis. Eu não quero continuar fazendo essas coisas.
Resposta adaptativa: Eu estou apenas me sentindo sobrecarregado neste momento. Não vai ser difícil para sempre. Mais tarde ou amanhã vai voltar a ser mais fácil.

Comprometa-se
por escrito

Sempre que eu me sentir sobrecarregado ou desmotivado, irei: _____
_____
_____
_____

Quando eu focalizar meus esforços apenas no que eu tenho que fazer hoje, fazer dieta será mais fácil.

Lista das tarefas de hoje:

Marque as tarefas que você completou. Para qualquer item que não tenha completado, anote agora a data em que irá completá-lo.

_____ Li, pelo menos duas vezes hoje, os Cartões de Enfrentamento das Vantagens de emagrecer, NÃO TENHO ESCOLHA, Não está certo e Volte aos trilhos.

_____ Li outros Cartões de Enfrentamento quando necessário.

_____ Comi devagar, sentado e observando cada porção.

Assinale um item:

☐ Todas as vezes   ☐ A maioria das vezes   ☐ Algumas vezes

_____ Elogiei-me quando me engajei em comportamentos funcionais para a dieta.

Assinale um item:

☐ Todas as vezes   ☐ A maioria das vezes   ☐ Algumas vezes

_____ Fiz exercícios espontâneos.

Assinale um item:

☐ Em todas as ocasiões   ☐ Em algumas ocasiões
☐ Em uma ou duas ocasiões   ☐ Em nenhuma ocasião

_____ Fiz exercícios planejados.

_____ Fiz um planejamento alimentar escrito para amanhã.

_____ Monitorei por escrito os alimentos consumidos hoje, logo após as refeições.

_____ Esforcei-me para aceitar o que tenho que fazer para emagrecer ("Paciência").

_____ Preparei-me para os sentimentos de sobrecarga e desmotivação.

Dia 25
IDENTIFIQUE PENSAMENTOS SABOTADORES

Você está lendo bastante sobre pensamentos sabotadores neste livro. Incluí aqueles que são os mais comuns no repertório das pessoas que fazem dieta. Mas, descobri que todas elas têm pensamentos sabotadores extras. É importante que você aprenda a reconhecer os que são exclusivamente seus e que efetivamente reaja a eles.

Como mencionei anteriormente, o ato de comer não acontece automaticamente. Antes de pegar o primeiro pedaço de qualquer alimento que não planejou comer, você quase sempre tem um pensamento ou uma série de pensamentos. Quando conseguir identificá-los e responder a eles, você será capaz de controlar sua alimentação.

PENSE NISTO

Carregue com você, durante alguns dias, o caderno de dieta e uma caneta (ou o seu Palmtop). Anote seus pensamentos sabotadores, assim que os identificar. Talvez você não os perceba, em todas as ocasiões, porque sua atenção está voltada para o que você está sentindo. Quando se sentir tentado a comer algo que não deveria, pergunte-se: *O que está passando pela minha cabeça agora?* Ou *o que estou pensando?*

Algumas vezes, você consegue identificar, facilmente, seus pensamentos. Outras vezes não. Se você não tiver certeza sobre o que está pensando, dê uma olhada em "Pensamentos Sabotadores Comumente Relatados por Pessoas que Fazem Dieta", descritos a seguir. Se esta lista não ativar sua memória, tente descobrir o que você definitivamente *não* estava pensando. Por exemplo, se você se sente atraído para comer alguma coisa que não foi planejada, pergunte-se se não estava pensando sobre qualquer item que segue:
- O cheiro e aparência desse prato fazem com que ele pareça sem gosto.
- Estar impedido de comer este prato me deixa feliz.
- Vai ser fácil resistir.

Sem dúvida, você vai responder negativamente e suas respostas negativas serão acompanhadas pelo seu verdadeiro pensamento: *Eu estava pensando que realmente desejo comer isto!*

Escreva, no caderno de dieta, todo pensamento que puder identificar. Por enquanto, não se preocupe com o que fazer com eles. Dentro de poucos dias, você aprenderá a reagir a eles.

> **Pensamentos sabotadores que costumam aparecer entre as pessoas que fazem dieta:**
>
> Para ajudá-lo a identificar seus pensamentos sabotadores, aqui estão alguns exemplos de pensamentos comuns entre as pessoas que aconselhei:
> *Fazer dieta é muito difícil.*
> *Eu não ligo.*
> *Comer isto não está errado.*
> *Estou sendo punido.*
> *Não é justo.*
> *Não vou permitir que ninguém me diga o que posso comer ou não.*
> *Mereço comer isto.*
> *Vou comer apenas estes pedacinhos.*
> *Eu deveria fazer o que tenho vontade.*
> *Não resisto.*
> *Realmente quero comer isto.*
> *Estou mesmo com fome.*
> *Não tenho força de vontade*
> *Isto não é tão calórico.*
> *Mais tarde eu compenso o que comi agora.*
> *Se eu não comer, vai para o lixo.*
> *Eu deveria comer porque é de graça.*
> *Todo mundo está comendo.*
> *Eu não quero desapontar ou ser inconveniente com [complete].*
> *Estou estressado/cansado/triste/entediado/chateado.*
> *Esta é uma ocasião especial.*
> *Estou cuidando de mim.*
> *Amanhã eu começo a dieta de novo.*
> *De qualquer maneira, eu nunca vou emagrecer mesmo.*
> *Ninguém vai saber.*
> *Mais cedo ou mais tarde eu vou acabar comendo.*

Em que você está pensando?

Se você está preocupado com sua capacidade de aprender a reagir aos pensamentos sabotadores, veja a seguir:

Pensamento sabotador: Eu não sei se consigo definir o que estou pensando.
Resposta adaptativa: Não é crucial definir agora. É uma habilidade que vou desenvolver no devido tempo. Enquanto isso, eu posso rever as partes relevantes deste livro e ativar minha memória, sempre que necessário.

Pensamento sabotador: Eu não penso em nada quando me desvio da dieta, simplesmente acontece.
Resposta adaptativa: Comer não é um ato automático. Eu apenas tento ignorar meus pensamentos para poder comer. Da próxima vez que estiver querendo me desviar, vou procurar pelos pensamentos sabotadores de permissão, como, por exemplo: *Eu posso comer isto porque...*

Comprometa-se
por escrito

Sempre que eu tiver vontade de sair da dieta, irei: _____
_____
_____

(espero que você escreva "parar por um momento e procurar meus pensamentos sabotadores").

Quando eu estiver bem treinado a identificar meus pensamentos sabotadores (para que possa reagir a eles), fazer dieta será mais fácil.

Lista das tarefas de hoje:

Marque as tarefas que você completou. Para qualquer item que não tenha completado, anote agora a data em que irá completá-lo.

_____ Li, pelo menos duas vezes hoje, os Cartões de Enfrentamento das Vantagens de Emagrecer, NÃO TENHO ESCOLHA, Não está Certo e Volte aos Trilhos.

_____ Li meus outros Cartões de Enfrentamento, quando necessário.

_____ Comi devagar, sentado e observando cada porção.

Assinale um item:

☐ Todas as vezes   ☐ A maioria das vezes   ☐ Algumas vezes

_____ Elogiei-me quando me engajei em comportamentos funcionais para a dieta.

Assinale um item:

☐ Todas as vezes   ☐ A maioria das vezes   ☐ Algumas vezes

_____ Fiz exercícios espontâneos

Assinale um item:

☐ Em todas as ocasiões   ☐ Em algumas ocasiões
☐ Em uma ou duas ocasiões   ☐ Em nenhuma ocasião

_____ Fiz um planejamento alimentar escrito para amanhã.

_____ Monitorei por escrito os alimentos consumidos hoje, logo após as refeições.

_____ Esforcei-me para aceitar o que tenho que fazer para emagrecer ("Paciência").

_____ Identifiquei e anotei um ou mais pensamentos sabotadores.

Dia 26
RECONHEÇA OS ERROS COGNITIVOS

É importante compreender que pensamentos são só ideias, não necessariamente, ideias verdadeiras. Seus pensamentos sobre algo podem ser completamente verdadeiros, parcialmente verdadeiros ou completamente falsos. Por exemplo, você fica sem comer o dia inteiro e passa por pessoas que estão comendo pizza. O pensamento: *Parece tão gostoso. Estou com tanta fome* pode ser totalmente verdadeiro. Na verdade, não é necessariamente um problema. O pensamento problemático vem a seguir: *Eu tenho que comer um pedaço de pizza*. Esse não é um pensamento verdadeiro. Mas, se você for como a maioria das pessoas, provavelmente vá aceitá-lo como verdadeiro, sem pensar nisso, de fato – pelo menos neste momento.

ERROS COGNITIVOS COMUNS

Existem nove erros cognitivos comuns às pessoas que fazem dieta:

1 Erro Cognitivo nº1: Pensamento Tudo ou Nada
Você vê as coisas em duas categorias apenas, quando na verdade existe o meio termo entre um extremo e o outro.
Exemplos:
- Ou faço a dieta rigorosamente ou é o mesmo que não fazer.
- Ou sou 100% bem sucedido na dieta ou sou um fracassado e desisto dela.

2 Erro Cognitivo nº2: Adivinhação negativa do futuro
Você prevê o futuro de forma negativa, sem considerar outros resultados possíveis.
Exemplos:
- Visto que eu não emagreci nesta semana, nunca conseguirei emagrecer.
- Visto que eu cedi àquele desejo, nunca serei capaz de tolerar desejos.

3 Erro Cognitivo nº3: Leitura excessivamente positiva do futuro
Você prevê o futuro muito positivamente, sem considerar outros resultados possíveis.
Exemplos:
- Conseguirei comer só um pedacinho desta comida que desejo, ficarei satisfeito e pararei de comer.

- Mesmo que eu não meça as porções dos alimentos que devo consumir, mesmo que eu faça apenas uma estimativa, certamente vou emagrecer.

Erro Cognitivo nº4: Raciocínio Emocional
Você acha que seus pensamentos são verdadeiros, embora as evidências objetivas digam que não.
Exemplos:
- Se eu tenho a sensação de que fracassei por me desviar da dieta, então eu sou, de fato, um fracasso.
- Tenho a sensação que preciso comer alguma coisa doce neste momento.

Erro Cognitivo nº5: Leitura da Mente
Você tem certeza do que as outras pessoas estão pensando, mesmo na ausência de evidências suficientes.
Exemplos:
- As pessoas vão achar que sou esquisito se não tomar bebidas alcoólicas na festa.
- Ela vai pensar que sou mal-educado se não experimentar os bolinhos que fez.

Erro Cognitivo nº6: Pensamentos autoilusórios
Você racionaliza, pensando coisas que realmente não acreditaria em outras situações.
Exemplos:
- Se ninguém me vir comendo, então isso não conta.
- Não tem importância me render aos desejos.

Erro Cognitivo nº7: Regras Disfuncionais
Você impõe ações sem considerar as circunstâncias.
Exemplos:
- Não consigo desperdiçar comida.
- Eu não posso incomodar minha família preparando refeições saudáveis ou jogando fora alimentos não-nutritivos.

Erro Cognitivo nº8: Justificação
Você usa dois conceitos sem conexão (para justificar sua alimentação).
Exemplos:
- Eu mereço comer isto porque estou muito estressado.
- Vou comer isto porque é de graça.

Erro Cognitivo nº 9: Maximização
Exemplos:
Você faz a situação parecer maior ou pior do que é realmente.
- Eu não consigo tolerar essa vontade de comer.
- Eu não tenho força de vontade.

Pegue seu caderno de dieta e dê uma olhada nos pensamentos sabotadores identificados ontem. Escreva os erros cognitivos que correspondem a cada pensamento. (Alguns pensamentos podem conter mais de um erro cognitivo)

Em que você está pensando?

Tente não ser autocrítico quando identificar seus erros cognitivos. Se isso acontecer, faça um Cartão de Enfrentamento

Pensamento sabotador: Eu devo ser um estúpido por cometer erros cognitivos.

Resposta adaptativa: Não há nada de errado comigo. Todo mundo comete distorções cognitivas de vez em quando. Isso não tem relação com inteligência. Isso só significa que sou humano. O importante é saber o que fazer com meus erros cognitivos. Estou dando os primeiros passos identificando-os.

Comprometa-se
por escrito

Quando eu perceber um pensamento sabotador, irei: _____
_____
_____

(espero que você escreva "identifique o erro cognitivo correspondente").

Quando eu reconhecer, de imediato, meus erros cognitivos, fazer dieta será mais fácil.

Lista das tarefas de hoje:

Marque as tarefas que você completou. Para qualquer item que não tenha completado, anote agora a data em que irá completá-lo.

_____ Li, pelo menos duas vezes hoje, os Cartões de Enfrentamento das Vantagens de Emagrecer, NÃO TENHO ESCOLHA, Não está Certo e Volte aos Trilhos.

_____ Li outros Cartões de Enfrentamento quando necessário.

Comi devagar, sentado e observando cada porção.

Assinale um item:
☐ Todas as vezes   ☐ A maioria das vezes   ☐ Algumas vezes

_____ Elogiei-me quando me engajei em comportamentos funcionais para a dieta.

Assinale um item:
☐ Todas as vezes   ☐ A maioria das vezes   ☐ Algumas vezes

_____ Fiz exercícios espontâneos.

Assinale um item:
☐ Em todas as ocasiões   ☐ Em algumas ocasiões
☐ Em uma ou duas ocasiões   ☐ Em nenhuma ocasião

_____ Fiz exercícios planejados.

_____ Fiz um planejamento alimentar escrito para amanhã.

_____ Monitorei por escrito os alimentos consumidos hoje, logo após as refeições.

_____ Esforcei-me para aceitar o que tenho que fazer para emagrecer ("Paciência").

_____ Identifiquei os erros cognitivos que correspondem aos meus pensamentos sabotadores.

Dia 27
DOMINE A TÉCNICA DAS SETE PERGUNTAS

Agora você tem uma lista pessoal de pensamentos sabotadores e de erros cognitivos. Hoje, você vai criar Cartões de Enfrentamento adicionais para ajudá-lo a responder melhor a esses pensamentos. Você lerá esses cartões em um determinado horário, todos os dias, de preferência quando lê o Cartão das Vantagens. Você também os pegará sempre que precisar deles. Com o tempo, praticando essas ideias continuamente, você começará a reagir automaticamente aos pensamentos sabotadores, mesmo sem os cartões.

CRIE CARTÕES DE ENFRENTAMENTO

Assim que você olhar seu caderno e examinar seus pensamentos sabotadores mais comuns, reflita sobre cada um perguntando-se: *O que eu desejaria me lembrar da próxima vez que tivesse esse pensamento*? Anote sua resposta, usando a técnica descrita abaixo. Nem todas estas perguntas se aplicarão a todos os pensamentos sabotadores, mas anote as respostas para aqueles aos quais elas se aplicam.

A TÉCNICA DAS SETE PERGUNTAS

1. Que tipo de erro cognitivo estou cometendo? (Faça uma revisão no dia 26 para ajudá-lo a escolher as respostas a essas questões).
2. Qual a evidência de que esse pensamento não seja verdadeiro (ou, pelo menos, não seja totalmente verdadeiro)?
3. Existe uma explicação alternativa ou outra maneira de ver esta situação?
4. Qual o resultado mais realista para esta situação?
5. Qual é o efeito de acreditar neste pensamento e qual seria o efeito de acreditar em um pensamento diferente?
6. O que eu diria [a um amigo ou membro da família] se eles estivessem nesta mesma situação e tivessem os mesmos pensamentos?
7. O que devo fazer agora?

Quanto mais você praticar essas ideias, mais automaticamente reagirá aos seus pensamentos sabotadores, *mesmo sem os Cartões de Enfrentamento.*

A seguir, um exemplo de como Eric usou a Técnica das Sete Perguntas para fazer seu cartão. Ele sempre tinha o seguinte pensamento: *Eu não consigo me controlar,* quando estava comendo fora e os amigos lhe ofereciam sobremesa.

Pensamento sabotador: Não consigo controlar minha alimentação.
1. Que tipo de erro estou cometendo?
   Maximização
2. Qual a evidência de que este pensamento não é verdadeiro?
   Eu consigo me controlar o tempo todo em outras áreas, especialmente no trabalho. Eu faço uma porção de coisas que não quero fazer e deixo de fazer outras tantas que gostaria de fazer. Na verdade, eu me controlo bastante quando se trata de dieta.
3. Que explicação alternativa ou de que outra maneira eu poderia pensar em sobre isso?
   Que eu consigo me controlar, mas não quero fazer isto neste momento.
4. Qual é o resultado mais realista desta situação?
   Vou parar de ter estes desejos quando eu disser a mim mesmo firmemente: NÃO TENHO ESCOLHA e me ocupar com outras atividades.
5. Qual o efeito de acreditar neste pensamento e que efeito poderia ter se eu o modificasse?
   Se eu acreditar que não sou capaz de controlar minha alimentação, vou ceder ao desejo, sentir-me horrível depois e é possível que eu não emagreceça nesta semana; além de correr um grande risco de, na próxima vez que sentir um desses desejos incontroláveis, também ceder. Se eu mudar o meu pensamento, não vou ceder ao desejo e vou emagrecer.
6. O que eu diria a minha amiga Marisa se ela estivesse na mesma situação que eu e também tivesse esses pensamentos?
   Eu lhe diria que, se ela quisesse, poderia se controlar, e que eu não gostaria de vê-la sentir-se mal depois.
7. O que eu deveria fazer?
   Dizer a mim mesmo: NÃO TENHO ESCOLHA. Desviar minha atenção da comida. Focar na minha conversa. Se necessário, ir ao banheiro e ler meus Cartões de Enfrentamento.

Baseado nessas respostas, Eric criou o seguinte Cartão de Enfrentamento:

> Não é verdade que não consigo me controlar. É que não quero me controlar exatamente neste momento. Este desejo por comida está forte, mas há uma porção de coisas que posso fazer para contrariá-lo. Ficarei contente por contrariar estes pensamentos.

Haverá momentos em que será preciso usar a Técnica das Sete Perguntas para escrever seu Cartão de Enfrentamento. Em outras ocasiões, poderá ser útil ler apenas as afirmações diretas, como as dos exemplos a seguir:

- Eu prefiro ser magro.
- Saia já da cozinha – agora!
- Não tem desculpa!
- Isto é só um desejo! Vai passar! Não coma!

Ordens curtas como estas também são boas para serem repetidas (silenciosamente, se estiver cercado de outras pessoas) aos primeiros sinais do desejo de comer.

Tente escrever sozinho um ou mais Cartões de Enfrentamento usando a Técnica das Sete Perguntas. Leia esses novos cartões, juntamente aos seus outros cartões, pelo menos uma ou duas vezes por dia. À medida que você identifique outros pensamentos sabotadores, crie mais Cartões de Enfrentamento.

Em que você está pensando?

Algumas pessoas atendidas por mim resistiam à ideia de fazer seus cartões por causa de pensamentos sabotadores como: *Eu não consigo fazer isso. Não sei o que escrever.* A exemplo de qualquer habilidade, criar cartões baseados na Técnica das Sete Perguntas fica mais fácil com o tempo. Se você estiver empacado, peça para seu técnico de dieta ajudá-lo. Além disso, faça uma revisão das inúmeras respostas adaptativas contidas neste livro.

Se as dificuldades persistirem, use a Técnica das Sete Perguntas para os pensamentos sabotadores que estão atrapalhando você nesta meta.

Então, em que você está pensando? Talvez alguns dos seguintes pensamentos pareçam familiares para você:

Pensamento sabotador: Isto é muito trabalhoso. E pode ser que nem ajude.

Resposta adaptativa: Pode não ajudar, mas eu preciso fazer tudo o que puder para emagrecer. Quando eu estiver mais magro, ficarei contente por ter realizado o trabalho duro de hoje.

Pensamento sabotador: Eu sempre pensei assim. Eu não acredito que possa mudar meu pensamento.

Resposta adaptativa: Essa é uma habilidade que eu tenho que desenvolver. Não foi fácil aprender a dirigir, ou a andar de bicicleta, mas eu, eventualmente, me saí bem nessas coisas. Se eu praticar, serei bom em reagir aos meus pensamentos sabotadores.

Comprometa-se
por escrito

Vou dar uma olhada nos pensamentos sabotadores que identifiquei até hoje e: __
_____
_____
(espero que você complete com: "criar Cartões de Enfrentamento para ler diariamente").

Quando eu aceitar o fato de que é desta forma que tenho de monitorar minha alimentação, fazer dieta será mais fácil.

Lista das tarefas de hoje:

Marque as tarefas que você completou. Para qualquer item que não tenha completado, anote agora a data em que irá completá-lo.

_____ Li, pelo menos duas vezes hoje, os Cartões de Enfrentamento das Vantagens de Emagrecer, NÃO TENHO ESCOLHA, Não está Certo e Volte aos Trilhos.

_____ Li outros Cartões de Enfrentamento quando necessário.

_____ Comi devagar, sentado e observando cada porção de comida.

Assinale um item:

☐ Todas as vezes   ☐ A maioria das vezes   ☐ Algumas vezes

_____ Elogiei-me quando me engajei em comportamentos funcionais para a dieta.

Assinale um item:

☐ Todas as vezes   ☐ A maioria das vezes   ☐ Algumas vezes

_____ Fiz exercícios espontâneos.

Assinale um item:

☐ Em todas as ocasiões   ☐ Em algumas ocasiões
☐ Em uma ou duas ocasiões   ☐ Em nenhuma ocasião

_____ Fiz exercícios planejados.

_____ Fiz um planejamento alimentar escrito para amanhã.

_____ Monitorei por escrito os alimentos consumidos hoje, logo após as refeições.

_____ Esforcei-me para aceitar o que tenho que fazer para emagrecer ("Paciência").

_____ Usei a Técnica das Sete Perguntas para criar Cartões de Enfrentamento.

Dia 28
PREPARE-SE PARA SE PESAR

Amanhã, termina a sua segunda semana de dieta. Ao se levantar, pela manhã, suba na balança. Vista a mesma roupa que usou para se pesar na última semana. Avalie sua mudança de peso, adicione um novo ponto em seu gráfico de emagrecimento (dia 21) e faça a ligação entre os pontos.

Não tente restringir sua alimentação hoje para obter um resultado melhor amanhã. Você precisa encarar qualquer número que estiver na balança. Comer menos hoje pode levá-lo a extrapolar nos próximos dias.

Em que você está pensando?

Pensamentos sabotadores sobre pesar-se podem emergir amanhã se você ficar desapontado com o resultado na balança. Prepare-se hoje para esses pensamentos fazendo Cartões de Enfrentamento.

Levando em conta minhas experiências com as pessoas que atendi, suponho que seus pensamentos seguirão uma destas três direções, dependendo do número encontrado na balança.

Cenário 1: Você emagreceu o que considera bastante.
Pensamento sabotador: Ótimo, vou continuar emagrecendo muito rapidamente!
Resposta adaptativa: Sim, é ótimo que tenha emagrecido bastante. Fiz um bom trabalho seguindo minha dieta esta semana. Mas provavelmente não vou continuar a emagrecer tão rapidamente.

Cenário 2: Você emagreceu o que você considera muito pouco.
Pensamento sabotador: Eu fiz tanto esforço e o que emagreci é apenas uma gota no oceano.
Resposta adaptativa: Estou emagrecendo. Isso é ótimo! Significa que o que estou fazendo está funcionando. Preciso comemorar cada 200 gramas que emagrecer.

Cenário 3: Você não emagreceu ou até engordou.
Pensamento sabotador: Não acredito nisto. Viu só? Eu simplesmente não consigo emagrecer.
Resposta adaptativa: Meu peso pode ter subido temporariamente em função de hormônios ou de outros motivos. Se eu não emagrecer na próxima semana, ligarei para meu técnico de dieta e verei se ele pode rever comigo o meu planejamento alimentar. Talvez, eu tenha cometido alguns enganos. Talvez, eu tenha que diminuir meu consumo calórico ou fazer mais exercícios. Preciso apenas de orientação para resolver este problema.

Comprometa-se
por escrito

Antes de subir na balança amanhã, lembrarei que: _____
_____
_____
_____

Quando eu aprender a usar a balança como instrumento de informação para orientar meus esforços, fazer dieta será mais fácil.

Lista das tarefas de hoje:

Marque as tarefas que você completou. Para qualquer item que não tenha completado, anote agora a data em que irá completá-lo.

_____ Li, pelo menos duas vezes hoje, os Cartões de Enfrentamento das Vantagens de Emagrecer, NÃO TENHO ESCOLHA, Não está Certo e Volte aos Trilhos.

_____ Li outros Cartões de Enfrentamento quando necessário.

_____ Comi devagar, sentado e observando cada porção.

Assinale um item:
☐ Todas as vezes   ☐ A maioria das vezes   ☐ Algumas vezes

_____ Elogiei-me quando me engajei em comportamentos funcionais para a dieta.

Assinale um item:
☐ Todas as vezes   ☐ A maioria das vezes   ☐ Algumas vezes

_____ Fiz exercícios espontâneos.

Assinale um item:
☐ Em todas as ocasiões   ☐ Em algumas ocasiões
☐ Em uma ou duas ocasiões   ☐ Em nenhuma ocasião

_____ Fiz exercícios planejados.

_____ Fiz um planejamento alimentar escrito para amanhã.

_____ Monitorei por escrito os alimentos consumidos hoje, logo após as refeições.

_____ Esforcei-me para aceitar o que tenho que fazer para emagrecer ("Paciência").

_____ Preparei-me para me pesar amanhã.

9

Semana 5
Supere os desafios

Até agora, você já deve ter vivenciado alguns dos maravilhosos benefícios deste programa. Você percebeu que a fome nunca é uma emergência? Que consegue superar os desejos? Que consegue tolerar o desconforto de não comer quando não deveria?

Essas são todas lições muito importantes que você aprendeu. Espero que muitos desses novos hábitos que você está desenvolvendo – como monitorar por escrito sua alimentação – não estejam consumindo agora o mesmo tempo que consumiam quando você começou este programa. O fato de conseguir identificar seus pensamentos sabotadores tão logo eles apareçam e reagir a alguns deles quase instantaneamente também é uma das mais importantes habilidades desenvolvidas até agora. Você começou a dominar algumas técnicas essenciais de terapia cognitiva.

Agora, chegou a hora de ir em frente e se preparar para desafios esperados e inesperados. Você já parou de fazer dieta por estar de férias? Você já "escapou da dieta" num restaurante ou em uma festa? Você já comeu por pressão social, somente para depois se sentir mal por isso? Com que frequência você come por motivos emocionais, quando, por exemplo, está chateado ou entediado? Nesta semana, você aprenderá a ficar no controle durante situações desafiadoras. O que você irá aprender nesta semana lhe permitirá fazer dieta e aproveitar os prazeres da vida.

Com que frequência você come por motivos emocionais, quando, por exemplo, está chateado ou entediado?

Dia 29
RESISTA A QUEM INSISTE PARA VOCÊ COMER

Muitas pessoas que atendi me disseram que elas "tinham de comer" para não magoar os sentimentos de alguém, mesmo sabendo que isso significava se desviar da dieta. Bento, por exemplo, disse-me que ele achava que tinha que comer tudo o que sua esposa fazia para o jantar. Alice me contou que sempre comia uma fatia de qualquer bolo ou torta que suas colegas levavam para o trabalho. Melissa nunca recusava as sobremesas que sua sogra fazia. Todos acreditavam que mesmo uma recusa educada ofenderia essas pessoas.

Você acha que tem um problema semelhante? Se for o caso, são duas as possibilidades: a primeira é que a vontade das outras pessoas que querem que você coma o que cozinharam é mais importante do que a sua vontade de emagrecer. A segunda é que parece errado cuidar de você mesmo (pelo menos no que diz respeito à comida), principalmente se isso significa decepcionar alguém. Eu gostaria que você pensasse sobre essas duas ideias de uma outra maneira:

- Você tem todo o direito de trabalhar em sua meta de emagrecer desde que não esteja, propositalmente, tentando fazer alguém se sentir mal.
- Não há nada demais em decepcionar os outros. A decepção faz parte da vida. A decepção deles provavelmente será leve e efêmera.

Para encerrar a questão sobre o ato de comer socialmente, frequentemente conto aos meus pacientes uma experiência que tive há pouco tempo. As reações deles com esta história são sempre interessantes. Estou curiosa para saber como será a sua.

Enquanto eu estava escrevendo este livro, compareci a uma recepção oferecida em minha homenagem, no encerramento de um seminário que apresentei em outra cidade. Minha gentil anfitriã havia, obviamente, dedicado seu tempo e esforço para preparar a recepção: comprou alimentos, assou uma porção de sobremesas e dispôs tudo isso lindamente no bufê. Comi apenas pequenas porções de frutas picadas, apesar de sua delicada insistência: "Você não gostaria de experimentar isto? Tem certeza que já comeu o suficiente?" Cada vez que ela insistia, eu respondia: "Muito obrigada. Tudo isso parece delicioso, mas estou satisfeita com as frutas".

Esse fato teria feito minha anfitriã se sentir mal? Eu deveria ter comido mais, já que ela teve tanto trabalho para preparar a comida? Foi falta de educação de minha parte ter comido tão pouco?

Alguns pacientes, ao saberem desta história, acham que agi corretamente. Outros ficam chocados; eles acreditam que insultei minha anfitriã ou contribui para que ela ficasse muito decepcionada.

Na verdade, conferi a reação dela um mês depois, em uma conferência nacional. Expliquei a ela que eu havia conversado sobre aquela recepção com algumas pessoas com as quais trabalho. Perguntei o que ela havia pensado quando declinei suas sobremesas maravilhosas. Ela me olhou, um pouco surpresa, e, como eu já esperava, disse que não se lembrava que eu não havia comido muito.

Então, conversamos sobre assuntos de pressão social para comer. Ela me contou que, durante anos, sentiu-se obrigada a comer exageradamente quando visitava uma tia, na Índia. Finalmente, poucos anos atrás, ela telefonou para sua tia antes de se encontrarem e disse que queria muito ir visitá-la, mas que não poderia comer muito porque estava tentando controlar a alimentação. Sua tia disse que tudo bem, que não se importava com isso e que apenas ficaria feliz por ver a sobrinha.

Qual a mensagem destas histórias? Nós sempre pensamos que ferimos o sentimento das pessoas quando recusamos o que nos oferecem para comer, mas, na realidade, elas não ficam ressentidas, ou, na pior das hipóteses, têm uma reação amena. Se você imagina que os outros ficarão decepcionados se você recusar comida, pergunte para você mesmo o seguinte:

- Não ficarei decepcionado se aceitar a comida e sair do meu planejamento alimentar?
- Por que acho mais importante agradá-los do que fazer o que é melhor para mim?

Reflita sobre tudo isso de uma outra maneira. Se você fosse vegetariano comeria carne só para agradar alguém? Se você estivesse seguindo uma dieta especial por uma restrição médica, abandonaria essa dieta só para poupar o sentimento de alguém? Você tem o direito de fazer o que é certo para você, desde que esteja sendo educado (porém firme, se for preciso). As pessoas que o colocam em uma situação difícil é que não estão sendo razoáveis, e não o contrário.

Na Sessão
com a Dra. Beck

Dois dias após a recepção das sobremesas, contei esta história a Júlia, uma paciente com a qual eu estava trabalhando. Sua primeira reação foi a de que eu não tivera consideração.

Julie: Sua anfitriã não ficou ofendida? Você não foi mal-educada?
Dra. Beck: Não acho que ela tenha ficado ofendida. Ela não parecia chateada. É possível que tivesse ficado um pouco desapontada.
Julie: Mas isso não é horrível?
Dra. Beck: Desapontá-la? Não. Eu fui educada. Não tive a *intenção* de fazê-la sentir-se mal.
Julie: Mas ela teve tanto trabalho!
Dra. Beck: É verdade. Mas, se eu tivesse comido as sobremesas, teria ultrapassado o que considero uma alimentação confortável. Eu tinha acabado de jantar. Não estava particularmente com fome e já havia comido mais do que habitualmente.
Julie: Mas, é possível que você a tenha feito se sentir mal.
Dra. Beck: É possível. Vamos imaginar que esteja certa, que ela esteja decepcionada. Qual teria sido o tamanho dessa decepção no contexto da situação?
Julie: [pensando] Não tão grande, eu acho.
Dra. Beck: E por quanto tempo você acha que ela ficou decepcionada? Havia um salão cheio de convidados, e a maioria deles estava comendo.
Julie: [suspirando] Eu acho que ela não deve ter pensado nisso por muito tempo.
Dra. Beck: Acho que você está certa. Mesmo que ela estivesse decepcionada, acho que seria uma decepção amena e que não deve ter durado muito tempo. Veja, eu fiz um cálculo mental rápido: se eu comesse as sobremesas, qual seria o benefício para ela comparado com o custo para mim? Decidi que o benefício para ela seria muito pequeno e o benefício para mim, por não comer, seria maior. Essa é exatamente a maneira como calculo a situação, independentemente de quem esteja me oferecendo comida.
Julie: Então você está me dizendo que não faz mal rejeitar o que as pessoas nos oferecem?
Dra. Beck: Em relação à comida? Absolutamente.

COMO DIZER NÃO

Prepare-se para falar "não" na próxima vez que lhe oferecerem comida. **Desenvolva um senso de direito sobre recusar uma solicitação para comer**. Leia o Cartão de Análise de Custo de Comer nas

páginas ao lado. Para preenchê-lo, pense em uma situação real em que alguém provavelmente irá lhe oferecer comida. Quais são os custos para você, caso aceite? Isso poderia levar você a:
- Sair de seu planejamento alimentar.
- Comer mais do que você realmente quer.
- Sentir-se subserviente.
- Sentir-se fora de controle.
- Parar de emagrecer ou até engordar.
- Comer exageradamente ou provocar um desejo incontrolável.
- Sentir-se mal consigo mesmo.

Antes de escrever o custo para outra pessoa, pense como seria sua reação se as pessoas se recusassem a comer o que você estava oferecendo, principalmente se você soubesse que elas estavam tentando emagrecer. Você se sentiria mal? Quanto duraria esse sentimento ruim? Pergunto-me se qualquer pessoa razoável teria mais do que apenas uma reação negativa amena e temporária.

Prepare sua resposta inicial. O que você dirá na próxima vez em que alguém lhe oferecer comida? Escreva o que planejou dizer em seu caderno ou num Cartão de Enfrentamento. Para muitas pessoas, parece ser suficiente dizer: "Não, obrigado" ou "Não, muito obrigado, parece delicioso, mas estou bem". Você não precisa explicar que está fazendo dieta ou que está controlando sua alimentação, se não quiser. Se for o caso, e você quiser, poderá dizer sempre: "Muito obrigado, parece realmente muito gostoso. Posso levar um pedaço para comer mais tarde?".

Planeje uma maneira de agir. Quem, em sua opinião, tem mais chance de insistir para você comer, em uma ocasião próxima? Onde você vai estar? Quem mais estará por perto? Que comidas estarão envolvidas? Tente imaginar a cena. Veja ele ou ela oferecendo comida a você. Ouça você mesmo dizendo: "Não, obrigado". Pense no que esta pessoa provavelmente irá dizer e em como você poderia responder. Veja a pessoa saindo e oferecendo comida para mais alguém. Imagine você mesmo se enchendo de elogios e sentindo orgulho por estar sendo assertivamente educado sobre suas prioridades.

Se você não estiver bem treinado para recusar alimentos, vai ficar um pouco nervoso da primeira vez. Com o tempo, isso se torna cada vez mais fácil porque você vai constatar que nada de horrível acontece.

Conselho especial para lidar com pessoas insistentes

A maioria das pessoas aceita um simples "Não, obrigado", e para de perguntar se você quer comer. Mas, algumas pessoas, que você já deve conhecer, não.

Para preparar sua resposta às pessoas insistentes, pense em um bom modelo, alguém que você saiba que é educadamente assertivo em relação às suas necessidades. (Se não lhe vier ninguém à mente, pense numa celebridade que você conheça). O que teria ele dito em uma situação semelhante? O diálogo poderia ser mais ou menos assim:

Pessoa insistente: Coma um pedaço do bolo do aniversário.
Modelo: Obrigado, não quero.
Pessoa insistente: Mas é meu aniversário! Você tem que comer um pedaço.
Modelo: Eu sei, e o bolo parece muito gostoso, mas eu realmente não posso aceitar.
Pessoa insistente: Ah, para com isso. Um pedacinho não vai fazer mal!
Modelo: Não, realmente não, obrigado de qualquer forma.
Pessoa insistente: Você está ferindo os meus sentimentos.
Modelo: Não estou recusando o bolo para magoar você. Eu apenas não quero comer nada neste momento.

Cartão de Análise do Custo de Comer	
Custo de comer	Custo para outra pessoa por eu não comer

Em que você está pensando?

Qual foi sua reação com a história que contei? Se você for como Julia (veja nas páginas anteriores), talvez você tenha alguns desses pensamentos sabotadores em mente. Nesse caso, preste muita atenção nas respostas.

Pensamento sabotador: Se eu não comer, (fulano) ficará chateado ou ofendido.

Resposta adaptativa: Eu não ficaria aborrecido com as pessoas que não quisessem comer. Se alguém ficar chateado isso é um problema dele, não meu. Eu não quero que a reação dele (ou que a minha previsão sobre a reação dele) se interponha em meu caminho.

Pensamento sabotador: Eu tenho que ser gentil com as pessoas comendo o que elas me oferecerem, não importa quanto isto me custe.

Resposta adaptativa: Eu preciso trabalhar em direção a minha meta, principalmente porque o custo será pequeno e temporário para as outras pessoas. Minha recusa não irá frustrá-las o ano inteiro. Vou me sentir muito bem dizendo não.

Comprometa-se
por escrito

Quando alguém insistir para que eu coma, irei: _____
_____
_____

Quando eu acreditar firmemente que tenho o direito de falar não aos que insistem para eu comer, fazer dieta será mais fácil.

Lista das tarefas de hoje:

Neste momento, muitas das tarefas do programa deveriam parecer automáticas. Antes de completar a lista de hoje, todavia, pense se ainda está, regularmente:
- Criando tempo e energia suficientes para a dieta.
- Consultando seu técnico em dieta.
- Relembrando que a fome nunca é uma emergência.
- Utilizando técnicas antidesejos.
- Comendo apenas o suficiente para ficar satisfeito.

Se não estiver, acrescente estas tarefas da lista de tarefas de hoje. Marque as tarefas que você completou. Para qualquer item que não tenha completado, anote agora a data em que irá completá-lo.

_____ Li, pelo menos duas vezes hoje, os Cartões de Enfrentamento das Vantagens de Emagrecer, NÃO TENHO ESCOLHA, Não está Certo e Volte aos Trilhos.

_____ Li outros Cartões de Enfrentamento quando necessário.

_____ Comi devagar, sentado e observando cada porção.

Assinale um item:
☐ Todas as vezes   ☐ A maioria das vezes   ☐ Algumas vezes

_____ Elogiei-me quando me engajei em comportamentos funcionais para a dieta.

Assinale um item:
☐ Todas as vezes   ☐ A maioria das vezes   ☐ Algumas vezes

_____ Fiz um planejamento alimentar escrito para amanhã e monitorei tudo que comi hoje, anotando em meu caderno de dieta, assim que acabei a refeição.

_____ Fiz exercícios espontâneos e planejados.

_____ Lidei eficazmente com temas de injustiça e desânimo.

_____ Decidi como responder aos que insistem em me oferecer comida.

_____ Pesei-me (novamente), registrei o resultado no meu gráfico de emagrecer e relatei minha mudança de peso para o técnico de dieta.

Dia 30
MANTENHA O CONTROLE QUANDO ESTIVER COMENDO FORA

Quando você frequentar restaurantes, reuniões familiares, comemorações ou eventos especiais, encontrará muitos estímulos para comer: a aparência e cheiro dos alimentos, algumas pessoas comendo e bebendo, outras lhe oferecendo comida e bebida, enfim, uma atmosfera festiva. Muitas pessoas aplicam regras especiais para comer e beber em ocasiões especiais. Eles se dão permissão para as indulgências.

Isso explica porque tantas pessoas vêm ao consultório desapontadas.

ESTRATÉGIAS PARA COMER FORA

Hoje, você irá criar um plano para comer fora e também marcar um dia desta semana para ir a um restaurante e colocar o plano em ação. Permanecer na dieta todas as vezes em que comer fora ou em comemorações é uma habilidade que requer preparação e prática. Veja o que você poderia fazer para conseguir isso:

- **Escolha o dia e o lugar apropriado**. Escolha um dia desta semana em que você não esteja particularmente estressado e planeje comer um pouquinho mais cedo do que o habitual, assim não estará com tanta fome. Escolha um restaurante onde sejam servidos alimentos permitidos pela sua dieta.
- **Vá com um amigo**. Escolha alguém que não vá ficar insistindo para você comer. Talvez fosse bom convidar seu técnico de dieta.
- **Planeje com antecedência a quantidade que irá comer**. É aceitável comer um pouco mais que o normal – talvez uns 25 por cento a mais de calorias do que você comeria naquela refeição. Se, na maior parte das vezes, você faz refeições em casa, estas calorias extras não vão desacelerar seu emagrecimento.
- **Planeje o que você vai comer**. Verifique se o restaurante possui cardápios em uma página da internet. Pense nos alimentos que você poderia comer e no tamanho das porções permitidas.
- **Antecipe os pensamentos sabotadores que poderão aparecer**. Você pode pensar, por exemplo: *tudo bem comer mais do que planejei porque... Todo mundo está comendo bastante/Raramente como estes alimentos/Não vai me prejudicar/Posso começar novamente amanhã/Eu deveria comer mais para aproveitar o dinheiro que es-*

tou gastando. Faça Cartões de Enfrentamento e leve-os com você para o caso de precisar deles. Assegure-se de ler e levar com você seu Cartão de Enfrentamento das Vantagens também.
- **Pense em estratégias para tolerar os desejos.** O que você pode dizer a si mesmo? O que você pode fazer? Releia o Dia 13 para se lembrar das técnicas de programação mental e das comportamentais que podem ser usadas. Se sentir um desejo forte por determinado alimento, por exemplo, procure se afastar dele, dando uma volta pelo restaurante, indo para fora, ou indo ao banheiro para ler seus Cartões de Enfrentamento.
- **Quando sua comida chegar, separe o que pode comer.** Coloque, imediatamente, o excedente na beira do prato. Uma opção é colocar a porção extra no pratinho de pão ou de salada, se preferir.
- **Avalie o seu sucesso.** Quando voltar para casa, pense sobre o que aconteceu. Se você teve dificuldades para cumprir o planejamento, pense o que poderia ser feito diferente da próxima vez. Esteja atento para pensamentos autocríticos. Se você teve problemas, foi apenas porque essa tarefa é muito desafiadora. Experimente outra vez e prepare-se melhor antes de ir.
- **Se você se saiu bem, mas se sentiu contrariado porque não pôde comer tudo o que quis, trabalhe seus pensamentos sabotadores.** Elogie-se muito por seguir seu planejamento alimentar e trabalhe a aceitação: *Paciência, eu não posso comer como comia, mas realmente quero emagrecer, então é bom me colocar limites.*

> **Dica!** Se você consegue comer fora sem comer exageradamente, elogie-se muito. Mas, não desfaça a alimentação adequada quando chegar em casa. Algumas pessoas dizem a si mesmas: *Fiz tudo tão certo. Agora mereço um agrado.* E então fazem um lanche que não estava planejado. Tudo bem planejar com antecedência comer alguma coisa quando se chega em casa. Eu, de propósito, evito comer sobremesas quando estou fora porque fico na expectativa pelo meu lanche da noite. Se eu comer a sobremesa antes, não poderei comer o lanche.

Quanto mais você praticar comer fora, mais fácil vai ficar. Qualquer dia destes, ao sair do restaurante ou de um evento, dirá para si mesmo: *Estou muito contente por não ter comido exageradamente.* Quando eu falava isso para as pessoas com quem trabalhei, a maioria, inicialmente, não acreditava em mim e dizia: "Eu não consigo *imaginar* isso acontecendo comigo. Acho que *sempre* me sentirei em privação". Mas todos conseguiram chegar nesse ponto. Eles se sentem bem por permanecerem no controle.

ESTRATÉGIAS PARA JANTAR FORA

Estas estratégias podem lhe ajudar a permanecer no controle quando comer fora. Assim que as tiver lido, tome cuidado com os pensamentos sabotadores como: *Eu não conseguiria*. As pessoas que atendi e eu, rotineiramente, fazemos estas coisas – e nos sentimos bem com isso.

Diga ao garçom como gostaria que seu prato fosse preparado. Não hesite em pedir substituição ou combinações especiais. Muitas pessoas fazem esses pedidos e os garçons estão acostumados a resolver a situação. O pior que pode acontecer é ele não poder atender o seu pedido, mas, pela minha experiência, isso não acontece muito frequentemente. Tenha cuidado com pensamentos sabotadores como: *Estou dando muito trabalho para eles*. Leia o "Em que você está pensando?" deste capítulo, para se preparar para esses pensamentos antes que eles apareçam.

Permanecer na dieta sempre que comer fora e em comemorações é uma habilidade que requer preparação e prática.

Peça porções menores. Solicite uma porção menor da entrada. Tenha cuidado com pensamentos sabotadores como: *Meu acompanhante me criticará se eu comer tão pouco.*

Seja o serviço bufê ou tradicional, dê uma olhada geral nos alimentos antes de fazer seu prato. Dos alimentos permitidos pela sua dieta, quais os que parecem mais atraentes? Você ficaria mais satisfeito por experimentar pequenas porções de alimentos diferentes ou porções maiores de poucos alimentos? Decida-se e então faça seu prato. Lembre que você não irá repetir. Se estiver decepcionado, diga: *Paciência, eu gostaria de comer mais, mas estou saindo. Eu prefiro emagrecer.*

Pratique o que você aprendeu. Coma devagar e aprecie cada porção, mesmo que esteja distraído com a companhia e com o ambiente.

Demonstre que acabou de comer. Arrume os talheres sobre as sobras de comida. Se puder, coloque o seu guardanapo no prato. Empurre o prato.

MUDE SUA PROGRAMAÇÃO MENTAL SOBRE FESTAS, COMEMORAÇÕES E EVENTOS ESPECIAIS.

Se você quer emagrecer e nunca mais voltar a engordar, precisa desenvolver uma atitude diferente em relação às comemorações. Se você se parece com a maioria das pessoas, você tem uma ideia que é muito forte em sua mente: *Tenho direito a exceções em circunstâncias especiais*. Há três problemas associados a esta crença:

1. Você está sujeito a encontrar muitas circunstâncias especiais. Pense a respeito das circunstâncias especiais que acontecerão apenas no próximo ano: refeições na casa de amigos e familiares, festas, feriados, almoços, lançamentos, casamentos, festas de despedida, festas do escritório, jantares de negócio, eventos de caridade, ocasiões religiosas, recepções, festas beneficentes – a lista poderia não ter fim. Se você se der permissão para fazer exceções, você poderia facilmente comer exageradamente em todas elas.

2. Você pode extrapolar quando faz exceções. Em vez de comer uma porção pequena ou média a mais numa refeição especial (talvez um excedente de duzentas calorias), você poderia facilmente comer *muito* mais. Por exemplo, se seu jantar é, normalmente, de 600 calorias, você poderia acabar comendo 200 por cento mais – isto é um total de 1800 calorias. Uma vez que você ultrapasse seu limite, pode ter o pensamento: *Já estraguei tudo. Posso também comer tudo que quero*.

3. Você pode ter dificuldade para retornar à alimentação controlada quando o evento terminar. É possível que você tenha pensamentos sabotadores como: *Foi realmente divertido comer tudo que eu queria. Eu gostaria muito de não restringir minha alimentação*. Você pode perder de vista a importância de emagrecer – e corre o risco de interromper os passos deste programa. Ou pode ter pensamentos sabotadores como: *Eu perdi mesmo o controle. Estraguei tudo. Qual a utilidade de continuar tentando?* Um sentimento de desesperança pode se instalar e você pode não conseguir recuperar as energias para voltar à dieta.

As pessoas que atendi ficavam surpresas quando eu contava o que normalmente fazia em eventos sociais: planejava comer mais ou menos 25 por cento de calorias – no máximo – a mais do que normalmente. Foi o que aconteceu no último verão, no casamento de minha filha. Pulei todos os frios exceto os vegetais crus. Comi toda a salada e uma porção do prato principal. Não comi sobremesa. (Levei uma porção do bolo de casamento para casa e comi uma pequena fatia no meu lanche da noite, todas as noites da semana seguinte). E você sabe o que mais? Foi uma semana maravilhosa. Aproveitei o que comi e não me senti em privação. Na realidade, eu me senti muito bem por ter seguido meu planejamento e ter evitado comer exageradamente. Por que foi tão fácil fazer isso? Por causa de uma ideia que tenho: *ficar mais magra é mais importante para mim do que um prazer momentâneo de comer bastante em ocasiões especiais.*

Conselho especial para jantares de negócio

Se você está em um jantar de negócios, use as estratégias mencionadas e mantenha em mente o seguinte:
- É comum ficar preocupado com a conversa, portanto, assegure-se de separar a porção excedente do alimento antes de começar a comer. Se for possível, procure organizar os encontros de negócios para a hora do café ou do lanche (você pode pedir uma bebida de baixa caloria, se quiser) em vez do horário das refeições.
- Fortaleça-se levando ao restaurante seus Cartões de Enfrentamento. Você sempre pode pedir licença para dar uma lida neles em particular.
- Se alguém lhe perguntar por que não está bebendo, tomando um aperitivo ou comendo mais, responda apenas, "Estou tentando comer de forma mais saudável" ou "Estou cuidando da minha alimentação". Não há necessidade de dar nenhuma outra explicação além dessas, a menos que você queira.
- Se for preciso, planeje alimentar-se substancialmente antes ou depois do jantar, assim você pode comer pouco no restaurante.

Em que você está pensando?

Você pode precisar contrariar seus pensamentos sabotadores muitas vezes enquanto está comendo fora ou participando de eventos especiais. Você pode se sentir decepcionado por não poder comer tudo o que gostaria. Use as seguintes respostas para se preparar com antecedência para os pensamentos sabotadores:

Pensamento sabotador: Eu não sou o tipo de pessoa que faz pedidos especiais. Tenho receio de aborrecer o garçom.
Resposta adaptativa: As pessoas fazem pedidos especiais o tempo todo. Tenho o direito de fazer isso também. Pedir ao garçom para modificar minha refeição é normal, assim como pedir ao garçom para embalar a comida excedente para levar para casa. Se eu estivesse comendo de forma diferente por causa de uma restrição médica, por ter alguma alergia ou por ser vegetariano, eu não hesitaria. Comer diferentemente para emagrecer é tão aceitável quanto.

Pensamento sabotador: A comida que está na minha dieta é mais cara do que a que quero realmente pedir. Não tem sentido gastar mais só para permanecer na dieta.

Resposta adaptativa: Vale, vale a pena! Que maneira boa de gastar dinheiro – em busca de um objetivo que quero realmente atingir.

Pensamento sabotador: Minhas companhias irão notar que estou comendo de um jeito diferente do deles (ou do meu jeito normal de comer). Eles podem fazer algum comentário que me deixe desconfortável.

Resposta adaptativa: E daí? Se eles fizerem um comentário, eu posso dizer apenas que estou tentando comer de maneira mais saudável. E então posso mudar de assunto.

Pensamento sabotador: Eu queria muito poder comer tudo o que os outros estão comendo.

Resposta adaptativa: Eu também desejo realmente ser mais magro. Mas, "Paciência". Isso não é justo, mas seria menos justo se eu fosse em frente e comesse o que todos estão comendo e, como resultado, não conseguisse emagrecer.

Pensamento sabotador: Esta é uma ocasião especial. Eu mereço me tratar bem.

Resposta adaptativa: Se eu quiser emagrecer e nunca mais voltar a engordar, preciso aprender a comemorar de maneiras diferentes. Se eu continuar comemorando com comida, corro o risco de engordar. Não vale a pena.

Pensamento sabotador: É muito triste não poder comer tudo que quero.

Resposta adaptativa: É maravilhoso conseguir cumprir o meu planejamento e emagrecer.

Comprometa-se
por escrito

Da próxima vez que eu for comer fora, irei: _____
_____
_____
_____
_____
_____

> *Quando eu começar a me preparar antecipadamente*
> *para comer fora, fazer dieta será mais fácil.*

Lista das tarefas de hoje:

Marque as tarefas que você completou. Para qualquer item que não tenha completado, anote agora a data em que irá completá-lo.

_____ Li, pelo menos duas vezes hoje, os Cartões de Enfrentamento das Vantagens de Emagrecer, NÃO TENHO ESCOLHA, Não está Certo e Volte aos Trilhos.

_____ Li outros Cartões de Enfrentamento quando necessário.

_____ Comi devagar, sentado e observando cada porção.

Assinale um item:
☐ Todas as vezes   ☐ A maioria das vezes   ☐ Algumas vezes

_____ Elogiei-me quando me engajei em comportamentos funcionais para a dieta.

Assinale um item:
☐ Todas as vezes   ☐ A maioria das vezes   ☐ Algumas vezes

_____ Fiz um planejamento alimentar escrito para amanhã e monitorei tudo que comi hoje anotando em meu caderno de dieta, assim que acabei a refeição.

_____ Fiz exercícios espontâneos e planejados.

_____ Lidei eficazmente com temas de injustiça e desânimo.

_____ Decidi como responder aos que insistem em me oferecer comida.

_____ Planejei comer fora esta semana.

Dia 31
DECIDA SOBRE BEBIDAS ALCOÓLICAS

Sua dieta incentiva a diminuição do consumo de bebidas alcoólicas? Em caso afirmativo, como você se sente quanto a suspender o álcool? Tomar bebida alcoólica é uma escolha individual. Minha decisão pessoal é beber apenas ocasionalmente porque eu prefiro gastar minhas calorias nos alimentos.

Se você deseja incluir bebida alcoólica em sua dieta, é necessário planejar com antecedência esse consumo, do mesmo modo que faz com os alimentos. Isso significa limitar seu consumo e assegurar que o álcool não fará com que suas restrições alimentares sejam inúteis.

AS VERDADES SOBRE O ÁLCOOL

Infelizmente, o álcool contém calorias – uma porção de calorias. Com 7 calorias por grama, é, aproximadamente, duas vezes mais calórico, em proporção, do que as proteínas e os carboidratos (que têm 4 calorias por grama). Além disso, a maior parte dos componentes de uma bebida são altamente calóricos. Um aperitivo pode facilmente conter 400 calorias!

Muitas pessoas que fazem dieta tentam compensar essas calorias comendo menos. Mas comer menos pode levá-lo a comer mais depois. Além disso, o álcool, por si só, tem a tendência de diminuir sua inibição, contribuindo para que você coma exageradamente ou coma alguma coisa que não está planejada.

Decidir espontaneamente sobre beber pode parecer uma atitude simples. Porém, para aderir à dieta de forma a alcançar metas, o controle da ingestão de álcool é tão necessário quanto o controle da alimentação espontânea. De outra maneira, você estará se colocando em risco de voltar a engordar, mais cedo ou mais tarde. Você precisa decidir se irá beber e o quando irá beber hoje, antes de estar exposto à questão. Caso contrário, provavelmente beberá demais.

QUE QUANTIDADE BEBER E COM QUE FREQUÊNCIA

Pense em suas opções: você pode decidir não beber ou beber dentro de um limite pré-estabelecido. Por exemplo, tomar uma dose por dia, por semana, por mês ou alguma coisa assim. Beber um pouco em ocasiões especiais. Decidir pelo consumo de bebidas alcoólicas exige cuidados para não aumentar muito o teor de calorias em sua alimentação. Pergunte para si mesmo: *Quero mesmo ingerir minhas calorias deste modo? Seria melhor comer _____ ou _____ em vez de beber?*

Se essa decisão gera conflitos para você, faça uma lista de vantagens e desvantagens de beber e converse sobre sua decisão com o técnico de dieta. Escolha um plano que funcione para você. Margarida, por exemplo, decidiu não tomar bebidas alcoólicas em casa, apenas quando saísse com os amigos. Ao estabelecer esta regra com firmeza, ela encontrou menos dificuldade para abandonar seu copo de vinho à noite. Cris, por outro lado, é um conhecedor de cervejas. Decidiu que beberia apenas uma cerveja por dia, no jantar, para evitar a tentação de acompanhar a cerveja com lanches não programados.

Qualquer decisão que você tomar sobre bebidas será válida desde que você:
- Não coma em menor quantidade para compensar.
- Faça um planejamento antecipado de quando e quanto vai beber.
- Calcule, com antecedência, as calorias da bebida escolhida.
- Impeça que o álcool contribua para uma alimentação espontânea.

Dica! Quando você beber, perceba e aproveite cada gole. Beba devagar para que dure bastante. Assim que tiver terminado sua bebida, peça algo para beber que não seja calórico para não cair na tentação de pedir outra bebida alcoólica.

Em que você está pensando?

Você tem pensamentos disfuncionais sobre limitar bebidas alcoólicas? Em caso afirmativo, lembre-se de que muitas pessoas não bebem, embora gostem, porque também estão controlando seu peso, porque têm problemas de saúde, porque têm problemas com álcool, porque sofrem com os efeitos colaterais das bebidas alcoólicas. Você não é o único que precisa restringir ou eliminar o consumo de álcool. Pensamentos sabotadores são comuns entre as pessoas que experimentam eliminar ou diminuir o álcool. Crie Cartões de enfrentamento para combater os pensamentos que se aplicam a você.

Pensamento sabotador: Estou com vontade de beber.
Resposta adaptativa: Posso estar com vontade, mas isso não é uma licença para beber. Às vezes, tenho vontade de comprar coisas que não posso, de gritar

com meu chefe, mas não o faço. Prefiro me sentir orgulhoso que culpado. Prefiro emagrecer.

Pensamento sabotador: Eu não consigo me divertir se não beber à vontade.
Resposta adaptativa: Isso não é uma questão de tudo ou nada. Ainda posso me divertir socialmente – como milhões de outras pessoas que não bebem ou não bebem muito.

Pensamento sabotador: As pessoas irão pensar que não sou divertido se não beber.
Resposta adaptativa: Isso pode ser verdade ou pode não ser. O que é mais importante para mim, de qualquer maneira: o que eles pensam ou estar fazendo o que é preciso para emagrecer?

Comprometa-se
por escrito

Minha decisão sobre beber é:

Quando eu aceitar que preciso limitar o consumo de bebidas alcoólicas, fazer dieta será mais fácil.

Lista das tarefas de hoje:

Marque as tarefas que você completou. Para qualquer item que não tenha completado, anote agora a data em que irá completá-lo.

_____ Li, pelo menos duas vezes hoje, os Cartões de Enfrentamento das Vantagens de Emagrecer, NÃO TENHO ESCOLHA, Não está Certo e Volte aos Trilhos.

_____ Li outros Cartões de Enfrentamento quando necessário.

_____ Comi devagar, sentado e observando cada porção.

Assinale um item:

☐ Todas as vezes   ☐ A maioria das vezes   ☐ Algumas vezes

_____ Elogiei-me quando me engajei em comportamentos funcionais para a dieta.

Assinale um item:

☐ Todas as vezes   ☐ A maioria das vezes   ☐ Algumas vezes

_____ Fiz um planejamento alimentar escrito para amanhã e monitorei tudo que comi hoje anotando em meu caderno de dieta, assim que acabei a refeição.

_____ Fiz exercícios espontâneos e planejados.

_____ Lidei eficazmente com temas de injustiça e desânimo.

_____ Decidi a quantidade e a frequência do meu consumo de bebidas alcoólicas.

Dia 32
PREPARE-SE PARA VIAJAR

Muitas das pessoas que atendo me dizem que se sentem ansiosas com a possibilidade de engordar quanto viajam. Tereza, por exemplo, depois de fazer dieta por alguns meses e emagrecer consideravelmente, estava preocupada com a viagem que faria com a família para a praia. Nos anos anteriores, ela costumava engordar, em média, 2 quilos cada vez que saía de férias. Perguntou-me: "Como vou conseguir fazer dieta se não vou cozinhar, se vou comer fora uma porção de vezes?"

Minha resposta é a mesma para todas as pessoas que fazem dieta: "Não importa se você está viajando a negócios ou a lazer, você pode permanecer sob controle se você planejar a estratégia antes de ir".

PLANEJAMENTO PARA VIAJAR

Uma semana antes de viajar, crie uma estratégia para a dieta. Quero que você pense nisso com antecedência para que possa se lembrar dela todos os dias antes de partir. Decida o quanto quer ficar próximo de sua dieta original, especificamente sobre as exceções que irá fazer e quantos quilos, se algum, irá se permitir engordar. Essas decisões são individuais. Não existem respostas certas ou erradas. Algumas pessoas preferem ficar o mais próximo possível da dieta habitual para não engordarem durante este período. Estas estratégias, no entanto, são totalmente irrealistas para a maioria. Se suas regras alimentares forem muito rígidas, você poderá ficar irritado e abandonar a dieta de uma vez. A melhor estratégia pode estar entre estas:

- Permita-se cento e poucas calorias extras por dia. (Isto é o que costumo fazer.)
- Siga seu planejamento todos os dias, mas adicione pequenos agrados em algumas ocasiões.
- Siga sua dieta todos os dias, permitindo um agrado no último dia.

Usar qualquer dessas estratégias pode causar um pequeno ganho de peso (pressupondo que seus agrados não sejam muito grandes), o que é razoável e com certeza muito melhor do que engordar muito. Você irá se sentir melhor se decidir, de antemão, que é isto o que quer fazer. Você se sentirá pior se tentar não engordar, comer mais do que planejou e acabar engordando de qualquer maneira.

Para decidir que estratégia usar, pense nos alimentos ou bebidas que você vai querer incorporar à dieta quando estiver viajando. Sua preferência é beber um pouco no bar? Comer uma deliciosa sobremesa depois do jantar? Experimentar alimentos novos e incomuns?

Quando tiver inventado suas estratégias, anote-as em seu caderno de dieta. Leia essas anotações todos os dias até viajar (e todos os dias enquanto estiver lá), assim elas se firmarão em sua mente.

Se suas regras de alimentação forem muito rígidas, você poderá ficar irritado e abandonar a dieta de uma vez.

COMO ENGORDAR MENOS

Tente imaginar uma situação específica que poderá surgir enquanto você estiver fora para testar suas estratégias. Consulte seu técnico de dieta se quiser.

Aqui estão algumas soluções criadas pelas pessoas que atendi para evitar que engordem muito enquanto estão longe de casa:

Exercitar-se mais. Ajudará a compensar pequenas quantidades de comida extra. Você pode fazer exercícios formais ou aproveitar atividades recreacionais que requerem um gasto entre moderado e alto de energia.

Unir o café da manhã e o almoço. Se acordar mais tarde do que o habitual, combinar essas duas refeições permitirá que você coma mais em uma refeição só.

Levar a comida com você. Se você tem uma longa viagem pela frente, considere levar alguns alimentos favoritos, permitidos em sua dieta. Quando estiver em trânsito, cuide para não comer pelo tédio. Cuide para não comer mais refeições do que foi planejado devido às mudanças de horário. Algumas pessoas com as quais trabalhei pediam para que o hotel providenciasse um frigobar (ou para que o gerente removesse as bebidas alcoólicas que já estavam disponíveis). Quando chegavam ao seu destino, paravam no supermercado e compravam alimentos e bebidas, especialmente para os lanches planejados.

Utilizar as estratégias já aprendidas. Leve este livro com você. Releia capítulos como os que tratam da diferença entre a fome e o desejo e como tolerá-los; como utilizar as técnicas antidesejos; como preparar-se para alimentação não-planejada e para o consumo exagerado de alimentos; como voltar para a dieta depois de um deslize; como enfrentar as decepções e os sentimentos de injustiça; como lidar como os que insistem para você comer; e, especialmente, como se preparar para comer fora e consumir bebidas alcoólicas. Se você praticou as habilidades deste programa no último mês, já aprendeu bastante. Utilize esses conhecimentos!

DURANTE A VIAGEM DE VOLTA

Você está a caminho de casa. Você tentou utilizar, enquanto estava fora, a dieta que organizou previamente. Como foi? Você deveria estar elogiando-se por tudo o que fez corretamente. Mas talvez você tenha errado também. Você está apreensivo com a ideia de subir na balança?

Diga a si mesmo: *Quando eu subir na balança, poderei estar mais pesado. Não faz mal. Era previsto que engordasse um pouco. Assim que chegar em casa, irei controlar mais minha alimentação e meu ambiente, e vou emagrecer novamente.* Faça de sua viagem para casa uma transição entre a alimentação de férias e dieta normal.

Planeje sua alimentação para o resto do dia, como também para amanhã. Muita gente tenta perder, rapidamente, o excesso de peso ganho por meio de uma restrição total da alimentação quando volta para casa. Evite essa tentação porque ela o colocará em risco de comer exageradamente dentro dos próximos dias. Certifique-se de restabelecer seus comportamentos alimentares funcionais, como comer devagar, sentado, planejando a alimentação na véspera e monitorando tudo o que consome. Além disso, telefone para o seu técnico de dieta assim que chegar em casa.

Em que você está pensando?

As férias são excelentes para gerar pensamentos sabotadores. Previna-se agora, para que você possa responder a eles, de modo convincente, na ocasião apropriada.

Pensamento sabotador: Ah, não, eu não tenho controle sobre alimentação enquanto estou de férias. E se eu engordar muito?
Resposta adaptativa: Desenvolvi uma estratégia para a dieta nas férias. Vou pegar meu caderno de dieta agora mesmo e ler o meu plano.
Pensamento sabotador: Estou me saindo tão bem. Eu talvez pudesse comer qualquer coisa que quisesse quando estivesse viajando. Se não puder comer tudo que quiser não vou me divertir.
Resposta adaptativa: Isso não é uma questão de tudo ou nada. Eu não vou passar por privação total. Poderei comer algumas coisas que gosto. Não vou

entregar-me a todos os prazeres de comer nem privar-me de todos os divertimentos. Além disso, quando eu voltar para casa e me pesar, ficarei feliz por não ter engordado 2 quilos. Isso é o que importa.

Pensamento sabotador: É injusto não poder comer tudo o que quero quando estou de férias.

Resposta adaptativa: Isso é verdade. Não é justo. Mas eu não posso ganhar todas. Eu não posso comer tudo que quiser sem engordar muito. Eu tenho me esforçado demais até agora para emagrecer. Isso ainda é melhor que comer descontroladamente e perder totalmente a razão.

Comprometa-se
por escrito

Minha estratégia de dieta para as férias será:

Quando eu aceitar que tenho de seguir uma estratégia de dieta nas férias, fazer dieta será mais fácil.

Lista das tarefas de hoje:

Marque as tarefas que você completou. Para qualquer item que não tenha completado, anote agora a data em que irá completá-lo.

_____ Li, pelo menos duas vezes hoje, os Cartões de Enfrentamento das Vantagens de Emagrecer, NÃO TENHO ESCOLHA, Não está Certo e Volte aos Trilhos.

_____ Li outros Cartões de Enfrentamento quando necessário.

_____ Comi devagar, sentado e observando cada porção.

Assinale um item:
☐ Todas as vezes   ☐ A maioria das vezes   ☐ Algumas vezes

_____ Elogiei-me quando me engajei em comportamentos funcionais para a dieta.

Assinale um item:
☐ Todas as vezes   ☐ A maioria das vezes   ☐ Algumas vezes

_____ Fiz um planejamento alimentar escrito para amanhã e monitorei tudo que comi hoje anotando em meu caderno de dieta, assim que acabei a refeição.

_____ Fiz exercícios espontâneos e planejados.

_____ Fiz meu planejamento alimentar para quando for viajar.

Dia 33
ELIMINE A ALIMENTAÇÃO EMOCIONAL

Absolutamente todas as pessoas com problemas de peso comem por razões emocionais, de vez em quando. Uma das pessoas que atendi, Pâmela, comia quando estava triste ou ansiosa. Patrícia comia quando se sentia sobrecarregada. Roberto comia quando estava solitário ou entediado. Lucy comia quando estava com raiva.

É possível que você também se acalme com a comida porque não gosta de se sentir aflito ou entediado. A comida pode, de fato, ser uma distração eficaz – temporariamente. Mas comer não resolve o problema original que o levou a se afligir. Na realidade, comer por motivos emocionais cria um outro problema: você se sente mal porque saiu da dieta.

Elza sempre comia quando estava chateada. Por exemplo, um dia seu chefe pediu para que ela ficasse até mais tarde no trabalho, pela terceira noite seguida. Vários pensamentos negativos passaram pela sua cabeça: *Ele não tem nem um pouco de consideração! Ele não pensa que eu tenho uma vida? Porque eu deveria ficar até mais tarde? Porque ele não pede para outra pessoa?* Esses pensamentos a deixavam furiosa. Quando chegou em casa, ela ainda estava aborrecida e abandonou por completo seu planejamento alimentar, limpou um pote de sorvete e ficou indignada consigo mesma.

Se Elza tivesse olhado a situação de maneira mais imparcial, poderia ter conseguido resolver o problema. Poderia ter percebido que, educada, porém assertivamente, poderia recusar o pedido de seu chefe. E, mesmo que não encontrasse uma solução para o problema, não teria sentido necessidade de comer. Ela poderia ter respondido aos pensamentos que geraram raiva, diminuindo sua angústia. Em vez disso, irritou-se, não aguentou se sentir daquela forma, e tentou se acalmar comendo.

Compare o comportamento de Elza com o das pessoas que não têm problemas com o peso. Não ocorreria à maioria delas comer quando estivessem aborrecidas. Elas não confiam à comida a ajuda para se sentirem melhor.

Quem não tem problemas com o peso
não pensa em comer para se sentir melhor

COMO SE ACALMAR

Não há nada de errado em ter emoções negativas. É apenas a maneira que a natureza tem de nos dizer que estamos tendo um problema. Você pensa que não consegue tolerar emoções negativas? Pois consegue! É claro que você não gosta de se sentir chateado. Mas emoções negativas não são perigosas. Nada de mal vai acontecer. Você não vai se destruir. Com o passar do tempo, as emoções negativas – a exemplo dos desejos por comida – vão diminuir sozinhas. Você não precisa comer. Uma emoção negativa não é uma emergência.

A comida pode ser uma distração eficaz – temporariamente. Mas comer não resolve os problemas que originaram suas preocupações.

Emoções negativas são desconfortáveis, mas existem estratégias cognitivo-comportamentais que você pode aprender para se sentir melhor. Normalmente, a melhor maneira de diminuir suas angústias é responder aos pensamentos negativos e resolver o problema associado ao seu sofrimento emocional. Amanhã, vou lhe ensinar a fazer isto. Mas, algumas vezes, é difícil ir diretamente à solução do problema (e pode haver problemas que estejam fora de seu controle), principalmente se você está acostumado a procurar comer quando está chateado. Você pode precisa diminuir sua preocupação primeiro, de maneiras não relacionadas à comida.

Felizmente, você já desenvolveu muitas habilidades que serão utilizadas para lidar com os motivos emocionais de comer. Você utilizará as mesmas técnicas aprendidas no dia 12, para tolerar sensações desagradáveis da fome, do desejo de comer e para diminuir a urgência por comer. Leia para descobrir como fazer isso.

Utilizando técnicas de programação mental

Aplique as mesmas técnicas cognitivas já aprendidas para combater a alimentação pelo emocional.

Classifique o que você está sentindo. Diga para si mesmo: *Estou apenas chateado. Não estou com fome.*

Fique Firme. Diga a si mesmo que definitivamente não vai comer só porque está se sentindo angustiado. Lembre-se de não fortalecer seu músculo de desistência e de não enfraquecer seu músculo de resistência, saindo do seu planejamento alimentar. Pense que comer neste momento só irá minar sua autoconfiança na capacidade de aderir à dieta.

Não se permita escolher. Quando você disser para si mesmo, com convicção: NÃO TENHO ESCOLHA. *Eu, definitivamente, não vou comer,* a luta irá acabar. Mas a luta irá continuar se você vacilar e disser a si mesmo: *Eu odeio me sentir assim. Não sei se suporto ficar sem comer.*

Imagine o resultado de ceder. Visualize-se comendo. Quanto tempo dura o prazer de comer? Agora imagine o restante do cenário. Quantas vezes na sua vida (dúzias? centenas? mais do que isso?) você prometeu a si mesmo que não iria interromper a dieta? Imagine-se ficando cada vez mais infeliz, desanimado, e decepcionado consigo mesmo. Veja como você está se sentindo mal por ter cedido. Pare por um momento. Agora que viu todo o cenário, o que lhe parece melhor: comer ou não comer?

Leia seu Cartão de Enfrentamento das Vantagens. Reveja todas as razões pelas quais quer emagrecer. Você ainda quer alcançar todos esses benefícios? Eles continuam importantes? Vale a pena fortalecer seu músculo de desistência comendo neste momento?

> *Você precisa lidar com suas angústias de maneiras não relacionadas à comida se quiser sustentar em definitivo o seu emagrecimento.*

O mais importante é lembrar que você não vai conseguir sustentar o que emagreceu se continuar a comer por razões emocionais. Comece a aprender diferentes maneiras de lidar com a angústia para não voltar a comer em busca de conforto.

Utilizando técnicas comportamentais

Faça alguma coisa para diminuir seu desconforto quando estiver chateado.

Distraia-se. Quando você está chateado, assistir à TV ou ler pode não ser a melhor opção de distração. Dê uma olhada no Cartão de Atividades para Distração, no Dia 13, para escolher algumas.

Beba algo suave que não contenha calorias ou que contenha poucas calorias. Considere fazer uma xícara de chá. Sente-se e beba vagarosamente.

Relaxe. Ouça um áudio que ensine técnicas de relaxamento, como o relaxamento muscular progressivo, imagens guiadas ou respiração controlada. Ou opte pela respiração lenta e superficial descrita no Dia 13.

> **Você se alimenta por motivos emocionais?**
>
> Comer emocionalmente envolve a vontade de se distrair de um sentimento desagradável. Quando perceber que está comendo por qualquer motivo que não seja fome, pergunte-se: Como eu estava me sentindo emocionalmente?
> - Estava me sentindo triste, solitário, preocupado, envergonhado, frustrado, com raiva, culpado?
> - Estava me sentindo acabado, perturbado, entediado?
> - Estava tentando evitar fazer alguma coisa que não quero fazer?

Quanto mais você pratica técnicas cognitivas e comportamentais, melhor você lidará com elas. No início, você vai estar apto para aplicar essas técnicas quando o nível das emoções negativas for leve ou moderado. Conforme você for ficando mais proficiente, será capaz de utilizá-las também para as emoções mais intensas.

Aplique muitas dessas técnicas assim que começar a se sentir chateado. Quando se acalmar, trabalhe no sentido de resolver os problemas que deram origem às emoções negativas. (Eu irei abordar isto amanhã.) Em vez de dizer a si mesmo: *Se eu me sentir chateado, vou lidar com isso comendo,* diga: *Se eu ficar chateado vou tentar resolver o problema. Se eu não conseguir me focar na resolução do problema, vou usar minhas ferramentas cognitivas e comportamentais antes de qualquer coisa.*

Em que você está pensando?

Você está se sentindo inseguro quanto à habilidade de controlar os motivos para comer emocionalmente? Se estiver, pense um pouco e responda aos seus pensamentos sabotadores.

Pensamento sabotador: Não consigo me acalmar se não comer.
Resposta adaptativa: Há uma porção de técnicas que posso utilizar em vez de procurar por comida. Ficarei muito feliz daqui a pouco por não aumentar meu problema comendo.

Pensamento sabotador: Eu mereço comer quando estou triste.
Resposta adaptativa: Eu mereço me sentir melhor. Eu mereço conforto. Mas também mereço ser mais magro. O conforto obtido através da comida só funciona temporariamente e eu me sentirei ainda pior depois.

Comprometa-se
por escrito

Na próxima vez que ficar chateado, irei: _____
_____
_____
_____

Quando eu começar a usar outras estratégias, que não a comida, para me acalmar, fazer dieta será mais fácil.

Lista das tarefas de hoje:

Marque as tarefas que você completou. Para qualquer item que não tenha completado, anote agora a data em que irá completá-lo.

_____ Li, pelo menos duas vezes hoje, os Cartões de Enfrentamento das Vantagens de Emagrecer, NÃO TENHO ESCOLHA, Não está Certo e Volte aos Trilhos.

_____ Li outros Cartões de Enfrentamento quando necessário.

_____ Comi devagar, sentado e observando cada porção.

Assinale um item:

☐ Todas as vezes ☐ A maioria das vezes ☐ Algumas vezes

_____ Elogiei-me quando me engajei em comportamentos funcionais para a dieta.

Assinale um item:

☐ Todas as vezes ☐ A maioria das vezes ☐ Algumas vezes

_____ Fiz um planejamento alimentar escrito para amanhã e monitorei tudo que comi hoje anotando em meu caderno de dieta, assim que acabei a refeição.

_____ Fiz exercícios espontâneos e planejados.

_____ Planejei como lidar com emoções negativas sem procurar por comida.

Dia 34
RESOLVA OS PROBLEMAS

Hoje, você aprenderá a se tornar mais eficaz na resolução de problemas. Pensar objetivamente sobre um problema, mesmo que você não encontre uma solução, pode ajudá-lo a se sentir mais no controle, a ficar menos preocupado e, portanto, com menos chances de recorrer à comida por motivos emocionais.

IDENTIFIQUE O PROBLEMA

Para resolver um problema, em primeiro lugar, você precisa defini-lo. Algumas vezes, isso é fácil: a pressão de seu chefe sobre você, um cheque devolvido, ou um comentário desagradável que fizeram a seu respeito. Outras vezes, é difícil apontar com precisão a natureza do problema. Você reconhece a emoção, mas não tem certeza sobre o que possa tê-la causado. Considere pedir a um amigo ou ao seu técnico de dieta para ajudá-lo a descobrir que coisas estão envolvidas nesta situação.

Depois de definir o problema, assegure-se de identificar os pensamentos negativos que estão passando pela sua cabeça. Em seguida, utilize a Técnica das Sete Perguntas para responder a esses pensamentos negativos. Pense a respeito da lição do Dia 27.

1. Que tipo de erro cognitivo estou cometendo? (Faça uma revisão no Dia 26 para ajudá-lo a escolher as respostas a essas questões).
2. Qual a evidência de que esse pensamento não seja verdadeiro (ou, pelo menos, não seja totalmente verdadeiro)?
3. Existe uma explicação alternativa ou outra maneira de ver esta situação?
4. Qual o resultado mais realista para esta situação?
5. Qual é o efeito de acreditar neste pensamento e qual seria o efeito de acreditar em um pensamento diferente?
6. O que eu diria [a um amigo ou membro da família] se eles estivessem nesta mesma situação e tivessem os mesmos pensamentos?
7. O que devo fazer agora?

"O que eu devo fazer agora?" irá ajudá-lo a resolver o problema. Pense em várias soluções. Pese os prós e contras de cada uma. Escolha uma solução para experimentar e ver como ela funciona, assim como fez Denise, uma das pessoas que atendi.

Cansada, depois de um dia cheio no trabalho e com tantas responsabilidades como mãe, Denise, invariavelmente, jogava-se no sofá e começava a pensar em todo o trabalho da casa que ainda tinha para fazer. O pensamento: *Eu nunca terminarei de fazer tudo o que preciso* a deixava ansiosa. Para diminuir a ansiedade sem precisar comer, Denise usou a Técnica das Sete Perguntas. Veja a seguir:

1. Que tipo de erro do pensamento eu poderia estar fazendo?
   Adivinhando o Futuro.
2. Que evidências eu tenho de que esse pensamento possa não ser verdadeiro, ou totalmente verdadeiro?
   Eu já tive esse pensamento antes e de qualquer maneira eu sempre consegui fazer as coisas mais importantes.
3. Existe uma explicação alternativa ou outra maneira de ver esta situação?
   Talvez eu não precisasse deixar tudo pronto esta noite mesmo.
4. Qual será o resultado mais provável para esta situação?
   Que eu vou conseguir fazer algumas coisas mas não todas. Eu terei de fazer o resto em uma outra ocasião.
5. Qual é o efeito de acreditar no pensamento negativo e qual poderia ser o efeito de mudar meu pensamento?
   Eu iria me sentir sobrecarregada e paralisada. Se mudar minha maneira de pensar, me sentiria menos ansiosa e começaria a fazer as coisas logo.
6. O que eu diria a uma amiga que estivesse na mesma situação e tivesse esse mesmo tipo de pensamento?
   Eu diria para ela se levantar imediatamente e fazer tudo o que lhe parecesse mais fácil, como colocar a roupa na máquina de lavar. Em seguida, fazer o que fosse relativamente fácil – lavar a louça, tirar o lixo, e tudo o mais.
7. O que eu devo fazer agora?
   Começar agora mesmo colocando a roupa na máquina e então chamar Janine para me ajudar.

VOCÊ NÃO PODE RESOLVER TODOS OS PROBLEMAS

É preciso ser realista. Existem coisas que estão além de seu controle. Seu companheiro pode ser um alcoolista. A sua saúde pode estar seriamente comprometida. Você tem predisposição para ser muito preocupada. O que você pode fazer?

Em primeiro lugar, é natural sentir-se mal tendo tantos problemas. Você não seria humano se não ficasse preocupado. Entretanto, se suas conclusões a respeito dos problemas reais da vida são distorcidas, a alternativa é responder aos seus pensamentos negativos. Você poderia pensar, por exemplo: *Por causa desse problema, eu terei uma vida infeliz*. Nestas circunstâncias, você será beneficiado se usar a Técnica das Sete Perguntas.

Tendo ou não uma visão irrealista, entretanto, assegure-se de procurar ajuda. Você precisa falar com outras pessoas. Peça para que ouçam você. Pergunte o que eles podem fazer para ajudá-lo, de maneira prática. Por exemplo, eles podem dar ideias sobre o que fazer para sua vida melhorar, apesar dessas circunstâncias incontroláveis. Se, ainda assim, continuar difícil para você lidar com seus sentimentos, considere a possibilidade de buscar ajuda profissional ou espiritual. Prenda-se a isto.

Em que você está pensando?

Quando você começa a trabalhar na resolução de problemas, muitos pensamentos sabotadores podem surgir, minando sua autoconfiança e levando você a descartar automaticamente as soluções possíveis. Use os exemplos a seguir para responder a esses pensamentos.

Pensamento sabotador: Eu não posso fazer isto. Eu não consigo resolver este problema.
Resposta adaptativa: A maioria dos problemas pode ser resolvida – ou parcialmente resolvida – mesmo que no momento eu não esteja encontrando a solução.
Pensamento sabotador: Esta solução não vai funcionar.
Resposta adaptativa: Pode ser que funcione, pode ser que não. Talvez eu devesse tentar. Posso ligar para um amigo para me ajudar a pensar no que fazer.
Pensamento sabotador: Não quero nem pensar neste problema. Prefiro comer.
Resposta adaptativa: Comer é uma ajuda temporária, que me fará sentir ainda pior a longo prazo.

Comprometa-se
por escrito

Na próxima vez que tiver um problema, em vez de me voltar para a comida, irei:

> *Quando você reconhecer que comer não vai acabar com os seus problemas, fazer dieta será mais fácil.*

Lista das tarefas de hoje:

Marque as tarefas que você completou. Para qualquer item que não tenha completado, anote agora a data em que irá completá-lo.

_____ Li, pelo menos duas vezes hoje, os Cartões de Enfrentamento das Vantagens de Emagrecer, NÃO TENHO ESCOLHA, Não está Certo e Volte aos Trilhos.

_____ Li outros Cartões de Enfrentamento quando necessário.

_____ Comi devagar, sentado e observando cada porção.

Assinale um item:

☐ Todas as vezes ☐ A maioria das vezes ☐ Algumas vezes

_____ Elogiei-me quando me engajei em comportamentos funcionais para a dieta.

Assinale um item:

☐ Todas as vezes ☐ A maioria das vezes ☐ Algumas vezes

_____ Fiz um planejamento alimentar escrito para amanhã e monitorei tudo que comi hoje anotando em meu caderno de dieta, assim que acabei a refeição.

_____ Fiz exercícios espontâneos e planejados.

_____ Lembrei-me de como planejei lidar com emoções negativas sem procurar por comida.

_____ Decidi usar a Técnica das Sete Perguntas na próxima vez em que estiver preocupado em vez de recorrer à comida para me confortar.

Dia 35
PREPARE-SE PARA SE PESAR

Amanhã chega ao fim sua quinta semana usando **A dieta definitiva de Beck**. Se você está seguindo todos os passos deste livro, suas chances de emagrecer são muito boas.

Antes de subir na balança, pela manhã, lembre-se de que o número registrado é apenas uma informação. Se você está nervoso ou na expectativa de ter engordado, releia o Dia 28 antes de se pesar.

Depois de se pesar, calcule a diferença de peso em relação à última pesagem e a marque em seu gráfico, ligando os pontos. Comunique-se com seu técnico de dieta para lhe dizer o quanto seu peso mudou. Se você emagreceu 250 gramas ou mais, ótimo! Se não emagreceu, não fique desmotivado. Caso você tenha permanecido com o mesmo peso ou tenha engordado por duas semanas seguidas, faça uma revisão em seu planejamento alimentar com o técnico de dieta.

Considere carregar com você o gráfico do emagrecimento para poder olhá-lo mais frequentemente e lembrar-se do seu progresso. Uma das pessoas que atendi fez uma versão em miniatura de seu gráfico no verso de seu cartão de visitas para que pudesse visualizá-lo todas as vezes que abria sua carteira. Olhar para o gráfico a fazia pensar coisas positivas a seu respeito: *Olhe o que eu consegui! Eu adoro ver as linhas deste gráfico continuar a descer! Estou tão orgulhosa de mim! Isto compensa todo o esforço que estou fazendo.*

Em que você está pensando?

Seus pensamentos sabotadores sobre pesar-se podem ser parecidos com os que você teve ao se pesar na semana passada. Veja outro pensamento que poderá surgir amanhã.

Pensamento sabotador: Sei que é razoável emagrecer apenas 250g nesta semana, mas assim mesmo estou desapontada.

Resposta adaptativa: Meu peso está diminuindo. Isto é bom porque significa que o que estou fazendo está funcionando. Devo comemorar cada 250g que emagreço. Se eu ficar esperando qualquer coisa irrealista, vou me decepcionar. Estou na direção certa. Isto é o que conta. Eu mereço muitos elogios por estar usando técnicas cognitivas e comportamentais que aprendi e por estar pesando menos do que quando iniciei este programa.

Comprometa-se
por escrito

Antes de subir na balança, amanhã, lembrarei-me: _____
_____
_____
_____

> *Quando eu desenvolver expectativas realistas para emagrecer, fazer dieta será mais fácil.*

Lista das tarefas de hoje:

Marque as tarefas que você completou. Para qualquer item que não tenha completado, anote agora a data em que irá completá-lo.

_____ Li, pelo menos duas vezes hoje, os Cartões de Enfrentamento das Vantagens de Emagrecer, NÃO TENHO ESCOLHA, Não está Certo e Volte aos Trilhos.

_____ Li outros Cartões de Enfrentamento quando necessário.

_____ Comi devagar, sentado e observando cada porção.

Assinale um item:

☐ Todas as vezes   ☐ A maioria das vezes   ☐ Algumas vezes

_____ Elogiei-me quando me engajei em comportamentos funcionais para a dieta.

Assinale um item:

☐ Todas as vezes   ☐ A maioria das vezes   ☐ Algumas vezes

_____ Fiz um planejamento alimentar escrito para amanhã e monitorei tudo que comi hoje anotando em meu caderno de dieta, assim que acabei a refeição.

_____ Fiz exercícios espontâneos e planejados.

_____ Lembrei-me de como planejei lidar com emoções negativas sem procurar por comida.

_____ Decidi usar a Técnica das Sete Perguntas na próxima vez em que estiver preocupado em vez de recorrer à comida para me confortar.

_____ Preparei-me para a pesagem de amanhã.

10
Semana 6
Aprimore as novas habilidades

Parabéns por completar as primeiras cinco semanas de **A dieta definitiva de Beck**. Um longo caminho foi percorrido! Agora você sabe o que fazer quando quer comer mas sabe que não deveria. Você tem demonstrado, cada vez mais, ser capaz de controlar sua alimentação, de decidir a melhor estratégia para comer e de se manter firme em seu planejamento alimentar independente de estar com fome, cheio de desejos de comer, procurando confortar-se, sendo pressionado para comer, ou apenas sendo atraído por um alimento específico.

Nesta semana, você vai continuar aprimorando suas habilidades em terapia cognitiva. Você vai aprender a continuar construindo sua autoconfiança ao reconhecer que emagreceu devido aos seus próprios esforços e por usar as novas técnicas comportamentais e cognitivas que adquiriu. Você vai aprender agora a reduzir seu estresse geral e assim continuar tendo tempo e energia para fazer dieta. Você vai aprender o que fazer quando seu peso atingir um platô e também como continuar a praticar exercícios. Alem disso, você vai começar a seguir alguns passos para enriquecer sua vida a partir de agora, em vez de esperar até emagrecer.

E, por fim, você vai desenvolver um sistema que o fará lembrar-se de usar estas estratégias por muito tempo. Sua autoconfiança vai aumentar, seu estresse vai diminuir, sua vida vai ficar mais enriquecida, e então você reduzirá o risco de recaídas e aumentará as suas chances de sucesso duradouro.

Dia 36
ACREDITE EM VOCÊ!

Quando Brenda veio me consultar, ela precisava emagrecer mais de 57 quilos – e estava convencida de que nunca iria conseguir. Afinal, apesar de ter estado "fazendo dieta" por 35 anos, ela estava se tornando mais pesada do que leve. Sentia que estava condenada a repetir eternamente o círculo vicioso de quebrar a dieta e em seguida comer descontroladamente.

"Eu não sou o tipo de pessoa que consegue emagrecer," ela me disse. Continuava cética quanto ao fato de eu poder ajudá-la, mesmo depois que descrevi as estratégias comportamentais e cognitivas que iria lhe ensinar. Mas, Brenda disse que estava disposta a tentar.

Conforme iam passando as semanas, Brenda emagrecia, devagar, porém constantemente, mas permanecia cética. Depois de emagrecer 4,5 quilos, ela me disse: *Isto não vai durar*. Depois de emagrecer 9 quilos, estava confusa: *Eu vejo na balança que emagreci bastante e sei que estou perdendo minhas roupas, mas simplesmente isso não me parece real*. Depois que emagreceu 13,5 quilos, ela ficou muito confusa. As evidências de que ela estava emagrecendo eram inegáveis, mas assim mesmo Brenda duvidava de si mesma: *Tudo bem, eu sei que emagreci, mas não sei como fiz isso*, me dizia. *Isso tudo é simplesmente um puro acaso*. Depois de emagrecer 18 quilos, ela pensou que havia encontrado a resposta: *Estou 18 quilos mais magra, mas é apenas porque você está me ajudando*.

Lembrei à Brenda que, embora eu tenha certamente lhe ensinado ferramentas de terapia cognitiva, ela é que as estava usando de forma constante. Isso explicava o sucesso de seu emagrecimento. Intelectualmente, ela compreendeu a explicação, mas, em nível mais profundo, isso não se adequava à visão que tinha de si mesma como uma pessoa totalmente incapaz de emagrecer.

Para que Brenda continuasse a progredir, eu sabia que ela precisava parar de duvidar de si mesma. Talvez você também precise. Depois de cinco semanas fazendo este programa, você pode estar em dúvida – como a maioria das pessoas que atendi – sobre sua capacidade para continuar emagrecendo. É neste momento que você pode pensar: *É puro acaso. Amanhã eu vou acordar e terei engordado tudo de novo. Eu não sou diferente de quando tentei emagrecer da última vez*.

Mas você *está* diferente. Você agora adquiriu habilidades que não tinha, aprendeu a usá-las de forma constante e bem-sucedida. Seu emagrecimento não é um puro acaso. Seu progresso não vai desaparecer *enquanto você estiver praticando essas habilidades.*

Para modificar sua percepção, de alguém que não conseguia emagrecer para alguém que consegue, Brenda leu o seguinte Cartão de Enfrentamento, todos os dias, durante várias semanas. Use-o para criar o seu próprio cartão:

Acredite em Você!

Estou emagrecendo porque aprendi como fazer isso. Hoje eu sei:
1. O que preciso fazer (p.ex., planejar minha alimentação, comer devagar, sentar para comer e usar estratégias antidesejos).
2. O que tenho que me lembrar (p.ex., fome e desejos nunca são emergências, NÃO TENHO ESCOLHA e Paciência).
3. Como me motivar (obtendo apoio, lendo meu Cartão de Enfrentamento das Vantagens, elogiando-me todos os dias).
4. Como me manter honesta (relatar minha alteração de peso ao técnico de dieta).

SEJA MAIS AUTOCONFIANTE

Lembre-se de você há cinco semanas atrás, *antes* de começar este programa. Se for difícil fazer isso, pense em você durante as férias ou durante eventos especiais que ocorreram naquela época. Em particular, de uma olhada nas mudanças em seu comportamento. Antes de iniciar este programa:
- Com que frequência você comia de pé?
- Com que frequência você comia distraidamente?
- Com que frequência você comia muito depressa?
- Com que frequência você planejava com antecedência o que ia comer?
- Com que frequência você comia exageradamente ou comia por razões emocionais?
- Com que frequência se criticava (e se sentia desmoralizado) pelo que comia?

Com que frequência você faz essas coisas hoje em dia? Agora olhe para as mudanças em seu pensamento. Antes de iniciar este programa:
- Com que frequência você se enganava? (*Não tem importância comer exageradamente desta vez. Comer farelos de bolacha não conta*

calorias. Eu não me divirto se não comer o que quero. Tudo bem comer estas coisas já que estou chateado. Saí da dieta, portanto vou continuar comendo o que quiser por hoje).
- Com que frequência você se questionou sobre injustiça? *(É injusto não poder comer como os outros. É injusto não poder comer tudo que quero. Não é justo ter que fazer dieta.)*
- Com que frequência você permitiu que as opiniões dos outros se interpusessem em seu caminho, dificultando seu desempenho naquilo que era preciso fazer? *(Não posso ser inconveniente com as pessoas. Preciso fazê-los feliz. Não posso recusar as comidas que eles me oferecem).*

Com que frequência esses pensamentos passam pela sua cabeça hoje e como você os tem desafiado?

É muito importante levar sempre em conta o que você aprendeu e o progresso que alcançou. É preciso reconhecer que o seu emagrecimento se deu por causa dos seus esforços. Você é capaz de fazer isto continuar acontecendo. Reforce esta ideia escrevendo em seu caderno de dieta como você está diferente, exatamente do jeito que Brenda fez.

A seguir, veja o que ela escreveu em seu caderno de dieta para se lembrar do progresso que fez. Ela ampliava sempre esta lista. Sempre que sua autoconfiança diminuía, ela pegava sua lista apenas para se lembrar do quanto havia mudado.

Antes de começar este programa eu não era capaz de:

Deixar comida no prato.
Sentir fome e não me estressar com isto.
Dizer a mim mesma NÃO TENHO ESCOLHA.
Parar de comer quando acabava a comida do prato.
Fazer dos exercícios uma prioridade.
Aderir ao meu planejamento.
Refrear alimentação espontânea.
Parar de beliscar meu próprio prato à caminho da sala de jantar.
Comer devagar.
Comer sentada.
Reconhecer e responder aos meus pensamentos sabotadores.
Elogiar a mim mesma.
Ter limites quando fazia refeições fora de casa.
Ser assertiva com as pessoas que me estimulavam a comer.
Colocar-me em primeiro plano para poder comer de maneira adequada.

Em que você está pensando?

Você é como Brenda? Algumas vezes, você duvida de sua capacidade para continuar progredindo? Se assim for, é importante responder aos seus pensamentos sabotadores. Talvez eles sejam parecidos com estes. Faça Cartões de Enfrentamento para os que você achar que pode precisar.

Pensamento sabotador: Se eu começar a acreditar que eu consigo fazer tudo isto, vou "me estragar".

Resposta adaptativa: Pelo contrário, se eu acreditar que é possível fazer isto, é provável que eu me esforce mais quando a dieta ficar difícil. Se eu construir minha autoconfiança, serei capaz de continuar trabalhando duro.

Pensamento sabotador: Se eu reconhecer meu progresso, ficarei muito confiante e começarei a relaxar.

Resposta adaptativa: Serei capaz de me manter na linha, fazendo as tarefas, todos os dias.

Comprometa-se
por escrito

Sempre que eu estiver preocupado com minha capacidade de emagrecer, direi a mim mesmo: _____

_____

_____

_____

Quando eu acreditar que emagreci, pelo meu próprio esforço, fazer dieta será mais fácil.

Lista das tarefas de hoje:

Marque as tarefas que você completou. Para qualquer item que não tenha completado, anote agora a data em que irá completá-lo.

_____ Li, pelo menos duas vezes hoje, os Cartões de Enfrentamento das Vantagens de Emagrecer, NÃO TENHO ESCOLHA, Não está Certo e Volte aos Trilhos.

_____ Li outros Cartões de Enfrentamento quando necessário.

_____ Comi devagar, sentado e observando cada porção.

Assinale um item:

☐ Todas as vezes   ☐ A maioria das vezes   ☐ Algumas vezes

_____ Elogiei-me quando me engajei em comportamentos funcionais para a dieta.

Assinale um item:

☐ Todas as vezes   ☐ A maioria das vezes   ☐ Algumas vezes

_____ Fiz um planejamento alimentar escrito para amanhã e monitorei tudo que comi hoje anotando em meu caderno de dieta, assim que acabei a refeição.

_____ Fiz exercícios espontâneos e planejados.

_____ Fiz um Cartão de Enfrentamento para "Acredite em Você!", a fim de construir minha autoconfiança.

_____ Anotei meu progresso no caderno de dieta.

_____ Lembrei-me de todas as mudanças comportamentais e cognitivas que fiz durante estas cinco semanas.

_____ Pesei-me, anotei meus resultados no gráfico de emagrecimento e contei minha alteração de peso ao meu técnico de dieta.

Dia 37
REDUZA O ESTRESSE

Todo mundo experimenta algum tipo de estresse, diariamente. Na verdade, um pouco de estresse pode ser útil se, de fato, motivá-lo a ser produtivo. Mas, um nível moderado ou alto de estresse é contraproducente. Mesmo que no momento você não esteja sob forte estresse, mais cedo ou mais tarde, isso pode acontecer, portanto, prepare-se desde já.

TRÊS PASSOS PARA REDUZIR O NÍVEL DE ESTRESSE

No Dia 33 e 34, você aprendeu a enfrentar as emoções negativas e a resolver os problemas que as causam. Muitas dessas habilidades serão utilizadas para enfrentar as dificuldades que geram o estresse. Veja os passos que você deve seguir:

Passo 1: Resolva o Problema

Se o estresse é provocado pelo nível de exigências ou responsabilidades da sua vida, dê uma olhada novamente no Cartão de Prioridades (Dia 8) e divida suas atividades em categorias essenciais, altamente desejáveis e desejáveis. Use a Técnica das Sete Perguntas (Dia 27) para desafiar os pensamentos negativos que interferem na resolução dos problemas. Pode ser útil, também, pedir ajuda a um amigo ou ao técnico de dieta.

Passo 2: Relaxe

O estresse crônico pode deixar seu corpo tenso. Considere usar um áudio que ensine técnicas de relaxamento, como por exemplo, relaxamento muscular progressivo ou imagem guiada. A respiração lenta e controlada, como eu já expliquei anteriormente (Dia 13), também pode ajudar.

Passo 3: Mude seus conceitos

Muitas pessoas são cronicamente estressadas porque permitem que seus comportamentos sejam guiados por regras irracionais. Essas regras, normalmente, contêm a palavra deveria ou não deveria. Alguma delas lhe parece familiar?
- Deveria sempre dar o melhor de mim.
- Deveria sempre prever os problemas que estão por acontecer.

- Não deveria contar com os outros.
- Não deveria decepcionar as pessoas.
- Não deveria fazer as pessoas infelizes.

Liliane, por exemplo, tem uma regra: *Eu deveria sempre priorizar as pessoas.* Assim, mesmo que esteja na época mais ocupada do ano em seu trabalho, ela concorda em ajudar sua mãe na compra de computador novo, ir a um show com os amigos e ajudar sua prima nas tarefas de jardinagem. Marcos tem uma regra implícita: *Eu não posso mostrar nenhum sinal de fraqueza.* Assim, ele nunca falta do trabalho, mesmo quando está com gripe (e leva mais tempo para se recuperar). Suzana também tem uma regra: *Eu deveria fazer tudo sozinha.* Assim, ela se priva da ajuda de que precisa quando a doença crônica de seu marido piora.

Para reduzir o estresse, você precisa trocar suas regras. Veja como:

Identifique suas regras. Seus "deverias" e "não deverias" aparecem sempre que você procura resolver um problema. Se suas regras forem demasiadamente rígidas, você acaba descartando soluções razoáveis.

Gail estava estressado por causa do trabalho. Ele sabia que a solução seria delegar responsabilidades. Quando pensava em fazer isso, no entanto, sua regra vinha à tona: *Eu não deveria deixar os outros fazerem coisas importantes porque eles poderiam estragar tudo.*

Catarina estava estressada por cuidar de seus dois bebês. Ela precisava de um pouco de tempo para si mesma, mas sua regra – *Eu não deveria pedir ajuda para os outros* – interferia na solução desse problema.

Flexibilize suas regras pessoais. Use as seguintes sugestões para mudá-las:

- Pense em uma pessoa que tem padrões menos exigentes. Quais as regras que ela costuma seguir?
- Considere se você deseja que a pessoa que você ama viva sob uma regra específica. Você imagina o estresse que isso pode causar? Que regras seria melhor que eles tivessem para si próprios?
- Pense nas vantagens de modificar suas regras.
- Procure não usar as palavras *sempre* e *nunca* em suas regras.
- Substitua pela palavra *razoável*.

De: *eu deveria sempre dar o meu melhor.*
Para: *eu deveria tentar fazer um trabalho razoável na maior parte do tempo.*
De: *eu deveria sempre prever os problemas.*
Para: *eu deveria tomar precauções razoáveis.*

De: *eu deveria sempre confiar nas outras pessoas.*
Para: *eu deveria confiar nas outras pessoas quando isso for razoável.*

Flexibilize as regras que você tem para os outros. Se as expectativas que você tem para as outras pessoas forem irracionais, seu nível de estresse pode aumentar. Por exemplo, você acredita que:
- As outras pessoas deveriam ser sempre perfeitas?
- As outras pessoas deveriam ser capazes de ler sua mente?
- As outras pessoas deveriam ser sempre agradecidas?
- As outras pessoas não deveriam fazer você infeliz?
- As outras pessoas não deveriam ser injustas com você?
- As outras pessoas nunca deveriam lhe entender mal?

Jaqueline, por exemplo, estava aborrecida com os fregueses que reclamavam com ela sobre a qualidade do serviço da firma onde trabalha: *Eles não deveriam descontar em mim*. Jairo estava ressentido porque seus vizinhos não se aproximavam dele: *Eles deveriam ser mais amáveis*. Gessi estava aborrecida porque julga que as outras pessoas são irresponsáveis demais: *Elas deveriam ser muito mais cuidadosas.*

Os seus "deverias" e "não deverias" surgem quando você tem regras irrealistas sobre o comportamento das outras pessoas. Quando Tomas está aborrecido com seus filhos adolescentes, ele lembra suas regras para eles: *Eles deveriam ser mais colaborativos. Eles deveriam ajudar mais na casa*. Bobbie estava infeliz com sua família por causa de sua regra: *As pessoas deveriam retribuir tudo que faço por elas.*

Para flexibilizar as regras que você tem para as outras pessoas, faça o seguinte:
- Reconheça que você não tem controle – ou muito controle – sobre as outras pessoas. A única pessoa que pode ser controlada por você é você mesmo. É possível mudar o que você pensa e o que você faz, mas não é necessariamente possível, mudar as outras pessoas.
- Pense em alguém que você admira e cujas ideias a respeito de como os outros deveriam ser são mais flexíveis que as suas. Que regra essas pessoas têm?
- Pense nas vantagens de mudar suas regras.
- Tente descartar as palavras sempre e nunca de suas regras.
- Mude de "deveria" ou "não deveria" para "É realista esperar que..." *As outras pessoas deveriam ser sempre perfeitas* torna-se *É realista esperar que as pessoas cometam erros.*

As outras pessoas deveriam adivinhar o que penso torna-se *É realista esperar que as outras pessoas não saibam o que eu quero, a menos que eu fale para elas.*

As outras pessoas deveriam ser sempre agradecidas torna-se *É realista esperar que nem todas as pessoas serão tão agradecidas como eu gostaria que fossem.*

Em que você está pensando?

Ao pensar em suas regras pessoais e nas que você tem para as outras pessoas, é possível que se sinta resistente em mudar. Neste caso, você provavelmente tem pensamentos sabotadores que precisa direcionar.

Pensamento sabotador: Eu sempre tive essas regras. Como poderei mudá-las?

Resposta adaptativa: Agora eu tenho as ferramentas necessárias para analisar minhas regras e ideias sob outra perspectiva. Posso também decidir o que é razoável fazer em cada caso.

Pensamento sabotador: Se eu diminuir as minhas expectativas, ficarei completamente desmotivado.

Resposta adaptativa: Não é uma questão de tudo ou nada. Não é preciso baixar completamente minhas expectativas, apenas o suficiente para reduzir meu estresse.

Comprometa-se
por escrito

Quando perceber que estou me sentindo estressado, irei: _____
_____
_____
_____
_____
_____
_____
_____

Quando eu tomar medidas para reduzir meu estresse, fazer dieta será mais fácil.

Lista das tarefas de hoje:

Marque as tarefas que você completou. Para qualquer item que não tenha completado, anote agora a data em que irá completá-lo.

_____ Li, pelo menos duas vezes hoje, os Cartões de Enfrentamento das Vantagens de Emagrecer, NÃO TENHO ESCOLHA, Não está Certo, Volte aos Trilhos e Acredite em Você.

_____ Li outros Cartões de Enfrentamento quando necessário.

_____ Comi devagar, sentado e observando cada porção.

Assinale um item:

☐ Todas as vezes   ☐ A maioria das vezes   ☐ Algumas vezes

_____ Elogiei-me quando me engajei em comportamentos funcionais para a dieta.

Assinale um item:

☐ Todas as vezes   ☐ A maioria das vezes   ☐ Algumas vezes

_____ Fiz um planejamento alimentar escrito para amanhã e monitorei tudo que comi hoje anotando em meu caderno de dieta, assim que acabei a refeição.

_____ Fiz exercícios espontâneos e planejados.

_____ Trabalhei para mudar as regras irracionais que tenho para mim mesmo e para os outros

_____ Fiz um plano para reduzir meu estresse

Dia 38
APRENDA A LIDAR COM O PLATÔ

Muitas das pessoas que fazem dieta entendem que devem emagrecer todas as semanas, sem exceção. É o seu caso também? Deixe-me perguntar: como foi sua experiência no passado? A maioria das pessoas emagrece um pouco, permanece com o novo peso por uma ou duas semanas, emagrece mais um pouco, volta a engordar, emagrece de novo, estabiliza-se em um platô por uma ou duas semanas, e assim por diante.

Alguns platôs duram pouco. Em duas semanas consecutivas, você observa diferentes resultados ao se pesar. Esses pequenos platôs são normais. Eles podem ser causados por retenção de água, mudanças hormonais e outras influências biológicas. Talvez você tenha consumido muitas calorias naquela semana ou se exercitado pouco. Platôs ocasionais e pequenos ganhos de peso são inevitáveis.

Se você está esperando ver seu o peso diminuir todas as semanas, prepare-se para se decepcionar. Com o tempo, você descobre que está fazendo um platô por várias semanas consecutivas. Inúmeros estudos demonstraram que quase todas as pessoas que precisam emagrecer bastante (mais de 10 quilos), atingem um platô dentro dos primeiros seis meses de dieta.

Não estou falando, aqui, sobre platôs de pequena duração. Estou falando de platôs mais longos, que duram algumas semanas ou mais. A explicação mais provável para esses platôs é que, talvez, seu corpo agora não precise mais de tanta energia (calorias) quanto o que você esteja consumindo. Existem quatro caminhos a serem seguidos quando os platôs são mais demorados:

1. Fazer tudo exatamente igual ao que tem sido feito e aguardar uma perda de peso.
2. Reduzir a ingestão calórica em 200 calorias, o que deveria contribuir para uma diminuição do peso de até duzentas e poucas gramas por semana. (Verifique com um profissional de saúde para estar seguro se é razoável cortar mais calorias).
3. Aumentar os exercícios diários em 15 a 20 minutos.
4. Reconhecer este peso como sendo sua meta de emagrecimento e iniciar o processo de manutenção.

Você deve esperar ganhos ocasionais de peso ou platôs, mesmo que esteja fazendo tudo corretamente.

Em que você está pensando?

Os pensamentos a seguir provavelmente aparecerão quando você atingir um platô de verdade. A partir destes exemplos, desenvolva os seus próprios Cartões de Enfrentamento.

Pensamento sabotador: É horrível permanecer em um platô.
Resposta adaptativa: Atingir um platô faz parte do emagrecimento. Estou desanimado neste momento porque me esforcei bastante. Mas já é esperado que isso aconteça durante a dieta. Não significa necessariamente que eu esteja fazendo alguma coisa errada. Posso pedir ajuda ao meu técnico de dieta.

Pensamento sabotador: Isso não é justo. Eu, de fato, esforcei-me muito. Eu deveria continuar emagrecendo como tem acontecido até agora.
Resposta adaptativa: Tenho duas escolhas: posso ficar cismado em quanto parece injusto a balança não ter baixado ou posso focar em quantos quilos perdi até agora e me elogiar muito por todas as mudanças na maneira de pensar e no comportamento.

Comprometa-se
por escrito

Quando me encontrar em um platô, irei: _____

_____
_____
_____
_____
_____
_____

*Quando eu aceitar que platôs são normais,
fazer dieta será mais fácil.*

Lista das tarefas de hoje:

Marque as tarefas que você completou. Para qualquer item que você tenha completado, anote agora a data em que irá completá-lo.

_____ Li, pelo menos duas vezes hoje, os Cartões de Enfrentamento das Vantagens de Emagrecer, NÃO TENHO ESCOLHA, Não está Certo, Volte aos Trilhos e Acredite em Você.

_____ Li outros Cartões de Enfrentamento quando necessário.

_____ Comi devagar, sentado e observando cada porção.

Assinale um item:

☐ Todas as vezes ☐ A maioria das vezes ☐ Algumas vezes

_____ Elogiei-me quando me engajei em comportamentos adaptativos para a dieta.

Assinale um item:

☐ Todas as vezes ☐ A maioria das vezes ☐ Algumas vezes

_____ Fiz um planejamento alimentar escrito para amanhã e monitorei tudo que comi hoje anotando em meu caderno de dieta, assim que acabei a refeição.

_____ Fiz exercícios espontâneos e planejados.

_____ Planejei o que fazer quando atingir um platô.

Dia 39
MANTENHA OS EXERCÍCIOS

Quando veio me ver, Clara estava, como ela mesma declarou, "completamente fora de forma". Ela fazia um trabalho sedentário. Seus passatempos favoritos eram assitir à televisão, navegar na internet e ler. Ela não gostava de praticar esportes – nunca os praticara. Disse-me que certamente sabia que não era uma pessoa dada aos exercícios. Falou-me também que era muito fraca e que nunca poderia exercitar-se como as outras pessoas. Para completar, sua histamina estava muito baixa e ela sofria de dores intermitentes nas costas.

Eu conversei com a Clara, como fiz com todas as pessoas que atendi, sobre os benefícios de fazer atividades físicas e fiz a sugestão para que ela começasse com 10 ou 15 minutos por dia. Ela resistiu, perguntando: "Posso emagrecer sem fazer exercícios?" Prossegui, discorrendo sobre as pesquisas a respeito da relação entre exercício, emagrecimento e manutenção do peso. Ela concordou, ressentida, que tentaria caminhar de 10 a 15 minutos, pelo menos quatro vezes por semana.

Quando voltou para a sessão seguinte, Clara havia cumprido o compromisso, mas disse que não havia gostado. Quando lhe perguntei o que passava pela sua cabeça quando ela saía para fazer suas caminhadas, ela disse: *"Eu não quero ir mesmo, de verdade. É muito melhor ficar em casa assistindo à TV"*. Durante a caminhada, outros pensamentos sabotadores apareciam, como, por exemplo: *Isto é chato. Por que tenho que fazer isto?* Depois de andar, ela continuava falando coisas negativas para si mesma: *Eu não gostei de caminhar. Além do mais, isso é apenas uma gota no oceano! O que pode representar 10 minutos de exercício? Eu não quero continuar com isto.*

Não é de se admirar que Clara nunca tenha feito exercícios na vida! Seus pensamentos sabotadores bloqueavam seu caminho.

A exemplo de Clara, você também pode resistir aos exercícios devido a fatores como não gostar de se exercitar, estar ocupado ou estressado, ter um problema físico. Você conhece os benefícios de praticar atividades físicas, espontâneas e planejadas, mas ainda não se exercita? Alguma vez você aumentou a quantidade de exercícios? Fazer exercícios é um dos itens principais na sua lista de prioridades? Sua atitude em relação aos exercícios é positiva?

Se suas respostas foram negativas para qualquer dessas perguntas, você precisa desafiar seus pensamentos sabotadores e resolver alguns problemas. Como você pode contornar as coisas? Você pode fazer como Clara.

Use, para se motivar a fazer exercícios, as mesmas técnicas que você usou para se motivar para a dieta.

A MUDANÇA DE CLAIRE

Para se animar a fazer exercícios, Clara fez o seguinte:
- Convidou uma vizinha próxima para andar com ela, duas vezes por semana.
- Comprou livros em áudio, baixou músicas e *podcasts* pela internet para ouvir enquanto caminhava em um parque próximo.
- Conversou pelo celular com sua melhor amiga enquanto caminhava.
- Voltou a ler seus Cartões de Enfrentamento, antes de iniciar as caminhadas, para se recordar de vantagens de emagrecer, e dos benefícios de fazer exercícios (veja Dia 9).
- Depois de fazer exercícios, ela leu o Cartão de Enfrentamento que a lembrava de se elogiar por ter feito caminhada.

Estas estratégias foram suficientes para que Clara fizesse caminhadas, pelo menos três vezes por semana, mas não o bastante para que tivesse uma postura mais positiva quanto a fazer exercícios. Então algo aconteceu: Clara machucou as costas. A dor foi tão forte que ela precisou procurar um médico. Depois que Clara melhorou um pouco, o médico insistiu para que ela fizesse fisioterapia. Embora estivesse intimidada com essa perspectiva, estava motivada a se sentir melhor e a ficar livre da dor. Então, iniciou as sessões de fisioterapia. Seu fisioterapeuta começou a guiá-la vagarosamente. Ele era motivador e apoiador. Clara começou a fazer os alongamentos recomendados entre as sessões e suas costas foram melhorando devagar. Ela estava muito orgulhosa por cumprir seus compromissos e por fazer seus exercícios diários em casa. Começou, na verdade, a se sentir bem, antes, durante e depois de se exercitar. Começou, também, a ter uma visão diferente de si mesma: *Talvez eu consiga fazer isto. Estou ficando forte.*

Quando as costas de Clara melhoraram, seu fisioterapeuta recomendou que ela fosse à academia. Clara discutiu comigo essa possibilidade, dizendo: "Eu sei que é uma boa ideia. Mas estou tão intimidada". Relembrei que ela estava sendo tão relutante com a academia como havia sido em relação à fisioterapia. Clara aceitou a sugestão de visitar uma academia próxima para ver se iria gostar. Os funcionários eram amigáveis, muito poucas pessoas eram magras e a experiência, no geral, foi muito menos intimidadora do que ela havia previsto. Clara conversou também com um *personal trainer* sobre a possibilidade se matricular por algumas sessões.

Bastante ansiosa, Clara matriculou-se na academia. Como seu aniversário seria na semana seguinte, ela disse para sua família que queria algumas sessões com um *personal trainer* como presente de aniversário. Foi difícil no início, mas ela manteve todos os seus compromissos. O *personal* era tão motivador que Clara saía da sessão pensando: *Foi muito bom,* em vez de pensar, como era seu costume: *Eu não gostei. Eu gostaria de não ter que fazer isto.*

Depois de algumas semanas, Clara começou a se sentir perita. Logo começou a se sentir bastante confortável para dispensar seu *personal trainer* e começar a trabalhar sozinha. O seu auto-conceito passou de uma pessoa que se sabia fraca, que não tinha histamina suficiente e que era incapaz de sustentar um programa de exercícios, para uma pessoa cada vez mais forte e capaz de se manter assim para o resto da vida.

VOCÊ TAMBÉM PODE MUDAR

Existe alguma coisa impedindo você de fazer exercícios constantemente? Você se vê como uma pessoa sedentária? Você falha na resolução de problemas porque, na realidade, não quer fazer exercícios? Se é assim, faça o seguinte:

Focalize o pensamento em como você se sentirá depois de fazer exercícios, não em como se sente neste momento. Lembre-se que o mais difícil é começar.

Coloque os exercícios na categoria das coisas para as quais você NÃO TEM ESCOLHA. Quando você diz a si mesmo: *Eu não tenho tempo, Eu não me sinto dessa maneira* ou *Eu não quero,* enfrente como enfrenta aos seus desejos. Diga que você não tem escolha. Diga "Paciência" e aceite que você tem que fazer exercícios.

Encontre um amigo ou *personal*. No início, pode ser útil estabelecer um compromisso com um amigo ou um profissional ou frequentar aulas em uma academia. Você estará mais propenso a manter o compromisso de fazer exercícios se estiver sob a responsabilidade de alguém. O instrutor de exercícios ou um amigo poderá lhe mostrar como se exercitar corretamente e deixá-lo mais confiante na qualidade dos exercícios que está fazendo.

Elogie-se muito. Qualquer passo, por menor que seja, na direção certa, merece elogios. Recompense a si mesmo por fazer exercícios – apenas não use alimentação espontânea para fazer isto.

Focalize no seu progresso. Você consegue andar um minuto a mais do que está acostumado? Você consegue se exercitar mais vigorosamente do que antes? Lembre-se de que a cada sessão você se torna mais forte e mais apto fisicamente.

Termine a sessão de exercícios com alguma coisa positiva. Se você tem preferência por um aparelho ou exercício, programe para fazê-lo por último. Procure inserir no meio da sessão os exercícios que não gosta de fazer. Dessa maneira, você se sentirá mais satisfeito com a sessão e estará mais propenso a chegar ao fim sem fraquejar e voltar a fazer exercícios da próxima vez.

> **Dica!** Se for muito difícil para você fazer exercícios de manhã, separe suas roupas de ginástica na véspera. Cole seu Cartão de Enfrentamento no espelho do banheiro. Lembre-se de que sua relutância irá desaparecer uma vez que você comece a ficar feliz por fazer exercícios.

Certifique-se de que está fazendo o tipo de exercícios de que gosta. Se você fica entediado com o que está fazendo, mude. Uma das pessoas que atendi contou-me que acertou em cheio quando começou a colocar música alta e dançar de forma extenuante na sua sala de estar. Uma outra não gostou das aulas para as quais se inscreveu. Ela não conseguia acompanhar as aulas. Finalmente, passou para uma classe mais fácil e começou a gostar bastante. Inúmeras pessoas preferem praticar um esporte em vez dos exercícios de solo como corrida ou natação. Experimente diferentes possibilidades.

Em que você está pensando?

Pensamentos que costumam interferir na dieta também podem interferir na disposição para fazer exercícios.

Pensamento sabotador: Tudo bem deixar de fazer os exercícios hoje. Além de não querer, estou cansado e também estou muito estressado.
Resposta adaptativa: Não, não está tudo bem. Os exercícios têm um papel importante no emagrecimento e na manutenção do peso conquistado.
Pensamento sabotador: Não vou conseguir ficar fazendo exercícios para sempre. Então para que começar?
Resposta adaptativa: Posso fazer exercícios hoje. Se eu tiver dificuldades com isso mais tarde, resolverei este problema quando ele acontecer.
Pensamento sabotador: Não sou uma pessoa ligada em exercícios.
Resposta adaptativa: Não tenho que ser fanático por exercícios. Posso continuar fazendo o que estou fazendo e ir aumentando gradualmente a quantidade de exercício, se eu quiser.

Comprometa-se
por escrito

Quando eu estiver resistindo aos exercícios, irei: _____
_____
_____
_____
_____
_____
_____
_____

Quando eu entender que a atividade física é uma parte permanente do meu programa de emagrecimento, fazer dieta será mais fácil.

Lista das tarefas de hoje:

Marque as tarefas que você completou. Para qualquer item que não tenha completado, anote agora a data em que irá completá-lo.

_____ Li, pelo menos duas vezes hoje, os Cartões de Enfrentamento das Vantagens de Emagrecer, NÃO TENHO ESCOLHA, Não está Certo, Volte aos Trilhos e Acredite em Você.

_____ Li outros Cartões de Enfrentamento quando necessário.

_____ Comi devagar, sentado e observando cada porção.

Assinale um item:

☐ Todas as vezes ☐ A maioria das vezes ☐ Algumas vezes

_____ Elogiei-me quando me engajei em comportamentos funcionais para a dieta.

Assinale um item:

☐ Todas as vezes ☐ A maioria das vezes ☐ Algumas vezes

_____ Fiz um planejamento alimentar escrito para amanhã e monitorei tudo que comi hoje anotando em meu caderno de dieta, assim que acabei a refeição.

_____ Fiz exercícios espontâneos e planejados.

_____ Fiz elogios a mim mesmo por ter feito exercícios.

_____ Tomei algumas medidas para mudar meus pensamentos sabotadores sobre exercícios.

Dia 40
ENRIQUEÇA SUA VIDA

Muitas das pessoas que atendi imaginavam que o certo seria deixar sua vida em suspenso até que emagrecessem. Margarida é um bom exemplo. No início de seu atendimento, perguntei-lhe como seria a vida, para ela, caso estivesse magra. Ela me disse que, quando atingisse suas metas, tiraria férias, trocaria todo seu guarda-roupa, teria encontros (ela era divorciada) e procuraria um novo emprego.

"Por que você não começa a fazer algumas dessas atividades agora?", perguntei. Maggie me olhou espantada. "Você quer dizer, enquanto estou deste tamanho?"

"Isso mesmo, porque você tem de esperar"? Perguntei.

"Você está falando sério?" disse ela. "Não posso fazer essas coisas agora. E é porque quero fazer tudo isso que estou fazendo dieta."

Depois dessa nossa conversa, Margarida conseguiu enxergar como o fato de que enriquecer sua vida agora, facilitaria, de fato, seu emagrecimento. Assim que ela desenvolveu novos interesses, envolveu-se em atividades prazerosas e se sentiu mais eficaz, seu humor se elevou, ela focalizou outras coisas além da comida e adquiriu mais energia mental para fazer dieta.

Você adia enriquecer sua vida, como Margarida? Veja como você pode começar a fazer sua vida melhor a partir de hoje.

FAÇA AGORA

Separe pelo menos 10 minutos hoje durante os quais você não será interrompido ou distraído. Então, faça o seguinte:
- Pegue seu caderno de dieta. Faça uma lista de metas que você pretende conquistar antes ou depois de emagrecer. Você está querendo mudar seu trabalho, de algum modo? Aprimorar seus conhecimentos de informática? Frequentar um clube? Conhecer novas pessoas? Aumentar o relacionamento com a família ou amigos? Encontrar um passatempo? Viajar?
- Olhe para sua lista. Veja, dentre as metas "para depois que emagrecer" quais poderiam ser iniciadas já.
- Escolha uma delas. Anote as estratégias necessárias para realizá-la.

- Pegue um calendário e escolha uma data para, pelo menos, dar o primeiro passo.
- Se estiver em dúvida em como trabalhar para alcançar a meta, peça ajuda à família ou aos amigos. Agende no seu calendário quando irá consultá-los. Ao fazê-lo, você aumenta a probabilidade de prosseguir e montar um plano.
- Enquanto você agenda as atividades, fique atento aos pensamentos sabotadores. Por exemplo, se sua meta for procurar um novo emprego, você poderá pensar "E se não der certo? E se eu não gostar"? Se sua meta for ser mais sociável, você pode ter pensamentos como estes: "E se ninguém quiser passar mais tempo comigo"?
- Responda aos seus pensamentos sabotadores de duas maneiras: faça uma lista de vantagens e desvantagens de fazer esta mudança em sua vida e utilize a Técnica das Sete Perguntas (Dia 27) para avaliar suas preocupações. Consulte seu técnico de dieta.
- Continue o processo com a meta seguinte.

Não espere. Comece a se engajar nessas atividades o quanto antes.

Na Sessão
com a Dra. Beck

Maggie é igual a todas as outras pessoas que fazem dieta com quem trabalhei: ela se sentia envergonhada pelo seu corpo. Ela não usava roupa de banho há mais de três anos. Um dia ela me disse que sua melhor amiga, Nina, havia lhe perguntado se ela gostaria de passar uns dias na praia. Margarida ficou empolgada em poder passar uns tempos com Nina, mas estava relutante de expor seu corpo na praia, mesmo para sua melhor amiga. Tivemos a seguinte discussão:

Margarida: Eu sei, eu sei, eu provavelmente deveria ir. Por outro lado, eu poderia esperar até o próximo verão, quando estarei mais magra.
Dra. Beck: Certo, você poderia. Por outro lado, você não se sentiria melhor se pudesse acabar com este constrangimento?
Margarida: Provavelmente.
Dra. Beck: Você acha que poderia imaginar-se na praia com Nina? Como Nina lhe parece?
Maggie: Ela me parece bem, deve usar tamanho 42 ou 44.
Dra. Beck: E como você acha que se parece – hoje? Não como parecia antes de estarmos trabalhando juntas, mas como você está hoje, depois de emagrecer 10 quilos?
Margarida: Bom, eu sei que pareço melhor do que antes, mas as pessoas vão me olhar e pensar: "Nossa, ela é uma baleia".
Dra. Beck: Quem irá pensar isso?
Maggie: Bom, todo mundo na praia.
Dra. Beck: Quem você imagina que vai estar na praia quando você estiver lá?
Margarida: Famílias, eu acho. Adolescentes. Talvez pessoas com seus 20 anos. Pessoas de todas as idades, eu acho.
Dra. Beck: Vamos falar das crianças, então. Quanta atenção você acha que elas vão dedicar a você? Ou elas estarão apenas correndo, construindo castelos, pulando as ondas...
Margarida: Eu acho que eles não irão me notar muito.
Dra. Beck: E os pais dessas crianças? Quanto eles estarão prestando atenção em você se comparar com a atenção que estarão dedicando a seus filhos?
Margarida: Acho que não estarão me notando muito também.
Dra. Beck: Então está bem. Vejamos agora os adolescentes e as pessoas entre seus 20 e 30 anos. Eles podem estar apenas estar por ali. Ou podem estar ocupados em se bronzear e conversando entre si. Se eles a virem, poderiam pensar algo indelicado. Por quanto tempo você acha que eles ficariam preocupados com sua aparência?
Margarida: Eu não sei.
Dra. Beck: Está bem. Podemos fazer um experimento juntas? Nós iremos fingir que você está na praia. Você está sentada na praia, sob o guarda-sol, conversando com Nina. Você pode me retratar tudo que está passando em sua cabeça?

Margarida: [acenando que sim]
Dra. Beck: [levantando-se e sentando no chão a 3 metros atrás de Margarida] Aqui, estou sentada um pouquinho longe de você. Esta bem. Esta é a cena. Você e Nina estão sentadas numa cadeira, sob o guarda-sol, você está conversando, o sol está quente, talvez você esteja com um pouco de sede, você está apreciando o mar e olhando as pessoas brincando nas ondas. Entendeu? Você pode descrever isso para mim?
Margarida: Sim.
Dra. Beck: Esta bem, não comece ainda, neste momento você vai virar sua cabeça e me olhar. Imagine que está olhando para uma pessoa que tem mais ou menos seu peso. Continue mantendo seu olhar em mim pelo tempo que você acha que uma pessoa o faria. Então, observe o que você faria em seguida. Está bem assim? Então pode começar.
Margarida: [virando a cabeça e olhando para mim e depois desviando o olhar] não passou muito tempo não é?
Dra. Beck: [olhando o relógio] Não. Foram apenas quatro segundos. Por que você se virou? E o que fez depois?
Margarida: Eu estava apenas pensando "Nossa, como ela é grande!", mas eu acho que não estava muito interessada. Em vez disso, virei a cabeça e olhei para o mar e comecei a conversar com minha amiga de novo.
Dra. Beck: Sim. [pausas]. O que isso lhe diz a respeito?
Margarida: Eu acho que provavelmente as pessoas não gastariam seu tempo pensando em mim.
Dra. Beck: Eu acho que você está certa. Elas estão muito mais focadas no que lhes interessa. Suponho que a única pessoa que de fato se interessa pelo seu peso é você.

Depois desta análise, Margarida escreveu o seguinte Cartão de Enfrentamento:

> É muito bom estar aqui na praia. Isso significa que estou agindo como uma pessoa "normal". E daí se eu estou mais pesada do que eu queria. Estou trabalhando com isso. Já fiz bastante progresso. Eu chegarei lá. Enquanto isso, é muito gostoso sentir o sol batendo em mim. É tão relaxante olhar para as ondas. Como é maravilhosos estar aqui com Nina.

Naquela noite, Margarida definiu a programação para ir à praia com Nina. Estava também querendo começar a trabalhar na direção de algumas de suas outras metas. Finalmente, ela reconheceu que não havia razões para não melhorar sua vida imediatamente; ela merecia sentir-se melhor, neste momento.

Em que você está pensando?

Você deveria, de fato, enriquecer sua vida – agora. Não deixe que estes pensamentos sabotadores impeçam você.

Pensamento sabotador: Eu não mereço me recompensar enquanto não emagrecer o que preciso.
Resposta adaptativa: É claro que mereço me recompensar. Estar acima do peso não é uma falha moral. Todo mundo merece fazer algo para melhorar a vida.

Pensamento sabotador: Não vou me divertir se eu [fizer esta atividade] antes de ter emagrecido.
Resposta adaptativa: Isso pode ser verdadeiro, mas, antes de fazê-la, posso trabalhar com pensamentos disfuncionais que podem diminuir meu prazer. Eu posso [fazer esta atividade] depois que emagrecer, mas eu também posso fazê-la imediatamente. Não há motivos para esperar.

Comprometa-se
por escrito

Agendarei o primeiro passo das seguintes metas: _____
_____
_____
_____
_____
_____
_____
_____

*Quando eu der os primeiros passos para
enriquecer minha vida, fazer dieta será mais fácil.*

Lista das tarefas de hoje:

Marque as tarefas que você completou. Para qualquer item que não tenha completado, anote agora a data em que irá completá-lo.

_____ Li, pelo menos duas vezes hoje, os Cartões de Enfrentamento das Vantagens de Emagrecer, NÃO TENHO ESCOLHA, Não está Certo, Volte aos Trilhos e Acredite em Você.

_____ Li outros Cartões de Enfrentamento quando necessário.

_____ Comi devagar, sentado e observando cada porção.

Assinale um item:

☐ Todas as vezes   ☐ A maioria das vezes   ☐ Algumas vezes

_____ Elogiei-me quando me engajei em comportamentos funcionais para a dieta.

Assinale um item:

☐ Todas as vezes   ☐ A maioria das vezes   ☐ Algumas vezes

_____ Fiz um planejamento alimentar escrito para amanhã e monitorei tudo que comi hoje anotando em meu caderno de dieta, assim que acabei a refeição.

_____ Fiz exercícios espontâneos e planejados.

_____ Dei os primeiros passos para enriquecer minha vida.

Dia 41
FAÇA UMA NOVA LISTA DE TAREFAS

Você agora já aprendeu as habilidades de que precisava para emagrecer e nunca mais voltar a engordar. Você tem apenas que seguir praticando essas habilidades cada vez mais – principalmente depois de atingir sua meta. Na verdade, você vai usar algumas destas técnicas para o resto da vida. Essa é a chave para o sucesso duradouro. As estratégias que você conhece agora são a diferença entre o resultado de suas dietas anteriores, quando você voltava a engordar, e o emagrecimento permanente de agora.

Aqui está a lista das técnicas que você aprendeu, seguidas de um guia da frequência com que deverá usá-las. Espero que você já esteja fazendo algumas destas coisas automaticamente e que elas tenham tornado sua dieta mais fácil.

Faça estas atividades diariamente:
- Consuma alimentos saudáveis e de baixa caloria.
- Pense no que você está comendo antes de colocar, de fato, o alimento na boca.
- Sente-se, coma devagar e com atenção.
- Comer até atingir um nível médio de saciedade.
- Monitore todos os alimentos consumidos ao longo do dia.
- Elogie-se.
- Faça exercícios espontâneos.
- Reaja aos pensamentos sabotadores.

Faça estas atividades uma vez por dia ou uma vez por semana:
- Pese-se, pelo menos, uma vez por semana (diariamente, se preferir).
- Converse com o técnico de dieta sobre mudanças no peso e experiências com a dieta pelo menos uma vez por semana.
- Faça exercícios planejados pelo menos três vezes por semana.
- Continue certificando-se de que você tem tempo e energia suficientes para fazer dieta.
- Leia o Cartão de Enfrentamento das Vantagens sempre que for preciso.
- Use técnicas antidesejo.
- Use a Técnica das Sete Perguntas quando estiver chateado.
- Prepare-se psicologicamente para comer em ocasiões especiais.

- Use a técnica de Resolução de Problemas para reduzir o estresse.
- Dê os primeiros passos para enriquecer a vida.

Faça esta atividades quando for necessário (uma vez por dia, por semana ou menos, mas, certamente, sempre que você se sentir ameaçado de sair da dieta):

Planeje e monitore os alimentos. O ideal é que você faça esta tarefa pelo resto de sua vida. Mas, se você a considera muito opressiva, experimente realizá-la de memória, sem fazer anotações no caderno de dieta. Experimente fazer desse jeito por alguns dias. Se der certo, continue. Mas, no momento em que você perceber padrões irregulares de alimentação, – sempre que perceber que comeu demais – comece a programar e monitorar por escrito todos os alimentos que você realmente consome a cada dia. NÃO SE PERMITA NENHUMA ESCOLHA QUANTO A ISSO.

Você pode também experimentar fazer uma programação mais geral, em termos da quantidade de calorias, proteínas, carboidratos e gorduras que você vai consumir e então decidir, antes de cada refeição, pelos alimentos que preencham o critério escolhido. Mas, assim que perceber qualquer excesso alimentar, ou que o cardápio escolhido não é nutritivo, volte à programação original. NÃO SE PERMITA NENHUMA ESCOLHA QUANTO A ISSO.

Minha experiência me permite dizer que muitas pessoas decidem parar, prematuramente, de fazer uma programação alimentar. Elas superestimam a capacidade de se manter no controle sem utilizar de tanta disciplina. Portanto, não se surpreenda se você achar que parou muito cedo. Não seja autocrítico. Apenas volta a esta estratégia quando for necessário.

Leia seus Cartões de Enfrentamento. Alguns de seus Cartões estão sendo lidos por você há quase seis semanas. As respostas provavelmente estejam firmes em sua cabeça. Você pode experimentar ler esses cartões apenas em situações especiais. No momento em que as dificuldades aparecerem, no entanto, faça leituras diariamente. NÃO SE PERMITA NENHUMA ESCOLHA QUANTO A ISSO.

Em que você está pensando?

> **Pensamentos sabotadores como estes podem aparecer no estágio atual do programa. Inspire-se neles para criar o seu próprio Cartão de Enfrentamento.**
>
> **Pensamento sabotador**: Dá muito trabalho continuar fazendo todas estas coisas.
> **Resposta adaptativa**: Emagrecer é muito importante para mim. É preciso muito esforço para conseguir as coisas, mas os benefícios são enormes.
> **Pensamento sabotador**: Eu sei o que é preciso fazer. Não tenho que fazer todas estas tarefas.
> **Resposta adaptativa:** Qual é o problema? É melhor previnir do que remediar. Posso também presumir que preciso fazer as tarefas todos os dias para me motivar e me lembrar do que fazer.

Comprometa-se
por escrito

Quando eu estiver tentado a não usar as técnicas que aparecem na lista de tarefas, irei: _____

_____
_____
_____
_____
_____
_____

Quando eu criar uma rotina consistente do uso das habilidades para emagrecer, fazer dieta será mais fácil.

Lista das tarefas de hoje... e tambem sua futura lista das tarefas

Durante as seis últimas semanas, você usou uma lista, no final de cada dia, para se lembrar do que é preciso fazer. A lista seguinte é extensa. Como já foi descrito neste capítulo, você precisa fazer algumas tarefas diariamente, outras uma vez por semana e outras apenas periodicamente.

Para seguir na linha, de agora em diante, você precisa preencher esta lista, todos os dias, durante, pelo menos, várias semanas, e depois por, pelo menos, uma vez por semana, durante várias semanas e, finalmente, uma vez por mês durante muito tempo. Comece a usá-la diariamente se perceber que está se tornando negligente com a alimentação ou com os exercícios ou se começar a ter dificuldades para fazer o que é necessário.

Como sempre, marque as tarefas que você completou. Para qualquer item que não tenha completado, anote agora a data em que irá completá-lo.

_____ Li, pelo menos duas vezes hoje, os Cartões de Enfrentamento das Vantagens de Emagrecer, NÃO TENHO ESCOLHA, Não está Certo, Volte aos Trilhos e Acredite em Você.

_____ Li outros Cartões de Enfrentamento quando necessário.

_____ Escrevi uma programação alimentar para amanhã.

_____ Monitorei por escrito tudo que comi logo depois de me alimentar.

_____ Falei com meu técnico de dieta.

_____ Todas as vezes em que me alimentei, sentei, comi devagar e com atenção.

_____ Comi apenas até estar medianamente satisfeito.
_____ Elogiei-me sempre que me engajei em comportamentos funcionais.
_____ Removi ou reorganizei os alimentos em minha casa e no trabalho.
_____ Adaptei minha agenda para aumentar meu tempo e energia para fazer dieta.
_____ Desenvolvi estratégias para reduzir estresse.
_____ Fiz exercícios espontâneos em todas as oportunidades.
_____ Fiz exercícios planejados.
_____ Lembrei a mim mesmo que a fome nunca é uma emergência.
_____ Tolerei os desejos ou usei as técnicas antidesejos mais do que cedi.
_____ Se eu saí da dieta ou comi demais, eu voltei a ela imediatamente.
_____ Disse "Paciência" ou "NÃO TENHO ESCOLHA" sempre que quis comer algo que não estava previsto.
_____ Respondi efetivamente às ideias de injustiça e desânimo.
_____ Usei a Técnica das Sete Perguntas para reagir aos meus pensamentos sabotadores e elaborei os Cartões de Enfrentamento correspondentes.
_____ Quando alguém me ofereceu comida que não havia programado comer, eu recusei.
_____ Segui minha dieta corretamente quando comi fora.
_____ Senti emoções negativas e não procurei comida para me confortar.
_____ Dei os primeiros passos para enriquecer minha vida.
_____ Preparei-me para me pesar.

Dia 42
PRATIQUE, PRATIQUE, PRATIQUE

Meus parabéns! Você aprendeu as habilidades da terapia cognitiva necessárias para pensar como uma pessoa magra. Quanto mais tempo você utilizá-las, mais automáticas elas se tornarão. Fazer dieta continuará sendo cada vez mais fácil. Você se lembra das diferenças entre o pensamento das pessoas que são magras por natureza e daquelas que precisam se esforçar para emagrecer, descritas no Capítulo 3? Seu pensamento mudou fundamentalmente nas últimas seis semanas. Se você ainda se perceber deslizando para seu velho modo de pensar, revise "Lembretes para Pensar Magro", a seguir.

Lembre-se de que você irá enfrentar dificuldades de vez em quando. Todas as pessoas que fazem dieta, ocasionalmente, cedem aos desejos, esquecem de se elogiar, ou negligenciam seu planejamento alimentar. Todos os que fazem dieta, ocasionalmente, se questionam se emagrecer compensa o tempo e o esforço. Sempre que você estiver enfrentando dificuldades, releia este livro. Dê uma olhada em casa dia do programa, releia todas as passagens que precisar e recomece a fazer as tarefas.

Além disso, reconheça que dificuldades são TEMPORÁRIAS. Logo você se sentirá bem por ter perseverado, especialmente quando receber cumprimentos, entrar em roupas que não serviam mais e vir o número da balança cada vez menor. Prometo a você que, mesmo que nada disso tenha compensado até agora, em breve compensará.

Os próximos dois capítulos são tão importantes como os antecederam. Você vai aprender a encontrar um peso confortável, que poderá ser mantido com sucesso por muito tempo, e o que é preciso fazer para se assegurar de que você pode manter este peso. Quando terminar estes capítulos, você se sentirá confiante de que aprendeu a pensar e a se comportar como uma pessoa magra – e assim continuará pelo resto de sua vida.

Lembretes para ser magro

Se passar pela sua cabeça... *Esta comida não está no meu planejamento, mas estou com fome. Tenho de comer agora mesmo!*
Lembre-se... Salvo por um problema médico, eu não *preciso* comer. Eu apenas *quero* comer. Mas também quero todos os benefícios de emagrecer muito mais do que eu quero este prazer momentâneo de comer.

Se passar pela sua cabeça... *Mesmo depois que terminei de comer tudo o que estava no prato eu ainda quero mais. Gosto de me sentir verdadeiramente satisfeito.*
Lembre-se... Tentar se sentir completamente satisfeito é um hábito que conduz ao ganho de peso. Eu preciso parar quando o que programei comer tiver acabado. Minha fome irá diminuir em 20 minutos.

Se passar pela sua cabeça... *Tudo bem comer isto [alimento não programado] porque: todo mundo está comendo; isto vai para o lixo; é de graça; estou comemorando; estou chateado; quero mesmo comer; eu não ligo; não vai fazer diferença.*
Lembre-se... Não é certo comer isto. Estou apenas tentando me enganar. Cada vez que eu como algo que não foi planejado, fortaleço meus músculos de desistência e enfraqueço meus músculos de resistência.

Se passar pela sua cabeça... *Não acredito que meu peso aumentou! Isso é horrível! Nunca serei capaz de emagrecer.*
Lembre-se... É esperado que meu peso aumente de vez em quando. Devo continuar com o programa **A dieta definitiva de Beck** e esperar duas semanas antes de assumir que estou com problemas.

Se passar pela sua cabeça... *Não é justo que eu deixe de comer normalmente enquanto todas as outras pessoas estão comendo.*
Lembre-se... Eu estou comendo normalmente agora, como uma pessoa que tem a meta de emagrecer. Seria muito mais injusto se eu permitisse que meus sentimentos de injustiça me impedissem de emagrecer.

Se passar pela sua cabeça... *Agora que emagreci, posso parar de ser tão cuidadoso.*
Lembre-se... Se eu quiser permanecer magro, tenho que usar as técnicas que aprendi, pelo resto de minha vida. Se eu deixar de manter minha nova programação mental e meus novos hábitos alimentares eu, invariavelmente, voltarei a engordar.

PENSE
A continuidade

11
Quando parar de emagrecer e começar a manter?

Qual é o momento de parar a dieta e iniciar uma alimentação que contribua para manter o seu peso, pelo resto da vida? Essa não é uma pergunta muito fácil de se responder. Nem é apenas uma questão de alcançar um objetivo predeterminado que você estabeleceu para si mesmo porque o peso que você quer obter pode ser ou não um peso alcançável ou sutentável. Na verdade, quando me encontro, pela primeira vez, com pessoas que fazem dieta, faço duas perguntas:
1. Quanto você gostaria de pesar? (em outras palavras, qual é sua meta ideal?).
2. Qual é o menor peso que o deixaria satisfeito? (em outras palavras, qual sua meta satisfatória?)

É sempre um bom sinal quando os números não são idênticos. Significa que estas pessoas são, provavelmente, mais realistas sobre o que podem conquistar do que as que me dão exatamente os mesmos números.

Julia, por exemplo, que começou com pouco mais de 80 quilos, disse-me que seu peso ideal seria de 55 quilos e que seu peso satisfatório seria de pouco mais de 59 quilos. Ela está mantendo, na verdade, por mais de 10 anos um peso de aproximadamente 58 quilos (um quilo para mais ou para menos) – completamente feliz. Por outro lado, Cristina, que começou com 62 quilos, tinha, como meta ideal, atingir 52 aproximadamente, mas estaria satisfeita com 54 quilos. Ela ficou desapontada, no início, quando eu lhe disse que nós não poderíamos saber, por enquanto, se esta meta seria realista ou não para ela. Na verdade, ela chegou a pesar 55 quilos e agora tem se mantido com quase 57 quilos, por cinco anos. Levou certo tempo para que ela aceitasse como sendo este um peso razoável para ser mantido.

Como saber, então, se você encontrou um peso sustentável? Como fazer para determinar um peso realista? A fórmula está nas páginas seguintes. Mas, primeiro, você precisa conhecer a diferença entre o Menor Peso Alcançável e o Menor Peso Sustentável.

SEU MENOR PESO ALCANÇÁVEL *VERSUS* SEU MENOR PESO SUSTENTÁVEL

Vamos dizer que você tenha emagrecido devagar, comendo um número justo e constante de calorias por dia e fazendo a mesma quantidade de exercícios por semana. Em um determinado momento, seu peso naturalmente atingirá um platô, muito embora você não esteja fazendo nada diferente. Se seu peso permanecer constante por várias semanas, você tem de tomar uma decisão, conforme foi descrito no Dia 38: você pode continuar assim e ver o que acontece; ou, se for razoável, você pode diminuir seu consumo alimentar em 200 calorias por dia (se seu médico concordar) ou aumentar os exercícios.

Em determinado momento, entretanto, você vai parar de emagrecer e já não será sensato diminuir ainda mais seu consumo calórico ou aumentar os exercícios. Você chegou ao Seu Menor Peso Alcançável.

*Seu **MENOR PESO ALCANÇÁVEL** é o peso no qual você naturalmente atingiu um platô.*

Talvez você não consiga manter seu Menor Peso Alcançável, entretanto, porque, para isso, você teria que manter sua alimentação com o mesmo número de calorias e fazer a mesma intensidade de exercícios para o resto de sua vida. Na verdade, com o passar da idade, seu metabolismo fica mais lento, e você terá que diminuir o consumo de calorias ou aumentar ainda mais seu gasto de energia para manter o peso. Pode simplesmente não ser racional que você espere manter o Menor Peso Alcançável.

Vai chegar o momento em que seu peso vai se estabilizar, mas já não será sensato diminuir seu consumo calórico ou aumentar seus exercícios.

Em vez disso, você deve considerar a possibilidade de aumentar suavemente o número de calorias ou diminuir os exercícios (caso os esteja praticando intensamente para manter o seu menor peso possível) para um nível ao qual você possa aderir mais facilmente. Provavelmente, seu peso vai aumentar um pouco, mas atingirá novamente um platô que é o Seu Menor Peso Sustentável.

> *Seu **MENOR PESO SUSTENTÁVEL** é o peso que você tem capacidade para manter, continuando a comer e a se exercitar de forma sensata para o resto de sua vida.*

Este peso, muito provavelmente, não será igual ao menor peso que você já teve enquanto adulto. Talvez você pesasse significativamente menos em algum momento porque seu estilo de vida era diferente, era mais ativo fisicamente, ou esteve adoentado, ou ainda era mais jovem e tinha um metabolismo mais acelerado. Mesmo que você possa voltar a ter esse peso, provavelmente não vai conseguir mantê-lo.

Seu Menor Peso Sustentável provavelmente não é igual ao peso de um dos seus amigos mais magros, ou de um membro de sua família, de um vizinho, colega de trabalho, ou de alguém que você encontrou na academia. E tão pouco será o peso das celebridades ou modelos, que consomem uma quantidade incrivelmente baixa (completamente não saudável, na maioria das vezes) de calorias por dia e ficam horas e horas fazendo exercícios.

Determine Seu Menor Alcançável

Quando seu peso permanecer o mesmo por um ou dois meses, pense sobre o seu consumo calórico. Pergunte a si mesmo:
- É possível reduzir mais ainda minhas calorias?
- Será que continuarei sentindo prazer em comer se restringir mais ainda minha alimentação?
- Comer menos do que estou comendo ainda pode ser saudável?
- Comer menos do que estou comendo se ajusta ao meu estilo de vida?
- Será que eu estaria apto para manter uma redução calórica por muito tempo e viver confortavelmente assim mesmo?

Se você respondeu afirmativamente a todas estas perguntas, então poderá diminuir um pouco mais as suas calorias (em torno de 200, por dia) e observar se volta a emagrecer.

Uma alternativa é pensar em se exercitar mais. Pergunte a si mesmo:
- Realmente quero aumentar a frequência, intensidade ou duração dos meus exercícios?
- Será que tenho tempo e energia de sobra para fazer mais exercícios?

- Exercitar-me mais seria saudável para mim – ou seria exagerado?
- Será que eu estaria apto para manter, a longo prazo, um nível maior de exercícios?

Se você respondeu afirmativamente a todas estas perguntas, aumente um pouco seus exercícios e observe o que acontece.

Se houver diminuição de peso em razão de um menor consumo alimentar ou maior intensidade de exercícios, tudo bem. Mantenha essa rotina até que atinja um novo platô e avalie novamente a situação.

Gina, uma professora que atendi, optou por continuar a emagrecer depois de permanecer com 60 quilos por várias semanas. Ela imaginou que seria viável cortar calorias e fazer mais exercícios. Depois de analisar a situação, ficou claro que ela aguentaria fazer isso apenas durante os meses do verão, enquanto não estivesse lecionando. Ela sabia que, quando voltasse ao trabalho, teria um controle menor sobre horários e alimentação. Ela concordou, relutante, que não teria sentido tentar emagrecer mais, já que iria, provavelmente, recuperar o peso dentro de pouco tempo.

Determine seu Menor Peso Sustentável

Vamos supor que você tenha permanecido em Seu Menor Peso Alcançável por várias semanas ou meses. Então, percebe que comer de maneira tão restrita e fazer exercícios no nível atual está desgastando você. Talvez você se sinta faminto ou em estado de privação muito frequentemente. Talvez você quisesse comer fora mais vezes e tomar vinho no jantar. Quem sabe, ter um horário mais flexível e menos controle na escolha dos alimentos. Talvez seu estilo de vida tenha mudado e você, simplesmente, não esteja conseguindo dedicar muito tempo e energia para preparar as refeições e se exercitar. Não significa que você não esteja motivado e sim que realmente existem obstáculos em seu caminho.

Neste momento, considere comer um pouquinho mais ou se exercitar um pouquinho menos. Você precisa de uma programação com a qual possa viver confortavelmente pelo resto da vida. Bem melhor do que ficar fazendo modificações a esmo em sua rotina, sente-se (de preferência com seu técnico de dieta) e escreva um novo planejamento para colocar em seu caderno de dieta. Quantas calorias extras você deveria consumir por dia ou por semana? O que você poderia excluir em seus exercícios?

Você precisa de uma programação física e alimentar com a qual possa confortavelmente viver pelo resto da vida.

Siga este planejamento durante vários meses, revisando-o, se necessário. Você vai ganhar um pouco de peso e atingir de novo um platô. Esse é o Seu Menor Peso Sustentável. Você poderá achar que este Menor Peso Sustentável é adequado por vários anos. Conforme a idade passa, seu metabolismo se torna mais lento, gerando a necessidade de reajustar o Seu Menor Peso Sustentável. O peso que se tem em determinada idade pode ser ou não um peso razoável para depois de 10 anos. Não se permita, no entanto, chegar ao seu peso mais alto. Quando você engordar, procure saber se isso não está acontecendo porque você se tornou negligente em seus hábitos alimentares ou em sua rotina de exercícios. Se você deseja estar apto para comer a mesma quantidade ou para comer um pouco mais, precisa fixar um novo Menor Peso Sustentável, aquele que você não vai ultrapassar.

MAS EU QUERO SER MAIS MAGRO!

Esta é uma afirmação que eu canso de escutar. Você reconhece que encontrou seu Menor Peso Sustentável, mas não quer aceitar isso. Você realmente quer ser mais magro. Você está pensando: *Eu não gosto da minha aparência quando estou com esse peso*. Você pode fazer inúmeras coisas se estiver infeliz com seu Menor Peso Sustentável.

Continue a enriquecer sua vida. Agora é a hora de fazer todas as coisas que você adiou, até emagrecer, como foi discutido no Dia 40. Quanto mais você enriquecer sua vida social, familiar, profissional, espiritual, intelectual, criativa e de lazer, menos você vai focar o seu peso. Comparado com esses aspectos importantes da sua experiência, o desejo de ficar ainda mais magro é, de fato, superficial, não é mesmo?

Focalize a parte de seu corpo que lhe agrada mais. Aposto que sua tendência é automaticamente focar as partes que você não gosta. Claro que você vai acabar ficando insatisfeito. Em vez disso, focalize as parte de que você gosta.

Diga a si mesmo "Paciência". Pense que existem muitas outras situações aceitas por você, nas diferentes áreas de sua vida, com as quais também não está tão satisfeito. Como você convive em paz com isso? Você se chateia por que seu trabalho não o satisfaz, por que sua casa não é exatamente do jeito que você quer, por que não teve tempo suficiente para se dedicar às atividades de lazer? Ou você teve de aceitar essas imperfeições em sua vida? Você disse: *Paciência, eu não adoro esses aspectos da minha vida, mas eu acho que não posso ter tudo... e estou feliz por ter, pelo* menos, *[ex.: bons amigos, um bom trabalho, um divertimento que eu gosto]*? Você precisa fazer o mesmo com relação a seu peso.

Focalize em como você melhorou. Você pode não estar tão magro quanto gostaria, mas quanto já ganhou de benefícios por ter emagrecido até aqui? Sua aparência está melhor do que era antes? Você tem recebido mais elogios das outras pessoas? Você está usando roupas diferentes? Você tem mais autoconfiança? Você se sente mais no controle de sua vida? Você tem tido mais energia? Você está mais saudável? Você está menos inibido? Pense em todos os benefícios que você obteve, em vez de pensar em números irrealistas, na balança, para se sentir melhor.

Modifique suas comparações. Se você se compara com pessoas que pesam menos que você ou com o quanto você gostaria de ter emagrecido, será sempre infeliz. Mude a maneira de se comparar. Veja o contraste de sua aparência hoje e de quando você iniciou este programa.

Prepare-se mentalmente antes de se pesar outra vez. Você vai se desapontar sempre que ficar esperando ver o seu Menor Peso Sustentável sempre que subir na balança. Antes de se pesar, lembre-se de seu Menor Peso Sustentável. Lembre-se também de que poderá ter uma variação de 250g a 500g para mais ou para menos. Dessa maneira, você ficará feliz em vez de desapontado, se apenas manteve seu peso. Se você engordar mais de um quilo, lembre-se de que você tem as habilidades necessárias para resolver este problema.

Quanto mais enriquecer sua vida, menos você focalizará seu peso.

Aceite os elogios de outras pessoas. Quando alguém lhe disser como você está maravilhoso, você pode querer desconsiderar o elogio e pensar: *Mas eu deveria mesmo estar com uma aparência melhor.* Neste caso, assegure-se de responder a esse pensamento sabotador. Tente ver as coisas do ponto de vista de quem está falando. As pessoas não costumam pensar que você deve estar sempre com uma aparência melhor. Eles estão apenas pensando em quanto você parece bem. Se você ainda não tem o hábito de responder de forma educada a esse tipo de elogio, assegure-se de sempre agradecer as pessoas, sem outros comentários. Não diga: "Obrigado, mas...". Diga, simplesmente, "Obrigado".

Aja "como se". Pense um pouco sobre o que você estaria pensando, como estaria agindo e sentindo se estivesse atualmente no seu peso ideal. Durante o dia, finja que você está com o peso ideal. Se você fizer isso, há chances de que fique um pouco mais alto, menos tímido, e projete uma autoconfiança maior. Se você agir continuamente "como se", você vai parar de fingir e gradualmente tornar-se mais satisfeito.

É possível que você não tenha problemas para aceitar seu Menor Peso Sustentável sem se desgastar. Ou talvez tenha que fazer as tarefas acima sugeridas para aumentar sua aceitação. Trabalhe nisto. Discuta esta causa com os amigos e com o técnico de dieta. Seria uma pena se você não aproveitasse completamente seu novo corpo e continuasse se sentindo insatisfeito pela vida afora. Como vai ser maravilhoso quando você parar de se aborrecer e se sentir realmente muito bem com a pessoa que você é.

Na Sessão
com a Dra. Beck

Quando Elena começou a trabalhar comigo, ela tinha aproximadamente 1,52 metros e pesava por volta de 65 quilos. Apesar de todas as nossas discussões, ela alimentava, o tempo todo, a esperança de chegar a 51 quilos, 450 gramas a menos do que sua irmã mais velha. Com um grande esforço, conseguiu chegar aos 51 quilos e se manteve assim – por mais ou menos três dias. Aí, subiu para 52 quilos, onde estacionou por mais ou menos três meses. Nesta ocasião, ela arranjou um novo emprego, no qual precisava trabalhar sentada. Ela fez novas amizades e começou a ter uma vida social melhor, saindo todas as noites. Seu peso subiu nas oito semanas seguintes para 54 quilos. Mas ficou nisso – este passou a ser o seu Menor Peso Sustentável. Ela teve que trabalhar a aceitação deste peso e então tivemos a seguinte discussão.

Elena: Mas eu não gosto de pesar 54 quilos. Eu não acho que pareço magra o suficiente.
Dra. Beck: Eu sei que você não acha. E você está se sentindo desapontada.
Elena: É. Não sei se posso aceitar isso.
Dra. Beck: Elena, qual é a vantagem de manter esta esperança de ser mais magra?
Elena: [pensa] Nenhuma, eu acho.
Dra. Beck: E quais são as desvantagens?
Elena: [emburrada] Eu acho que isso me faz infeliz.
Dra. Beck: Eu acho que você está certa. É o mesmo caso de ter como meta vencer uma prova olímpica e ver, cada dia que passa, a impossibilidade de alcançá-la. Como você iria se sentir?
Elena: Eu iria me sentir mal, claro.
Dra. Beck: Você tem essa meta?
Elena: [risadas] Não.
Dra. Beck: E você se sente mal por causa disso todos os dias?
Elena: Não
Dra. Beck: Então, enquanto você não consegue obter esse resultado, não é melhor deixar de lado esta meta?
Elena: Sim, acho que sim.
Dra. Beck: Então, como isso se relaciona com a sua idéia de tentar emagrecer mais e ficar com 51 quilos?
Elena: [suspiros] Acho que, se essa é minha meta, eu vou ficar infeliz.
Dra. Beck: Está bem, agora vamos dizer, hipoteticamente, que você fosse capaz de mudar sua meta para 54 quilos. Como você se sentiria todos os dias quando subisse na balança?
Elena: Bom, melhor, eu acho.

Dra. Beck: Então, como você gostaria de se sentir pelo resto de sua vida, mal ou melhor?
Elena: Bem, melhor, claro.
Dra. Beck: Isso significa...
Elena: [suspiros] que eu tenho que mudar a minha meta.
Dra. Beck: E enquanto você não aceitar isso? E enquanto você continuar tentando alcançar uma meta não muito realista?
Elena: Eu me sentirei mal. [pausa], mas eu ainda me sinto um pouco mal porque não posso querer 51 quilos como minha meta.
Em seguida, ajudei Elena a ver que sua vida não seria diferente se ela pesasse menos. Ela reconheceu que todos acham que ela está bem com seu peso atual.
Dra. Beck: Bom, talvez o problema não seja você não poder manter os 51 quilos como meta e sim o que você diz para si mesma quando se olha no espelho. Você se olhou no espelho esta manhã?
Elena: Lógico.
Dra. Beck: E o que passou pela sua cabeça?
Elena: Eu pensei em como meu estômago parecia tão grande.
Dra. Beck: O que fez você sentir...
Elena: Mal.
Dra. Beck: E se você tivesse pensado "Nossa, olhe pra mim... Pareço tão diferente do que a cinco meses atrás... Isto é ótimo!"
Elena: Eu iria me sentir melhor.
Dra. Beck: Então você tem uma escolha: você pode ficar brigando com você mesma, sobre pesar 54 quilos, e continuar pensando que não está com boa aparência ou pode dizer, *Paciência, este é o Meu Menor Peso Sustentável. Veja como estou bem comparando com antigamente.*

Elena fez um Cartão de Enfrentamento sublinhando essas novas ideias as quais lia todas as manhãs antes de se vestir e se olhar em seu espelho de corpo inteiro.

> É maravilhoso ter emagrecido. Devo comemorar a "nova Elena" em vez de me criticar. Minha aparência não é perfeita, mas estou muito melhor e me sinto muito melhor. É ótimo estar com esse novo peso.

12
Como manter seu novo peso

Ao encontrar o Menor Peso Sustentável, a primeira coisa que eu quero que você faça é que se dê uma porção de elogios. É maravilhoso ter chegado até aqui! Você imaginou que isso poderia acontecer, quando pegou este livro pela primeira vez? Bem, você conseguiu! Isto é o mais importante – você deve estar muito orgulhoso. Agora você precisa aprender o fazer para se manter assim.

Continue a se pesar entre uma vez por dia e uma vez por semana. Descobri, por meio das pessoas com as quais trabalhei, a importância de vigiar o peso para não voltar a engordar. O único método é habituar-se a usar a balança. Aqueles que param de se pesam, normalmente, ficam estáveis por certo tempo (meses ou anos), mas eventualmente voltam a engordar.

Comprometa-se novamente se engordar 1250 g. Este número parece mágico para as pessoas que conseguiram se manter em seu novo peso. Ultrapassá-lo é indício de continuar engordando. Se você chegou a engordar 1250g do Menor Peso Sustentável, eu o aconselho a rever o programa e descobrir que habilidades você precisa restaurar. Algumas vezes é apenas uma questão de fazer os planejamentos por escrito, dimensionar e monitorar a alimentação, por algumas semanas.

Crie um Cartão de Enfrentamento para as Vantagens de Manter seu Novo Peso. Crie um novo cartão que contenha todos os motivos pelos quais você não quer voltar a engordar. Para fazer isso, use como modelo o Cartão de Enfrentamento para as Vantagens de Emagrecer. Que benefícios tornaram-se realidade para você, depois que emagreceu? Você experimentou vantagens adicionais que não haviam sido descritas? Enumere todas elas em seu novo cartão, depois da seguinte frase: "Eu quero permanecer magro porque quero continuar a...." Pegue o cartão todas as vezes que precisar, sempre que estiver correndo o risco de comer mais ou de exercitar-se menos.

Antecipe a quantidade de esforço necessária para a manutenção. Você já ouviu dizer que é mais difícil manter-se magro do que começar a emagrecer? Isto não foi confirmado pelas pessoas com as quais trabalhei. A manutenção e a dieta seguem o mesmo curso. São mais fáceis no início, um pouco mais difíceis em alguns momentos e mais fáceis novamente. Continuam mais fáceis na maioria do tempo, com períodos intermitentes nos quais são mais difíceis. É muito importante ter esta expectativa, pois, caso contrário, você poderá se desapontar quando a manutenção requisitar mais esforços. Se você não compreender que isso é normal, poderá se sentir desmotivado, esforçar-se menos e voltar a engordar. Faça um Cartão de Enfrentamento para se lembrar que manter o peso pode ser difícil em alguns momentos, mas que ficará fácil novamente.

Elogie-se muito, várias vezes por dia, por estar usando todas as suas habilidades cognitivas e comportamentais.

Responda a todos os pensamentos sabotadores. Fique na expectativa dos pensamentos sabotadores, periodicamente, durante muito tempo. Você ficará cada vez mais apto a responder a eles, mas precisará ter seus Cartões de Enfrentamento em mãos, sempre que estiver em dificuldade. Eu gostaria também que você os lesse periodicamente mesmo que não ache necessário. A maioria das pessoas que está fazendo manutenção de peso lê seus cartões uma vez por semana, depois, a cada duas semanas, uma vez por mês e, finalmente uma vez em cada temporada. Lembre-se de usar a Técnica das Sete Perguntas (páginas 231-235) e de criar um novo Cartão de Enfrentamento quando identificar novos pensamentos sabotadores.

> **SERÁ QUE EU POSSO CONFIAR, APENAS, EM MEU ORGANISMO?**
>
> Muitas pessoas quando estão fazendo manutenção de peso perguntaram-me se podiam parar com o programa para seguir seus indícios naturais, comer quando sentissem fome e parar quando satisfeitos. Eu, pessoalmente, nunca trabalhei com alguém que para manter o peso pudesse usar a fome como guia, em vez de planejar o que iria comer ou aderir a uma rotina geral de lanches e refeições. De qualquer forma, é melhor esperar, por enquanto, porque você pode ainda confundir vontade, desejo incontrolável e fome. Se resolver experimentar, observe a balança. Se você engordar, volte ao planejamento.

Continue comendo a mesma quantidade de comida e o mesmo número de calorias. Se decidir comer um pouco mais, tenha a consciência de procurar um novo Menor Peso Sustentável.

Continue a monitorar e planejar sua alimentação. É possível fazer isto, mentalmente, de vez em quando, conforme já foi explicado no Dia 41. Entretanto, para que funcione, você precisa de uma programação geral do que irá comer todos os dias, pois assim, de qualquer forma, estará escolhendo alimentos que fazem parte de um cardápio planejado.

Continue criando cardápios. Ter certa constância na alimentação contribui para a manutenção do peso. A maioria das pessoas com as quais trabalhei tinha três cardápios básicos de café da manhã e almoço e por volta de oito cardápios diferentes para jantares e lanches. Eles não se limitavam a esses cardápios, mas faziam essas refeições, na maioria das vezes. Limitar as opções torna a vida mais simples. Você pode programar a compra dos alimentos que precisa comprar toda semana e sabe quanto tempo demora em preparar cada refeição.

Tenha constância para comer no dia a dia. As pesquisas também confirmam que você tem mais propensão para manter o peso caso não faça grandes variações em seu cardápio, em termos de consumo calórico. Isto significa que é possível comer mais numa determinada ocasião, mas não *muito* mais. Também não é funcional ter um cardápio muito diferente para finais de semana

Tenha bons hábitos alimentares. Assegure-se de comer sempre devagar, sentado, prestando atenção em cada porção, e de parar quando estiver medianamente satisfeito.

Mantenha os exercícios. Isto serve para os dois tipos de exercícios, espontâneos e planejados, que devem ser mantidos, pelo menos, no mesmo nível em que se encontravam quando você alcançou o Menor Peso Sustentável. Se as circunstâncias mudaram e você precisou diminuir os exercícios, vai precisar ajustar seu peso também. Frequentemente, o exercício é a primeira coisa a ser descartada dos deveres pessoais quando se está atarefado. Mas as pesquisas confirmam que eles são essenciais também nesta fase do programa. Não se deixe ficar mais de uma semana (duas no máximo) sem fazer exercícios programados. Faça exercícios espontâneos todo dia, não importa como.

Continue obtendo apoio. Mesmo na fase da manutenção é importante reunir-se periodicamente com o técnico de dieta e relatar a situação de seu peso, pelo menos para que você se mantenha responsável. Além disso, seu técnico pode ajudá-lo a resolver problemas e lhe dar suporte emocional durante situações estressantes. Isso tudo irá preveni-lo contra voltar a comer como estratégia de enfrentamento. Mesmo quando não se sinta particularmente estressado, você pode precisar de um empurrãozinho a mais, para arranjar tempo e energia necessários à dieta.

Considere a ideia de se tornar um técnico de dieta. Uma das melhores formas de manter suas habilidades é ensiná-las a alguém.

Obtenha prazer com seu emagrecimento e seu nível de aptidão física. Lembre-se diariamente o quanto você aprecia estar mais magro, mais saudável e mais em forma – e o quanto você quer permanecer assim.

Mantenha-se em contato

Gostaria muito de saber das dificuldades e do sucesso que você obteve com **A dieta definitiva de Beck**. Gostaria de saber, também, que estratégias e dicas você tem que não estão incluídas neste livro.

Por favor, escreva para mim, *on-line*, através do *site* www.beckdietsolution.com ou me envie uma carta no endereço do Beck Institute for Cognitive Therapy, P.O. Box 2673, Bala Cynwyd, PA 19004.

A medida que eu for aprendendo sobre você, sobre todas as pessoas que fizeram dietas com ajuda deste livro, sobre aqueles que fazem pesquisas nesta área, atualizarei meu site e deixarei você a par das novidades.

BOA SORTE!
Judith Beck

Referências

O poder da Terapia Cognitiva para Emagrecer

Dansinger, M.; Augustin, J.; Griffith, J.; Selker, H.; Schaefer, E. "Comparison of the Atkins, Omish, Weight Watchers, and Zone Diets for Weight Loss and Heart Disease Risk Reduction. Journal *of the American Medical Association*. Vol. 293, No. l (January 2005): 43-53.
Foster, G.D.; Makris, A.P.; Bailer, B.A. "Behavioral Treatment of Obesity." *American Journal of Clinical Nutrition*. Vol. 82, Supplement l (July 2005): 230S-235S.
Paykel, E.S.; Scott, J.; Teasdale, J.D.; Johnson, A.L.; Garland, A.; Moore, R.; Jenaway, A.; Cornwall, P.L.; Hayhurst, H.; Abbott, R.; Pope, M. "Prevention of Relapse in Residual Depression by Cognitive Therapy: A Controlled Trial." *Archives of General Psychiatry*. Vol. 56, No. 9 (September 1999): 829-835.
Stahre, L.; Hallstrom, T. "A Short-Term Cognitive Group Treatment Program Gives Substantial Weight Reduction Up to 18 Months from the End of Treatment. A Randomized Controlled Trial." *Eating and Weight Disorders*. Vol. 10, No. l: 51-58.

O Programa

Baker, R.C.; Kirschenbaum, D.S. "Weight Control During the Holidays: Highly Consistent Self-Monitoring as a Potentially Useful Coping Mechanism." *Health Psychology*. Vol. 17, No. 4 (July 1998); 367-370.
Burke, L.E.; Sereika, S.; Choo, J.; Warziski, M.; Music, E.; Styn, M.; Novak, J.; Stone, A. "Ancillary Study to the PREFER Trial: A Descriptive Study of Participant's Pattems of Self-Monitoring – Rationale, Design and Preliminary Experiences." *Contemporary Clinical Trials*. Vol. 27, No. l (February 2006): 23-33.
Carels, R.A.; Darby L.A.; Rydin, S.; Douglass, O.M.; Cacciapaglia, H.M.; O'Brien, WH. "The Relationship Between Self-Monitoring, Outcome Expectancies, Difficulties with Eating and Exercise, and Physical Activity and Weight Loss Treatment Outcomes." *Annals of Behavioral Medicine*. Vol. 30, No. 3 (December 2005): 182-190.
Green, M.W; Elliman, N.A.; Kretsch, MJ. "Weight Loss Strategies, Stress, and Cognitive Function: Supervised Versus Unsupervised Dieting." *Psychoneuroendocrinology*. Vol. 30, No. 9 (October2005):908-918.

Harvey-Berino, J.; Pintauro, S.; Buzzell, P.; Gold, E.C. "Effect of Internet Support on the Long-Term Maintenance of Weight Loss." *Obesity Research.* Vol. 12, No. 2 (February 2004); 320-329.

Jones, K.L.; O'Donovan, D.; Horowitz, M.; Russo, A.; Lei, Y.; Hausken, T. "Effects of Posture on Gastric Emptying, Transpyloric Flow, and Hunger After a Glucose Drink in Healthy Humans." *Digestive Diseases and Sciences.* Vol. 51, No. 8 (August 2006): 1331-1338.

Marjorie, R.; Freedman, M.; King, J.; Kennedy, E. "Popular Diets: A Scientific Review." *Obesity Research.* Vol. 9, Supplement: 1S-5S.

Martin, C. "Does Slower Eating Rate Reduce Food Intake? Results of an Empirical Test," presented at the North American Association for the Study of Obesity 2004 Annual Scientific Meeting, Nov. 14-18, 2004, Las Vegas, Nevada.

Pendleton, V.R.; Goodrick, G.K.; Poston, WS.; Reeves, R.S.; Foreyt, J.P. "Exercise Augments the Effects of Cognitive-Behavioral Therapy in the Treatment of Binge Eating." *The International Journal of Eating Disorders.* Vol. 31, No. 2 (March 2002): 172-184.

Procidano, M.; Heller, K. "Measures of Perceived Social Support from Friends and from Family:

Three Validation *Studies."* American Journal of Community Psychology. Vol. 11, No. 1 (February 1983): 1-24.

Rolls, B.J.; Roe, L.S.; Meengs, J.S. "Larger Portion Sizes Lead to a Sustained Increase in Energy Intake Over 2 days." *Journal of the American Dietetic Association.* Vol. 106, No. 4 (April 2006): 543-549.

Wansink, B. "Ice Cream Illusions Bowls, Spoons, and Self-Served Portion Sizes."*American Journal of Preventive Medicine.* Vol. 31, No. 3 (September 2006); 240-243.

Wing, R.R.; Jeffery, R.W. "Benefits of Recruiting Participants with Friends and Increasing Social Support for Weight Loss and Maintenance." *Journal of Consulting and Clinical Psychology.* Vol. 67, No. 1 (February 1999): 132-138.

A continuidade

Wing, R.; Phelan, S. "Long-Term Weight Maintenance." *American Journal of Clinical Nutrition.* Vol. 82, No. 1, Supplement (July 2005): 222S-225S.

Índice

Aaron T. Beck 19, 32
Acredite em você! 264, 265
Alimentos
   "Bons" e "ruins" 76
   comer para se confortar 23, 41, 47, 227, 254
   manter certos alimentos fora do campo de visão 103-109
   não permitidos
   opções na hora da refeição 153
   planejamento alimentar escrito 151-156, 158-165
   resistindo a quem insiste para você comer 228-235

Caderno de dieta 56, 59, 70, 88, 89, 98, 152, 153, 158, 192, 211, 216, 231, 248, 266, 282, 300
Calorias 75, 77, 78, 82, 83
   consumo calórico 159
   em bebidas alcoólicas 243
   os exercícios queimam 122
Características que a tornam difícil 41-50
Cartões de enfrentamento 34, 55, 64, 74, 80, 81, 84, 86, 87, 91, 95, 102, 106-107, 109, 112, 121, 126-127, 128, 136, 142, 147, 150, 154, 156, 163, 165, 168, 169, 179, 181-183, 186-188, 203-207, 208-210, 219, 224, 231, 235, 254, 268, 279, 285, 288, 289, 305, 308
   veja também pensamentos de sabotagem.
Comer fora 46, 165, 227, 236-242
   bufê ou a la carte 239
   estratégias para comer fora 236-238
   jantar fora 236-238, 240
   mantenha o controle 236-242
   substituições ou pedidos especiais 237
   tamanho das porções 238
Comer. *Ver também* fome, não tenho escolha
   devagar e com atenção 92-96, 238, 288, 309
   e viajar 247-251
   emocionalmente 252-256
   impulsivamente 44, 83
   justificativa 46
   monitore sua comida 158-165
   regras para 166-169, 247
   satisfeito 44-45, 83, 92
   sem planejamento 166-169, 184-188
   sentar-se 55, 82-85, 288, 309
   social 228-242
Como dizer não 231
Compromisso por escrito 74, 81, 85, 91, 96, 102, 109, 121, 128, 131, 136, 142, 150, 156, 165, 169, 175, 179, 183, 188, 196, 201, 207, 210, 214, 218, 223, 225,

235, 242, 246, 251, 256, 260, 262, 268, 273, 276, 281, 287, 291
Decepção 197-202
"paciência" 198-202
resistindo a quem insiste para você comer 228-235
Desafios 227-262
análise do custo de comer 231, 233
falando *não* 231
Desejo 42, 56, 63-64, 66, 76
a lidar com 23, 30, 36, 42-44
como medir 144-145
cartões de enfrentamento 64, 70
identificar 37, 112, 132-136
tolerar 42, 44, 112, 143-150, 151, 157, 236, 248
Dica!
anotando o que você come 159
apoio a si mesmo depois de um erro cometido 88
apoio de seu treinador de dieta 98
bebidas alcoólicas 244
escolhendo a dieta 77
jantando fora sem se empanturrar 237
motivando-se para fazer exercícios 125-126, 280
recompensando-se 86
saciedade 177
vontade de comer 135
Dieta
chega de "trapacear" 23, 24
comemorações 236-242
como fazer dieta 23, 63-64
criando tempo e energia 112-121
Dois tipos de dieta 75-76
escolha 25, 54, 75-81
estar psicologicamente pronto 54-55
flexibilidade 76-79
privação 77
sair da dieta 27-29, 41, 48, 64, 65
Dieta de relance 56, 59, 70, 88, 89, 98, 152, 153, 158, 192, 211, 216, 231, 248, 266, 282, 300
Distrações 94-95, 147-149, 254
Cartão de atividades para distrações 148, 254

Elogiar-se 86-91, 280, 288, 307, 308
por comportamentos alimentares funcionais 86-91, 158, 160, 171, 185, 237, 249
por fazer exercícios 280
Emagrecendo. *Ver também* fome, cartões de enfrentamento
Cartão dos motivos pelos quais quero emagrecer 87
comemorando 129, 189, 191
encarando decepções 197-202
encontrando apoio 208-210
estabelecendo metas 129-131
taxa de 129-130
vantagens 64-74
Empanturrar-se. 45, 46, 50, 78, 170-175, 176, 238-240
empanturrar-se nunca mais 170-175
esquiva 45, 236-242
modifique sua definição de saciedade 176-179
praticar 170-171
técnicas para prevenir 48, 236-242
Enriqueça sua vida 282-287, 301
Erros cognitivos 215-218, 219
Cartão de 34, 69, 71, 163, 167, 173, 181, 187, 204, 221, 265, 285, 305
Cartão de enfrentamento acredite em você! 264-265
Cartão de enfrentamento com as vantagens de manter o peso 308
locais 70
quando ler 70
sistema de lembretes 70-71
técnica das sete perguntas 219-223
vantagens de emagrecer 64-74, 254,
Escrito
Estímulos 37-39, 151, 236
ambiental 36, 103-109
biológico 36
e sede 147
emocional 36
identificando mental 36
para comer 36
para se empanturrar 177
social 36

Exercícios 75, 248, 277-288, 298-305, 309
  benefícios 122-128
  espontâneos 123, 126, 309
  mantenha-se fazendo exercícios 277-281
  motivando-se 7, 278-281
  para controlar apetite 122
  planejados 124, 309
  problemas relacionados ao 124-126
  selecione um plano de 122-128

Fome 41-52
  Cartão de monitoramento da fome 133, 134
  diferenças entre fome, vontade e desejo 132-136
  e cartões de enfrentamento 64
  enfrentando 23, 30, 36, 43-44
  identificando 37, 41, 42, 112, 170, 253
  minha escala de desconforto 138, 139
  posso apenas ouvir o meu corpo? 308
  sensações que mascaram a, 37
  tolerando 42-44, 112, 137-142, 151, 157, 177, 248

Ideal 297
  meta satisfatória 297
  mudando 297, 304-305
  recompensa por alcançar 129
Injustiça 48-49, 203-207
Internet, encontrando suporte para dieta 99

Jejum
  faça uma nova tarefa 288-292
  lista de atividades diárias 288
  lista de atividades diárias por semana 288
Medidas
  cartão das atividades de distração 148, 149
  cartão de medida dos desejos 144, 145
  cartões de respostas 68, 69

fome e estômago 132-135
minha escala de desconforto 139
minha escala de desconforto com a fome 140
Menor peso de manutenção 298-305, 307, 309
  ajustando as metas 304, 305
  determinando 300-301
Menor peso encontrado 298-305
  determinando 299-300
Mensurando alimentos 181, 190
Metas
  enriqueça sua vida, 282-287
Modifique sua programação mental sobre festas, comemorações e eventos especiais 239-240
Motivando-se 55, 112, 129-131, 282-287
  para fazer dieta 54-55, 63, 64, 97-102
  para fazer exercícios 23, 112, 277-281
  para ler cartões de enfrentamento 71
Músculo
  desistência 36, 38, 39, 146, 203, 253, 254
  resistência 36, 38, 146, 157, 253

Na sessão com a Dra. Beck 51-52, 58-59, 162-163, 172-173, 205-206, 230-231, 284-285, 304-305
Não tenho escolha 146, 166, 253, 266
  cartão de enfrentamento 167
  exercício 279

O que está passando por sua cabeça agora? 72-73, 80, 84, 89-90, 95, 101, 107-108, 120, 126-127, 130, 135, 141, 149, 154-155, 164, 168, 174, 178, 182, 187, 194-195, 200, 206, 209, 213, 217, 221-222, 224, 234, 240-241, 244, 249, 255, 259, 261, 267, 274, 275, 280, 286, 290
Obsessão
  com alimentos, fazer dieta, peso ou aparência 46
  sobre dieta 190
Obsessão com 46

Pedômetro 123
Pensamentos de Sabotagem 24-25, 27-28, 30, 33-39, 45-48, 65, 70, 71, 72-73, 82, 87, 103, 111, 151, 189, 239-240 *veja também* cartão de respostas, o que está passando por sua cabeça agora
   antecipando quando comer fora 236
   contrariando 24, 25, 27-28, 33-36, 38, 50, 63, 64, 72-73, 158, 170-171, 177, 184, 197-225
   contrariando a síndrome da injustiça 203-207
   identificando 211-214
   parando de se enganar 180-183
   pensamentos de sabotagem comuns à dieta 212
Pense como uma pessoa magra, 153, 158, 249, 261-262, 307
   frequência 190, 288
   gráfico de emagrecimento 191, 192, 224-224, 261
   prepar-se para pesar 190-196, 224-225, 261-262
Peso. *Veja também* emagrecendo
   engordando 25, 47-48, 248, 307
   ideal 46, 297-298
   manutenção 50, 83, 293, 297-310
   gráfico de emagrecimento 191, 192, 224, 261
   o menor peso alcançado 298-301, 305
   o menor peso sustentável 298-305
   por que o peso importa
   voltando a engordar 26, 28-29, 49-50, 5, 77, 264
Planejando
   cardápios 309
   o que comer 56, 151-156, 309
   opções de refeições 153
   refeições 113, 114, 151-156
Platô 274-276, 298-305
Praticar 293-294
   e celebrações ou comer fora 236-237
   habilidades para emagrecer 54-55
   não se empanturrar 170-171
   tolerância à fome 137-142
Prepare-se 63-64

Problemas
   com a dieta 27-28, 63, 97
   com comer devagar e com atenção 94-95
   psicológicos 27-28
   relacionados com exercícios 124-126
   resolução criativa de 105-106
Profissional de saúde 181-190
Programação mental 24, 25, 45, 52, 53, 55, 64, 76, 157-158, 189, 198-200, 263, 264, 269-271
Pulando refeições 79, 80, 137

Reduzindo o estresse 269-271
   três estratégias para baixar seu nível de estresse 269
Regras 167, 270-271
   flexibilizando as 270
   para você mesmo 270
Resolução de problemas 55, 113, 190, 257-260, 269-271, 288-289
   identificando o problema 257-289
   procurando apoio 259
   usando a técnica das sete perguntas 219-223, 257-258

Saciedade 44-45, 132-136 *Ver também* empanturrar-se.
   mudando sua definição de saciedade 176-179
Síndrome da injustiça 48-49, 203-207
Sistemas para lembrar de
   ler os cartões de resposta 70-71
   pensar magro 294
   usar estratégias de dieta 263
Sucesso 23, 288, 301-302, 310

Tarefas do dia 74, 81, 85, 91, 96, 102, 109, 121, 128, 131, 136, 142, 150, 156, 165, 169, 175, 179, 183, 188, 196, 201,-202, 207, 210, 214, 218, 223, 225, 235, 242, 246, 251, 256, 260, 262, 268, 273, 276, 281, 287, 291-292
Técnica das sete perguntas 219-223, 257-258, 288
Técnicas cognitivas 253-254

Técnicas de relaxamento 147, 186, 254, 269
Tempo
  como encontrar mais tempo 114-116
  criando, para fazer dieta 112-121
  e delegando responsabilidades 113-114, 117, 118
  e solução de problemas 113-114
  cartão de horários 114, 116
  cartão de prioridades 118, 119
  para fazer exercícios 125-126

Terapia cognitiva, 25-32, 50, 63, 111, 112, 157, 197, 227, 253, 263, 293
Transtorno alimentar 46

Vantagens extras 66
Viagem e dieta
  planejando uma viagem 247-248
  preparando para viajar 247-251
Volte à trilha 184-188